Zu diesem Buch

«Hochhuths Buch ist nicht nur der Bericht über das gräßliche Ende eines (verbotenen) jähen Liebestaumels und die erbarmungslos in Schwung gesetzten Mahlräder einer Apparatur (damit durchaus an Arnold Zweigs ‹Grischa› erinnernd); es ist der Bericht vom ‹täglichen Faschismus›» (Fritz J. Raddatz, «Die Zeit»).

«Ich kann mir nicht denken, daß irgend jemand, der diese Vergangenheit nicht von sich weist, das Hochhuth-Buch ohne Betroffenheit liest» (Dieter Lattmann, «Der Spiegel»).

Rolf Hochhuth, geboren am 1. April 1931 in Eschwege, war Verlagslektor, als er 1959 während eines Rom-Aufenthalts sein erstes Drama «Der Stellvertreter» (rororo Nr. 997) konzipierte, das in 28 Ländern gespielt wurde. Weitere Veröffentlichungen: «Der Klassenkampf ist nicht zu Ende» (1965), «Soldaten» (1967; rororo Nr. 1323), «Guerillas» (1970; rororo Nr. 1588), «Die Hebamme. Komödie, Erzählungen, Gedichte, Essays» (1971; eine Auswahl aus dem Band erschien unter dem Titel «Die Berliner Antigone», rororo Nr. 1842), «Krieg und Klassenkrieg. Studien» (1971), «Die Hebamme. Komödie» (1973; rororo Nr. 1670), «Dramen», Sonderausgabe («Der Stellvertreter»/«Soldaten»/«Guerillas»; 1972), «Lysistrate und die Nato. Komödie» (1973; das neue buch Bd. 46), «Zwischenspiel in Baden-Baden» (1974), «Tod eines Jägers» (1976; das neue buch Bd. 68), «Machtlose und Machthaber» (1978), «Tell 38» (1979), «Juristen» (1979; rororo Nr. 5192), «Ärztinnen» (1980) und «Räuber-Rede. Drei deutsche Vorwürfe. Schiller/Lessing/Geschwister Scholl» (1982).

Als rororo Nr. 4545 erschien der von Rosemarie von dem Knesebeck herausgegebene Band «In Sachen Filbinger gegen Hochhuth. Die Geschichte einer Vergangenheitsbewältigung», 1981 im Rowohlt Verlag der von Walter Hinck edierte Band mit Essays zum Werk «Rolf Hochhuth – Eingriff in die Zeitgeschichte», 1982 ein von Dietrich Simon herausgegebener Hochhuth-Reader «Nur die Spitze des Eisbergs».

Rolf
Hochhuth

Eine Liebe in
Deutschland

Rowohlt

Umschlagentwurf Werner Rebhuhn.
Fotos für Umschlag und Tafelteil aus dem
gleichnamigen Film von Andrzej Wajda mit Hanna Schygulla
in der Hauptrolle sowie Armin Mueller-Stahl,
Elisabeth Trissenaar, Marie Christine Barrault,
Daniel Olbrychski, Piotr Lysak, Bernhard Wicki
u. v. a. Eine deutsch-französische Co-Produktion
der CCC-Filmkunst Berlin und Gaumont Paris,
produziert von Artur Brauner,
im Verleih der SCOTIA-FILM.

Veröffentlicht im Rowohlt Taschenbuch Verlag GmbH,
Reinbek bei Hamburg, Oktober 1983
Copyright © 1978 by Rowohlt Verlag GmbH,
Reinbek bei Hamburg
Gesamtherstellung Clausen & Bosse, Leck
Printed in Germany
780-ISBN 3 499 15090 5

Inhalt

1
Rosi Lindner

«Die Landbevölkerung denkt sich bei
der Unterbringung der Kriegsgefangenen in der Hausgemeinschaft überhaupt nichts. Sie kommt gar nicht auf
den Gedanken, darin eine volkspoliti-
sche Gefahr zu sehen . . . Die Auswirkung jeder volkspolitischen Aufklärung
wird durch die Arbeit der Kirche, die
sagt, daß auch die Kriegsgefangenen
und ausländischen Arbeiter Christen
und Menschen seien, wieder zunichte
gemacht. Während gerade der Bauer
am besten die Schäden unerwünschter
blutmäßiger Vermischung bei seinem
Vieh kennt, zeigt er sich für volkspoliti-
sche Fragen uninteressiert . . . Wer mit
ihm arbeitet und fleißig ist, der genießt
sein Vertrauen, gleichgültig, ob Deutscher oder Fremdvölkischer, Kriegsgefangener oder Zivilist.»

Geheimbericht der Sicherheitspolizei,
Berlin am 15. 11. 1943

Brombach im Markgräflerland.

Literarisch Lokalkundige kennen dieses Dorf an der Grenze zur Schweiz durch das «Gespräch auf der Straße nach Basel zwischen Steinen und Brombach, in der Nacht»; dies ist der Untertitel, den Hebel seinem Gedicht «Die Vergänglichkeit» gab; vermutlich schrieb er es in Lörrach, dem heute Brombach eingemeindet ist. Im angsterregenden Mondlicht scheint dem Sohn eines Fuhrmanns die imposante Ruine des Schlosses Rötteln «so grauslich wie der Tod im Basler Totentanz». Und zum erstenmal überhaupt aufgerührt von Vergänglichkeits-Angst, stellt der Junge dem Vater Fragen, die den Fuhrmann sagen lassen: «. . . und mit der Zit verbrennt die ganzi Welt.» Denn die beiden reden alemannisch. Doch schrieb der Basler Hebel, von dem übrigens der Satz stammt: «Merke, es gibt Untaten, über welche kein Gras wächst», – auch eine hochdeutsche Fassung des Gedichts; und auf die berufe ich mich! Obzwar nämlich alle Zeitkenner und Zeugen außer einem Oberjustizrat die ich in Brombach und Lörrach für diese Erzählung fand, auch zu mir alemannisch gesprochen haben: das Muttermal der Sprache, unser Dialekt, gehört uns seit der Kindheit an – oder nie; ihn später künstlich zu erlernen, ist so hochstaplerisch wie die Verkleidung in eine kurze Lederhose, nur weil man nach Bayern reist! Als ein Jude, geflüchtet aus Deutschland, nach einem Vierteljahrhundert eingeschweizert werden sollte, hielt die Behörde ihm vor, er spreche ja noch immer nicht baslerisch. Da gab er die schlagende Antwort: «Ich dachte, um Schweizer zu werden, genüge es, die Sprache zu sprechen, in der Bachofen und Burckhardt geschrieben haben!»

Auch hat jedes Platt die Eigenschaft, vieles zu verkindischen und fast alles zu vergemütlichen, was man in seinen Worten vorbringt; oder zu karikieren. Lichtenberg notierte, ein Esel, darunter stelle er sich ein Pferd vor, ins Holländische übersetzt.

Und da eine Erzählung weder einem Tonband gleichen noch die Schularbeit aufbürden soll, eine uns nicht mitgeborene Mundart zu erlernen, so interessiert uns hier nicht, daß natürlich die Schwarzwälderin Pauline mit ihren Kindern, ihrem Mann, ihren Eltern – die hatten einen Bergbauernhof – und ihren Kunden im Gemüseladen Dialekt sprach; den sprach sie übrigens immer wieder auch zu dem polnischen Kriegsgefangenen, der ihr abends bei der Arbeit half. Doch meist merkte sie nach wenigen Worten, daß der Pole sie mißverstand oder gar nicht verstehen konnte, wenn sie Alemannisch sprach. Und dann ging sie zu einem ihr kaum mundgerechten Hochdeutsch über; denn Schriftdeutsch hatte der Junge – er war 21 – in einigen Klassen des Realgymnasiums zu Lodz gelernt; hatte es auch aufgebessert, seit er vor anderthalb Jahren, im September 1939, von den Deutschen gefangengenommen und bald zu Bauern als Knecht oder Kutscher kommandiert und aus dem Lager entlassen worden war. Mit Schreck, ja mit Entsetzen in Auge und Stimme, daher sie auch zu schnell sprach, um von ihm verstanden zu werden, sagte Pauline zu Stasiek Zasada: «Die Rosi Lindner in Lehnacker hat sich uff' hängt, mer spricht, dere Pol, wo arbeit bei ihr, hot ihr wos Kleines hing'setzt – gruslich, drei Kinner hot's schon!» Und da sie an seinem horchenden Ausdruck ablas, daß er sie nur halb verstand oder gar nicht, so stieß sie hervor: «Sie haben die Schwanen-Wirtin in Lehnacker doch auch gekannt! – aufgehängt hat die sich. Es heißt: der polnische Gefangene, wo g'schafft hot bei ihr, hat sie g'schwängert und zwei Mädel und en Jungen hat sie schon! Eben hat der Stackmann es im Laden erzählt, wie er Bast gekauft hat –

und hot so gesprochen, wie wenn daß er sage möcht: paß uff, daß dir net au sowas passiere tuet!»

Die Erregung hatte sie rasch zurückfallen lassen in den Dialekt. Der Pole fragte betroffen: «Stackmann?»

Sie erläuterte: «Dere Kiminoler, wo sowieso umenand schnüffle tuet.» – «Ah – der Polizist!» sagte Stasiek Zasada. Dann schwiegen beide. Endlich setzte er hinzu: «Die Frau hat mir ein Bier hingestellt, einmal habe ich ihr Kohlen gebracht. Schön war sie und freundlich. Warum – sich gehenkt?»

Bedrückt antwortete Pauline: «Wenn sie doch schwanger war und ihr Mann war im Krieg – hier findet keine Frau einen Arzt, der hilft: Ärzte, die das tun, werden hingerichtet. Und der Pol wird auch umgebracht, der wo ihr das Kind g'macht hat. Er ist schon weg!» Zasada nickte. Schwieg. Sagte dann: «Ich habe gehört, er ist auf andere Arbeit verschickt!»

Sie sagte stumpf: «Dann kommt das noch, daß die ihn umbringen! Die Rosi hat sich ja erst gestern uffg'hängt. Jetzt wird man den Polen drankriegen, bestimmt!» Was sie inzwischen gedacht hatte, das verschwieg sie – das verschwieg sie sogar sich: daß kaum eine Rettung sei, wo eine Frau, deren Mann halbe oder ganze Jahre fort ist, mit einem Mann, der keine Frau anrühren darf, der auch eine andere gar nicht treffen kann, weil er abends spätestens um zehn im Zimmer zu sein hat, täglich zusammenarbeitet und ißt und haust! Bis zu der Frage, so nächstgelegen die auch war, ob sie selber an Rosis Stelle ihrem Mann hätte treu bleiben können, wagte sie sich nicht vor, aber ehrlich, wie sie war, wußte sie: getrennt wohnen ist der einzige Schutz. Vielleicht! Zasada sagte: «Wer sagt, sie war schwanger – von polnischer Gefangener? Hat Frau geschrieben zum Abschied?»

Und bevor Pauline ihm antworten konnte, fragte er noch: «Wie zu erfahren, wohin Pole gebracht ist?»

Aha, dachte Pauline, warnen will er ihn, daß er abhaut, bevor sie ihn holen! «Die werden ihn heute schon geschnappt haben, wenn er noch nicht verhaftet war», sagte sie. Und fügte an, als er überlegend schwieg: «Vielleicht, daß andere Gefangene drüben in Lehnacker wissen, wo der hinkam!»

Pauline sagte noch: «Den finden Sie nicht mehr. Der ist geholt, den findet keiner mehr.»

Und überstürzt, jetzt, brach Zasada auf.

Noch einen Moment blieb sie sitzen, ihren noch nicht vierjährigen Sohn auf den Knien. Es wurde schon dämmerig, denn das kleine Küchenfenster war zugestellt mit Blumenstöcken. Wann hatte sie Rosi Lindner zuletzt gesehen, die selbstbewußte Wirtstochter vom Gasthaus zum Schwan? Wie furchtbar, daß die einen anderen Ausweg nicht gefunden hatte. Der blöde Wortwitz fiel ihr ein: Umstände bringen in Umstände. Nie war ihr, obgleich sie keinen Grund hatte zu einem Selbstvorwurf, so angsterregend deutlich, daß viel mehr den Menschen die Dinge zustoßen als daß die Menschen die Dinge stoßen. Die arme Frau! dachte sie – oder sie sagte sich, daß sie das dächte. In Wahrheit – aber wer vermöchte schon die Wahrheit so genau zu wissen – hatte sie mehr Furcht um sich als Mitleid mit der Selbstmörderin. Ihr Sohn spürte, wie weit sie von ihm weg war mit ihren Gedanken, er war eifersüchtig. «Mama, du mußt singen», sagte er, obgleich Pauline niemals sang, aber immer oder oft summte und ihn wiegte zu der Melodie, wenn Herbert gegen sechs, sobald endlich der letzte Kunde aus dem Laden war, von seiner Mutter auf den Schoß geholt wurde:

Sie drückte ihn heute an sich, als könne sie selber vor

einer Gefahr, die sie sehr genau hätte benennen können, sich festhalten an dem Kind. Daß diese Gefahr drohte – war eines. Ein anderes: wieso das so weit hatte kommen können, daß eine Frau sich aufhängen mußte, weil sie von einem Ausländer schwanger geworden war! Unmöglich hätte Pauline sich erklären können, warum es dahin gekommen war . . . denn sie wußte nichts von Psychiatrie. «Die Zeit ist krank», das spürte sie. Wie die Kunden im Laden – zwei Frauen – soeben reagiert hatten, als der Polizist erzählte, daß Rosi und warum die sich aufgehängt habe: das hatte Pauline deutlich gemacht, daß die Menschen krank geworden seien, denn sie kannte diese beiden Frauen seit Jahren, und wenn die – statt Mitleid mit der so beliebt gewesenen Schwanenwirtin – Gefühle hämischer Zustimmung zu Rosis Verzweiflungstat aussprachen, dann war das möglich nur durch so radikale Gemüts-Verwüstungen, wie allein Krankheiten sie auslösen. «Recht g'schieht's der!» hatte eine gerufen, mit einer Genugtuung, als habe Rosi Schulden abgezahlt, die sie bei dieser Frau seit Jahr und Tag gehabt hatte. Wir Menschen sind zum Fürchten, dachte Pauline – um nicht denken zu müssen: daß ihre eigene Situation, dieses tägliche Beisammensein mit dem ihr so sympathischen Jungen aus Polen – zum Fürchten sei . . .

Wenn schon sonst harmlose Hausfrauen sich mit Genuß darüber ausließen, daß eine Nachbarin sich erhängt hatte, warum auch immer! – was konnte man dann von den Nazis im Dorf erwarten? Und wenn schon die kleinen Leute so hart eine Unglückliche aburteilten: wie dachten dann erst die hohen Herren darüber? . . . Die Zeit ist krank, dachte sie wieder – ohne zu überlegen, daß es Zeit nur im Sinne der Uhr gibt, daß aber die Zeiten die Menschen sind und was sie denken und tun.

Ja, die Menschen waren krank – und da auch Paulines

und Stasieks Geschichte nicht verständlich zu machen ist
– auch dem Erzähler selber nicht –, ohne wenigstens den
Versuch einer Analyse der Geisteskrankheit mitzuliefern,
die sie auslöste, so müssen auch «die Herren», deren Geist
– deren Geisteskrankheit – die Tragödien der Hitlerjahre
verschuldeten, notwendigerweise miteinbezogen werden
in diese Erzählung. Das ist zu bedauern. Denn ein Vers,
der schon hundert Jahre vor der fürchterlichen Wirksamkeit dieser Männer geprägt wurde, er trifft auf sie genauer
zu als auf alle bisherigen:

Nicht gedacht soll ihrer werden,
nicht im Buche, nicht im Liede.

2
Zwei deutsche Dr. phil. betrachten 1939 Polen

«Friedrichsrode 29/31. VII. 41

. . . Erholt habe ich mich wohl etwas. Wie es wird, wenn ich wieder in Berlin bin, bleibt abzuwarten . . . Unsere Gespräche bei Tisch werden sicher denen bei Ihnen sehr ähnlich sein. ‹Es ist schade um jeden Polen, der nicht erschossen ist. Ich habe immer alles ohne weiteres erschießen lassen.› Oder: ‹Ich nehme an, daß man unsere kolonialen Zentralbehörden alle in den Kilimandscharo verlegt, 12–1500 m hoch, Bergklima.› Oder: ‹R. Heß sitzt ja jetzt in einem engl. Gefang.lager. Der wird den Engländern ganz schön Bescheid gestoßen haben.›

. . . eigentlich gibt es nur Berge und Blicke und greuliche Einwohner.»

Oberstarzt Dr. G. Benn an F. W. Oelze

Der Jüngere, Jahrgang 1913, hat soeben seine Doktorarbeit: «Don Juan d'Austria und die Schlacht bei Lepanto» abgeschlossen, sie wird ein Jahr später als Buch erscheinen. Der Ältere, Jahrgang 1897, hat über Schütz, einen Dramatiker der Romantik, promoviert und ist seit 1933 Reichsminister für Volksaufklärung und Propaganda. (Er hat sich gewehrt gegen diese Amtsbezeichnung, weil ihm damals noch klar war, daß Propaganda die Liquidierung der Aufklärung ist; und obwohl er nichts unterließ, um genau dies mit seinem Ministerium zu erreichen, hielt er es instinktiv nicht für geschickt, schon mit seinem Türschild zu offenbaren, was er anstrebe mit seiner Arbeit.)

Der junge Historiker Felix Hartlaub, dessen Vater als Direktor der Mannheimer Kunsthalle aus dem Amt gejagt wurde von dem, der den Philologen Joseph Goebbels in sein Amt einsetzte, notierte als Student in Berlin, nach der Vandalisierung jüdischer Geschäfte und der Synagogen im Winter 1938: «Ein Gefühl der Erniedrigung und Beschämung bei allen, die ich sprach . . . Trotzdem habe ich mir im Laufe der Zeit eine Unberührbarkeit zugelegt, die etwas ziemlich Bestialisches an sich hat. Daß man schlafen, essen kann, ist schon sehr kompromittierend . . . Ich muß hier jeden Morgen am französischen Reisebüro vorbei und sehe die Gesichter derer, die dort von früh an Schlange stehen. Das genügt mir.»

Der ältere der beiden ist der eine von zwei Deutschen, die vor anderen durch ihre Reden jene Zehntausende von Terroristen ausgebildet haben, die – aus allen Bevölkerungsschichten stammend, vom Chauffeur bis zum Arzt – jüdische Mitbürger in der Nacht vom 8. auf den 9. November aus den Betten prügelten und die männlichen wegschleppten.

Der Jüngere schreibt seinem Vater acht Monate vor

dem Überfall Hitlers auf Polen: «Wer weiß, wieviel Zeit noch ist und wann wir endgültig den Kanonen vorgeworfen werden.» Er hat ihm bereits im September 1937 geschrieben: «. . . die immer frechere Spekulation auf Englands dickes Fell scheint mir doch auf die Dauer frevelhaft. Es liegt Stoff für drei Weltkriege bereit; wie lange wird es noch dauern?»

Der Ältere, den sein Führer auf eine Reise nach Athen und Rhodos verschickt hat, damit dessen Frau den spektakulärsten seiner Ehebrüche seelisch verarbeiten kann, notiert dort am 4. April 1939: «Von Berlin kommen Zeitungen. Chamberlain hat im Unterhaus eine Beistandsverpflichtung für Polen erklärt» – und obgleich genau diese Beistandsverpflichtung es ist, die dazu führen wird, daß nach fast sechsjährigem Krieg dieser Tagebuchschreiber und der Staat, dessen Minister er ist, beseitigt werden, kommentiert er die Nachricht aus London: «Es ist zum Brüllen.»

Die wirksamste Lüge um Goebbels ist nicht von ihm selber, hat ihn aber mehr als dreißig Jahre überlebt: er sei herausragend intelligent gewesen . . . Denn was er zum Lachen findet – «zum Brüllen» nennt man damals in Berlin ein sich überschlagendes Gelächter –, das glaubt er dadurch schon entschärft oder neutralisiert, daß «der Führer» dem britischen Premierminister «in seiner Rede in Wilhelmshaven eine sehr schneidende Antwort . . . gibt. Drohung mit Kündigung des Flottenvertrages. Das zieht bei den Herren Engländern am meisten.» Unheimlich, wie es dem Weltgeist zuweilen einfällt – wer immer das sein mag, was Philosophen den Weltgeist nannten –, jene zu warnen, die dann doch in ihr Verderben stiefeln! Unheimlicher noch für jene, die unschuldig mitgerissen werden, daß die Weichensteller zur Fahrt in den Abgrund nicht sehen, was alle sonst sehen: die Menetekel, die wie

hier zuweilen gradezu eindeutig deutbar sind! Denn Hit-·
ler gibt Chamberlain deshalb die Antwort an der Küste,
weil er dort ausgerechnet auf den Namen jenes Mannes,
dessen Wirksamkeit mehr als die jedes anderen Deutschen 1914 den Krieg zum Weltkrieg auch mit England
ausdehnte, das stärkste Schlachtschiff aller Meere taufen
läßt: Tirpitz! Dem Schiff sieht schon beim Stapellauf
jeder der anwesenden Marineattachés an, daß seine Ton-
nage nicht jene ist, die im Katalog steht, sondern eine so
gewaltige, daß mit dem Bau dieses Rumpfs allein das
Flottenabkommen mit Großbritannien bereits zerrissen
ist . . . Daß dieses Schiff nur einmal auslaufen wird, um
die Küste von Spitzbergen zu beschießen und dann an
Land liegt während fast des ganzen Krieges, um endlich
ruhmlos unter britischen Fliegerbomben zu kentern; und
daß der Mann, dessen Namen es trägt, auch 1914–18
keine Rolle spielte, eine noch geringere als die von ihm
erbaute Schlachtflotte, deren bloße Existenz Großbritannien – nach zweihundertjähriger Freundschaft mit
Deutschland – ins Lager der Franzosen und Russen ver-
trieb: das sind Zusammenhänge jedoch, die Symboltiefe
haben. Und wenn auch niemand an diesem 1. April 1939
wissen konnte, daß dieses furchteinflößende Meeres-
Ungeheuer niemals an einer Seeschlacht teilnehmen werde, so wenig wie der Mann, dessen Namen es trug, je an
einer teilgenommen hatte, so sehr auch sein Wirken die
bis dahin schiffereichste Seeschlacht der Geschichte, jene
am Skagerrak herbeigeführt hat: so konnte doch jeder der
Anwesenden bei dieser Schiffstaufe spüren, daß nicht
ausgerechnet auf Frieden mit England abzielt, wer ein
Schiff Tirpitz nennt und es gewichtiger ausstattet als
jedes vorhandene britische Schiff . . .

Wen Gott verderben will: Goebbels kommentiert eine
Woche später, am 10. April, noch einmal den Beistands-

pakt zwischen London und Warschau, der tatsächlich die Aufteilung zwar nicht «dieses» Staates, des polnischen, wie Goebbels voraus-«sieht», aber doch *eines* Staates, nämlich des deutschen, zur Folge haben wird: «Die Geschichte ist nicht dazu da, daß man daraus lernt. Das gilt nicht nur für Deutschland. Sondern gottlob in vermehrtem Umfang auch für seine Gegner.»

Immerhin, als der Fachmann Hitlers für Propaganda hätte Goebbels aus der Geschichte ablesen müssen, daß es instinktlos ist, das stärkste Schiff einer militanten Nation auf den Namen eines Mannes zu taufen, der zwar seine beispiellose Vitalität vorwiegend in die Entstehung des vorangegangenen und verlorenen Krieges investiert, selber aber keinen Tag mitgekämpft hatte; und dessen Werk: die zweitstärkste Schlachtflotte der Welt nicht nur, sondern der Weltgeschichte – nahezu ausnahmslos als Gefangene im Hafen des siegreichen Gegners durch Selbstversenkung von der Bühne des Geschehens wieder verschwand . . . Auf einem Schiff dieses Namens zu fahren, das kann ja Matrosen wenig ermutigen! Denn wenn Namen überhaupt einen Wert haben: welchen sonst als den eines Symbols? Tirpitz, dieser Name aber bürgte allein für Herausforderung ohne politischen Blick; für energiegeballtes Versagen; und für Zuschauerei zu einer Zeit, während alle anderen Landsleute kämpften . . . er jedoch als gekränkter Frührentner Hetzreden hielt, die nicht zuletzt es bewirkt haben, daß mit der prahlerischen Proklamierung des uneingeschränkten U-Boot-Krieges 1917 auch die USA noch dem deutschen Kaiserreich Krieg erklärten, ohne daß es des Kaisers U-Booten geglückt wäre, auch nur einen einzigen der zahllosen amerikanischen Truppentransporter nach Frankreich zu versenken . . .

Zwanzig Jahre später, 1937, sah der Berliner Student

Hartlaub – wie jeder Intelligente, dessen Verstand nicht vom Gefühl regiert wurde: das war bei den intelligenten Nazis der Fall – schon Zunder aufgehäuft für «drei Weltkriege».

Jedoch der sechzehn Jahre ältere Reichsminister, der sich im Gegensatz zu allen nicht prominenten Deutschen, über die er längst die Auslandsnachrichten-Sperre verhängt hat, jede politische Information zugänglich machen konnte, und die hat er natürlich gehabt – führt sich auf, als wolle er die Verszeile Erich Kästners bestätigen: «Wem Gott ein Amt schenkt, raubt er den Verstand!»

Goebbels, der «natürlich» die Bücher auch dieses Dichters von der Berliner Universität auf einem Scheiterhaufen hatte verbrennen lassen, ist zwar während seiner ihm von Hitler verordneten Griechenland-Reise wieder fähig, ein Buch zu lesen, was in Berlin höchst selten vorkommt, wie sein Journal bestätigt. Doch wird er sehr schnell, trotz der Lektüre, rückfällig und erbeutet von jenen inhumanen Parolen, die er deshalb den Menschen so überzeugend einreden kann, weil seine eigenen Reden, von denen er selber sagt, daß sie ihn «aufladen», sie auch ihm zur Überzeugung gemacht haben: erst die Begeisterungs-«Stürme» seiner Hörer machten ihn selbst glauben, was er sie hatte glauben machen wollen, ohne es schon vorher zu glauben! Doch selbst auf Rhodos und durchaus empfänglich für die Eindrücke aus der antiken Welt, kommt er nur viertelstundenkurz los von seines Herrn kriminellen und kranken «Ideen». Er notiert nach einer «Rundfahrt in einem Pferdewagen durch die Stadt: Ein modernes Viertel, das in der Hauptsache vom Faschismus angelegt ist. Ein jüdisches Viertel, ärmlich und stinkend vor Unrat und Schmutz. Pfui Teufel! Ein türkisches Viertel, auch nicht viel besser. Das sind also auch Menschen, die hier leben. Es gibt aber Herrenvöl-

ker . . .» Dann liest er ein Buch, das sogar ihn wieder zu
humanisieren vermag, vorübergehend: «Ich lese mit großer Melancholie Somerset Maughams ‹Des Menschen
Hörigkeit› zu Ende. Ein ans Herz greifender Pessimis-
mus, großartig gekonnt und glänzend gestaltet.» Und
man könnte ja auch wieder für ihn hoffen, da er auf
Rhodos sogar Juden noch als Menschen gelten ließ – doch
noch im gleichen Jahr, am 2. November 1939 hat der Sieg
über Polen binnen achtzehn Tagen die letzten Hemmungen in ihm weggerissen; er notiert im Warschauer Ghetto:
«Das sind keine Menschen mehr, das sind Tiere.» So
völlig hat er vergessen, daß die kleinstbürgerliche Armut
und die ihn im Eltern-Reihenhäuschen isolierende jahre-
lange Arbeitslosigkeit auch ihn nahezu in ein Ghetto
verbannt hatte!

Dagegen schreibt Hartlaub bei der Betrachtung Berliner Juden, die dort bis Kriegsbeginn den meist vergebli-
chen Versuch machen, ausländischen Reisebüros und
Botschaften die Erlaubnis zur Einwanderung abzutrot-
zen, als ahnten sie bereits, daß sie samt ihren Familien
ausnahmslos ermordet werden, wenn sie bis Kriegsbeginn das Visum ins Ausland nicht erhalten haben:
«. . . glaube ich durchaus, daß Leid addiert werden
kann. Wer Phantasie besitzt und als Historiker, als
Schriftstellernder bemüht ist, ist verpflichtet, das fremde
Leid an sich zu ziehen.»

Wie über denen, die vergebens noch auszuwandern
versuchen, ist auch über ihm, der als Sechsundzwanzig-
jähriger sofort eingezogen wird, mit Kriegsbeginn die
Falltüre zugeschlagen. Als Soldat in einer Sperrballon-
Einheit notiert er sogar in dem mit Deutschland verbündeten und vorerst von Kampf noch verschonten Rumänien, in Ploesti: «Schlimm ist die Borniertheit der meisten
Kameraden, die für das Hiesige nur die Rubrik ‹Zigeu-

nerwirtschaft› besitzen und die völlig unwahrscheinliche Fühllosigkeit gegenüber den Urgestalten menschlichen Elends, die hier Legion sind.» Über die Polen schreibt er ein halbes Jahr, nachdem Warschau kapitulieren mußte: «Das ganze alttestamentarische Unglück dieses Volkes ist das einzige, was mich an diesem Krieg bisher wirklich ergriffen hat.» Er hatte von Soldaten der Leibstandarte gehört: «Wenn ein Dorf hartnäckig Widerstand leistete, fuhren die Panzersoldaten mit ihren schweren Tanks gegen die Ecken der Häuser; die Lehmwände fielen zusammen, das Innere mit den kämpfenden Bewohnern, Männern, Frauen und Kindern lag bloß. Sie konnten nicht mehr heraus und wurden in aller Ruhe niedergemäht. Wenn in der Nähe des Dorfes ein Kamerad verstümmelt aufgefunden wurde, befolgten die Panzersoldaten unter anderem dieses Verfahren: die schweren Stahltrossen, die der Panzer mit sich führt, wurden rausgeholt, hinten fest gemacht und dann um dreißig bis vierzig Dorfbewohner – alles durcheinander – herumgeschlungen. Darauf brausten die Panzer mit ‹Caracho› ab, mit ihrem Anhang; von dem blieb nach kurzer Strecke ‹nicht ein Faz› übrig. Oder: die Dorfbewohner mußten ein Loch graben – ein Granattrichter tat sich auf –, wurden dann hineingetrieben. Dazu kam dann eine geballte Ladung, abgezogen, hineingeworfen» . . .

Das schreibt ein Soldat. Aber der Reichsminister sieht Polen so, als er etwa fünf Wochen nach Hitlers Siegesparade in Warschau, diese «Hölle», wie er sie nennt, besichtigt: «Unsere Bomben und Granaten haben ganze Arbeit getan. Kein Haus ist unversehrt. Die Bevölkerung ist stumpf und schattenhaft.» Diese Zeilen könnten wortwörtlich sechs Jahre später in Berlin von einem Reisenden durch die ehemalige Hauptstadt des von diesem Minister mitregierten Reiches hingeschrieben worden sein,

doch die folgenden kaum: die sind schon unverwechsel-
bar von Goebbels: «Wie Insekten schleichen die Menschen durch die Straßen. Es ist widerlich und kaum zu
beschreiben. Auf der Zitadelle. Hier ist alles zerstört.
Kein Stein mehr auf dem anderen. Hier hat der polnische
Nationalismus seine Leidensjahre durchlebt. Wir müssen
ihn vollkommen ausrotten, oder er wird sich eines Tages
wieder erheben . . . Besuch im Schloß Belvedere. Hier
hat Polens Marschall gelebt und gearbeitet. Sein Sterbe-
zimmer und das Bett, in dem er starb. Man kann hier
lernen, wessen man sich zu versehen hat, wenn man der
polnischen Intelligenz freie Entfaltungsmöglichkeiten
gibt . . . Fahrt durch das Ghetto. Wir steigen aus und
besichtigen alles eingehend. Es ist unbeschreiblich. Das
sind keine Menschen mehr, das sind Tiere. Das ist deshalb auch keine humanitäre, sondern eine chirurgische
Aufgabe. Man muß hier Schnitte tun, und zwar ganz
radikale. Sonst geht Europa einmal an der jüdischen
Krankheit zugrunde. Fahrt über polnische Straßen. Das
ist schon Asien. Wir werden viel zu tuen haben, um dieses
Gebiet zu germanisieren.»

Einen Tag später berichtet er Hitler: «Ich gebe ihm
Bericht über meine Polenreise . . . Vor allem meine Dar-
legung des Judenproblems findet seine volle Zustimmung. Der Jude ist ein Abfallprodukt. Mehr eine klini-
sche (?) als eine soziale Angelegenheit . . . Frage: sollen
wir die Bilder von den Zerstörungen von Warschau frei-
geben? Vorteile und Nachteile. Vorteil der Schockwir-
kung. Der Führer will die Bilder erst selber sehen. Das
Pilsudski-Museum läßt der Führer auf meinen Vorschlag
schließen. Es könnte sonst ein Zentralpunkt polnischer
Hoffnungen werden.»

Dies lesen, heißt darüber staunen, daß noch immer
Historiker sich finden, die der Auffassung sind, die in

Casablanca 1943 von den Alliierten erhobene Forderung nach bedingungsloser Kapitulation der Nazis sei vermeidbar gewesen oder gar ein Fehler! Abgesehen davon, daß Roosevelt und Churchill gezwungen waren, dieses Kriegsziel zu formulieren, um auch Stalin darauf festzulegen und daran zu hindern, einen (angedrohten) Separatfrieden mit Hitler zu schließen: wie hätte man mit Menschen wie diesem Tagebuchschreiber und leidenschaftlichen Ausrotter Goebbels über Frieden sprechen können? Denn so viele und immer unbekannte Menschen im Reiche Hitlers auch so dachten und fühlten wie der Soldat Hartlaub: sie wurden, sofern sie dem Laut gaben, ausnahmslos enthauptet oder gehängt oder erschossen . . . Hitler, der so wenig ein Deutscher war wie Napoleon ein Franzose, hat zwar «seine» Deutschen besser behandelt als andere Völker, doch nur «seine» . . . Nicht jeder war «seiner».

3
Zwielicht

«Der Personenkreis der Täter ist . . . offenbar nur durch Zufall und Gelegenheit begrenzt. Die Frauen, die mit Kriegsgefangenen in Beziehung treten, kommen durch ihre Arbeit in der Landwirtschaft oder Fabrik mit ihnen in dauernd enge Berührung. Es handelt sich dabei keineswegs nur um sittlich gelockerte Frauen, wenn diese auch den größeren Anteil stellen mögen. Unter den Angeklagten finden sich sowohl völlig unbescholtene bestbeleumundete Bauernmädchen aus guten Familien, die vordem noch nie Verkehr gehabt haben; Frauen von Soldaten, die z. T. jahrelang in glücklichster Ehe gelebt haben, darunter Frauen mit mehreren Kindern. Sobald Franzosen in anderen gehobeneren Stellungen tätig werden, treten auch Stenotypistinnen, Haushälterinnen, Gutssekretärinnen und Angehörige der Intelligenz als Angeklagte auf. Inwieweit eine volle *Erfassung und Verfolgung der Täter* gelingt, kann nach den Meldungen nicht übersehen werden . . . Auch hat es den Anschein, als würden die Kriegsgefangenen und auch die Frauen im Laufe der Verbindung immer unbekümmerter, so daß mit der Zeit und sei es auch nur aufgrund gehässiger Anzeigen, eine Aufdeckung erfolgt.»

Der Chef der Sicherheitspolizei und des SD. Berlin, 13. 12. 1943

Zwielichtig: sagt das jemand über einen Menschen, so ist der als fast schon gefährlich charakterisiert, mindestens als undurchschaubar. Zwielicht aber ist jeden Abend in jeder Wohnung, ist sogar zwischen jenen Menschen, die draußen einander begegnen. «Hüte dich, bleib wach und munter!» mahnt ein Dichter, wo in der Dämmerung schaurig sich die Bäume rühren. Und fügt hinzu: «Hast ein Reh du lieb vor andern, laß es nicht alleine grasen.»

Doch wie kann jemand achtgeben auf jene, die er liebt vor andern – sie auch nur schützen vor einem Freund? Denn auch von dem wird gesagt: «Trau ihm nicht zu dieser Stunde!»

Daß die halbe oder ganze Stunde des Zwielichts uns seelisch anfälliger macht, gewissenloser wie gewissenhafter, als andere Tageszeiten; oft schutzlos: wer wüßte, welcher Rhythmus in den Tiefen unserer Körperlichkeit das bewirkt? Zwielicht ist auch um die Augenblicke – mehr als Augenblicke sind das nie – des Tagträumens, einfach deshalb, weil zu dieser Stunde mit der ersten Entspannung am Tage die erste Enthemmung kommt, Wörter sich losreißen aus dem Sprechenden, nicht mehr zurückzunehmende, die der nie sprechen wollte – doch sein Gegenüber ist auch empfänglicher dafür als zu jeder anderen Zeit des Tages . . . Und der Krieg, weil er mehr Menschen trennt und für länger als alles andere, leistet am stärksten Vorschub zum Verrat.

Pauline, wie stets, wenn sie die Ladentüre zugeschlossen hatte und Malzkaffee trank, nahm ihren Sohn auf den Schoß. Das war sein großer «Einsatz», erwartet den ganzen, langen Tag, bevor Licht gemacht wurde und Mutter ihn auf die Knie holte und allein war mit ihm, in dem fast dunklen zimmerkleinen, vor den Kunden endlich verschlossenen Laden, während draußen vor den Fenstern noch Zwielicht war: die für Liebe wie für Verrat bevorzugte Beleuchtung!

Doch heute – nicht nur heute – war Stani dabei. Zwar hatte der Pole den brötchenblonden Herbert mit dem, was er als Geschenke auftreiben konnte, schon halb für sich gewonnen: mit Schiffchen, mit Helmen und Flugzeugen aus Zeitungspapier; mit einem Hufeisen; mit einer «Flitsche» (einer Holzgabel mit Gummiband und Papierkügelchen), mit der Herbert Spatzen und Hühner beschießen konnte; und sogar mit einer nicht funktionierenden Flöte aus Weidenholz. Und Herbert wußte, daß Stani jetzt sogar an einer Trommel für ihn bastelte, deren «Kalbfell» Kaninchenhaut war. (Ein geschickterer polnischer Mitgefangener würde die Flöte benutzbar schnitzen.) Dennoch sah Herbert kalt auf Stani, den Störenfried. Selbst das Gelächter, das beide miteinander hatten, so oft Herbert auf den Knien des Polen «ritt» und «in den Graben» fiel, vermochte seinen Groll gegen den Besucher nicht zu besänftigen, der ihm nun schon beinahe an jedem Abend die Knutsch-Minuten mit der Mama durch Anwesenheit verdarb. Denn jetzt, wie immer, wenn Stani da war – der Pole hieß Stasiek, doch jeder sagte Stani –, redete Mama mit dem Mann, während sie früher um diese Zeit zum erstenmal seit dem Mittagessen allein mit Herbert gesprochen oder auch mit ihm geschwiegen hatte: sie drückte ihn an sich, dann wiegte sie ihn, was fast so gut war wie ihr Geruch, den der Sohn genoß – sofern sie allein waren. Denn nur was einem allein gehört, gehört einem ganz: das konnte der Junge noch nicht denken, doch sagen konnte er und sagte das mit Trotz: «Der Stani soll weggehen!»

Pauline vermahnte ihn: «Was red'ste da?»

Das Kind schwieg und drückte sich noch fester an die Mutter. Die sagte: «Der Stani ist doch dein Freund!»

Das gestand der Junge mit nur einem Wort zu: «Aber der Stani soll weggehen!» Der Pole lächelte schief, Pauline sagte leise: «Hören Sie, Stani?» Sie war nicht nur ernst, sondern bedrückt: «Kinder und Narren – sagt ihr das in Polen auch? – sprechen die Wahrheit! Du darfst nie wieder wie heute mittag –» Und sie brach ab und sah weg. Doch ihm genügte, daß sie zum erstenmal ihn duzte, und darauf hatte er auch einen Anspruch nachdem, was heute zwei Minuten lang im Keller geschehen war –

Herbert – natürlich – wußte nichts und wußte doch alles: daß eine neue Intimität die beiden wie ein Raum ein- und ihn ausschloß. Die Mutter roch heute noch wunderbarer als sonst, und wäre der verdammte Mann da nicht gewesen, so hätte Herbert fast vergessen können, daß ja sein Schwesterchen auch noch da war – und nie wieder wegging! Als Schnee lag, hatte der Storch es hier eingeschleppt, und daß dann der Weihnachtsmann einen Schlitten gebracht hatte, war auch kein Ersatz gewesen für den Verlust der Mutter: fast ganz hatte er sie damals an die Schwester verloren und nur langsam gewann er sie zurück, seit die Kleine da im Korb so viel schlief. Laufen konnte sie Gott sei Dank noch nicht, dachte er, obgleich sie schon Beine hat. Und weil sie auch noch nicht sprechen konnte, so schlich Herbert, wenn Mutter im Laden war, zuweilen zur Schwester hin, um sie so garstig wie möglich an den Haaren zu reißen –

Schon wieder sprach Mutter zu dem Mann, statt zu ihm, ja schlimmer: *ihn* schickte sie weg, indem sie sagte: «Geh, guck, ob die Hasen noch Möhren haben!» Und Stani rief ihm nach: «Laß dich nicht wieder in den Finger beißen!» Herbert hatte im Laden zwei Hände voll Möhren gegriffen, jetzt kam er zurück und lief durch die Küche in den Hof, der nur ein Höfchen war, grade groß genug, einen Teppich dort auszuklopfen. Pauline stand auf, sobald das Kind aus der Küche war, um hinter ihm die Tür zuzumachen; und sofort stand auch der Pole auf, die Küche war noch kleiner als der Laden, so standen sie eng beieinander. Das war der Grund, weshalb sie rasch sagte und ihn wieder siezte, ein Schutzmechanismus: «Und gehen Sie jetzt auch, Stani – drüben die warten auf Sie mit dem Abendbrot.»

Drüben, das hieß: der Kohlenhändler Melchior, dem das Nachbargrundstück gehörte und bei dem der Pole als Kutscher und Kohlenträger arbeitete. Sie war am Herd, er ihr so nahe, daß sie im Nacken seinen Atem spürte, seine Atemstöße. Und wieder waren seine schweren heißen Hände auf ihren Hüften. Sie stieß hervor, während sie jedoch den Kopf senkte, seinen wühlenden Kuß im Genick: «Ich hab so Angst um dich!»

Sie hatte sich ihm entzogen, sich herumgedreht, beide konnten nicht reden, so wie jetzt ihr Atmen drängte, er trat einen Schritt zurück, lächelte ohne Leichtsinn und nahm ihren Einwand auf: «Angst – nur um mich?»

Sie hielt, ohne darin zu rühren, eine Schüssel und einen Holzlöffel vor ihrem Kittel: «Um uns beide – die führen uns beide ab! Ich komme nie mehr in den Keller, wenn du da unten Kisten abstellst. Wirklich, du mußt jetzt gehen!» Und wieder ergriff sie, so daß sie sich fast für ihn schämte, der gleichsam sich duckende Ghetto-Blick des Gefangenen, des Eingeschüchterten, als er – gehorsam schon die Türklinke in der Hand – hervorstieß: «Bitte – bitte, lassen Sie mich kommen . . . heute nacht!» Und da sie ihn anstarrte, als sei er verrückt, wollte er sofort ihren Widerspruch wegreden und drängte hervor: «Niemand sieht mich, Frau Pauline – niemand, ich komme über die Mauer, der Hof ist ganz dunkel, alle schlafen ganz laut . . . immer – ja», er suchte nach dem Wort: «. . . das

Schnorcheln, ich werde wach, wie alle schnorcheln im Haus!»

Sie lachte und korrigierte: «Schnarchen – schnarchen, sagen wir.»

Unvermittelt sagte er ihr ins lachende Gesicht: «Du bist schön, du –» Und seine Stimme war blockiert, und sie sah, wie Gier und Hoffnungslosigkeit zugleich ihn verzerrten. Und sie widersprach, weil sich das so gehört: «Schön – ich? Deine Mutter, beinah, könnt ich sein, fünfzehn Jahre bin ich älter als du!»

«Meine Mutter ist auch sehr schön», antwortete er. Was Pauline gesagt hatte, schien ihm das Gegenteil eines Einwands. Und nun kam sein großes Geständnis: «Bei Melchior nebenan bin ich nur wegen – dir!»

Wegen mir? – dachte sie; es versetzte ihr einen Stoß in der Tiefe, daß der große Junge sie schön fand; daß er die furchtbare Unvorsichtigkeit aufbrachte, ihr das zu sagen, empfand sie schon nicht mehr.

Stani war zuerst dem Milchhändler im Dorfe zukommandiert gewesen. Der hatte Stani in eine feine weiße Leinenjacke gesteckt und ihn mit dem Einspänner und seinem sanften, armee-untauglichen Braunen, der nur noch ein Auge hatte, von Haus zu Haus kutschieren lassen, damit Stani die rationierte Milch ausschenke und kassiere. Stani erläuterte jetzt Pauline, erleichtert, daß er sein Geständnis sachlich bemänteln konnte: «Ich habe den Streit extra gemacht mit meinem ersten Chef, extra den Streit gemacht, daß er froh war, mich loswerden – weil ich wußte, der Kohlenhändler sucht einen zweiten Gefangenen. Und wußte, der nimmt mich gern, weil mein Freund bei ihm arbeitet und ihm sagte, ich bin – stark für Kohlensäcke!»

Pauline entgegnete, um abzulenken von seinem Geständnis: «Aber Kohlen sind dreckig, Milch ist sauber;

Kohlen sind schwer, Milch ist leicht: warum bist du nicht Milchkutscher geblieben?»

Nun mußte er es doch direkt sagen: «Dirwegen. Nur dirwegen!»

Wieder suchte sie das zu überhören: «Und das war doch gefährlich, extra Streit anfangen mit dem Milchhändler. Polen, die Streit machen mit Deutschen, werden abgeführt!» Und um es noch einmal zu hören, sagte sie trotzig: «Warum hast du Streit gemacht?»

Er sagte einfach: «Weil immer, Pauline, ich dich schön fand – immer! Jeden Tag wenn ich dir Milch brachte. Und immer wußte, ich kann nie, nie zu dir, wenn ich wohne beim Milchmann an Ende von Dorf, wo wir doch um neun müssen zu Haus sein. Melchior sind deine Haus an Haus Gebauten, ich mußte zu nächstes Haus, in nächstes Haus von dir wohnen, wenn ich wollte zu dir, Pauline!» Sie war gerührt, bemüht, das nicht zu zeigen. «Und hattest du keine Angst, wenn du nebenan arbeitest, daß du dann auch mal mit einem Sarg losfahren mußt?»

Er verstand sie nicht: «Sarg?»

Sie übersetzte: «Nun – eine Kiste für einen Toten, dein neuer Chef ist doch der Totenkutscher im Dorf. Wenn der Herr Melchior nun auch noch Soldat werden muß oder krank ist: mußt du die Leichen zum Totenacker fahren!»

Zasada lachte, winkte ab: «Wer denkt an einen – wie? Sarg! – wenn er an dich denkt, Pauline?»

Auch sie lächelte, doch bei weitem überwog in ihr die Angst jetzt die Freude: nichts, was dieser – dieser «Junge da» wollte – wollte sie; aber daß sie erschrak bis zur Sprachlosigkeit kündigte ihr an, daß sie seinem Drängen und Treiben nicht widerstehen könnte – doch, könnte schon. Was war leichter als nachts die Tür abzuschließen, so wie bisher? Dieses Eingeständnis brachte sie derart auf gegen *sich*, daß sie es *ihm* übelnahm! Schroff wie nie fuhr sie ihn an: «Ich will das nicht, ich habe einen guten Mann – geh, Stani!»

Ihr Ton riet ihm, sie wieder zu siezen: «Reden – *nur sprechen*, bitte mit Ihnen Pauline. Wozu lebe ich sonst – fünf Uhr oder sechs aufstehen und arbeiten bis abends, und um zehn sollen wir in die Zimmern sein, wozu! Es ist nur Leben – wenn ich mit Ihnen sprechen darf.»

Pauline sagte: «Wir sprechen ja jetzt. Setz dich dahin, aber wenn du nachts kommst, dann – das geht nicht. Man sieht dir ja schon bei Tage an, wie du mich anguckst, eigentlich darfst du nicht mal bei Tage mehr kommen –»

Sie strich, als sie das sagte, über sein Haar, das hart, kurz und blond wie ein Stoppelfeld war, doch dichter. Mühelos auf deutsch, trotzig, doch ohne Leichtsinn sagte er: «Darf jeder sehen, Herr Melchior hat das erlaubt, daß ich nach der Arbeit noch komme zu Ihnen und Holz hacke und die leeren Obst- und Gemüsekisten aus dem Haus trage und die vollen in den Laden und die Kartoffelsäcke . . . und auch daß ich sonntags das Hemd anziehe, das Sie mir geschenkt haben, Frau Krop, und sogar die Halsbinde.»

«Den Schlips», verbesserte Pauline. Rasch fügte sie an: «Du weißt, wer abends oft hier ist, um mir die Bücher zu machen – sie ist anständig, ich halte sie für meine Freundin, aber sie hat auch keinen Mann daheim, und wie sie mich anguckt, wenn du noch hier bist, nach Ladenschluß, das gefällt mir nicht. Die ist oft lange abends hier, weil sie ja auch zu Hause nur allein säße . . . also gib acht, daß du!» Sie brach ab, denn seine Stirn, wie er da saß vor ihr, war in der Höhe ihres Beckens; er preßte seinen Kopf in ihren Kittel, der nach dem roch, was sie verkaufte, nach Reifem, Frischem, Vollem, nach Obst, nach Blumen, Gemüse, und er roch auch nach ihr, die an einem Sommertag zwölf Stunden schwer gearbeitet hatte. Vom Fenster konnte niemand sie sehen, der Laden war verschlossen; aber wie Herbert in das – ebenfalls nur zimmergroße – Höfchen gerannt war, so konnte er gleich auch zurückkommen und deshalb – vielleicht nur deshalb – riß sie sich los, als Stani ihre kalten, glatten Kniekehlen gepackt hatte, daß ihnen beiden schwindelte. «Steh sofort auf», stieß sie hervor, ihr Handrücken glitt über die Stirn, aus der sie Haar zurückschob, dann sagte sie dumpf: «Wie wird das enden – willst du, daß mir's ergeht wie der Frau Lindner? Soll ich mich aufhängen zuletzt!»

Er schluckte, er konnte noch nicht sprechen; wie er wieder da saß, alles Blut war ihm ins Zentrum geschossen, zog er ein Knie hoch und umschloß es mit beiden Händen, damit sie nicht sähe, wie ihm die Spannung zusetzte. Was hatte sie auch schon an unter ihrem Leinenkittel!

Er wiederholte, Verlegenheitsgerede ohne Ergebnis, was sie beide wie alle in allen Dörfern ringsum in diesen Tagen erörterten: «Niemand konnte wissen, daß ihr das Kind der Pole gemacht hat!»

Schweigen. Es war zwecklos, Vermutungen zu wiederholen: hatte man den Polen schon umgebracht? Sicher nicht, denn das wäre am Tatort geschehen, öffentlich. Aber wo war er – und hatte ein Geständnis der Frau dazu geführt, ihn wegzuholen? Pauline dachte: die Arme, sie hat die Nerven verloren und gequatscht. Und weil Pauline jetzt wieder die zwei Fotos vor Augen hatte, die ihr Mann – mit vielen anderen Fotos – aus Holland auch heimgeschickt hatte, zwischen Delfter Kuchen und Kleiderstoff und Kinderspielzeug, und die ihn mit einer Holländerin zeigten, die er, beide nur in Badezeug, ins Meer trug; das Weib, auf seinen Schultern reitend, beide lachend, als kämen sie aus dem Bett – weil Pauline sich erneut über diese zwei Bilder ärgerte, war sie besonders vor Stasiek auf der Hut, denn sie wußte: diese zwei Fotos, die sie nicht tragisch genommen, ja, fast schon vergessen hatte, drängten sich jetzt als Alibi in ihr Bewußtsein. «Ein fast nackertes Weib und selber fast nackt sogar schon auf Fotos»: was war da mit Sicherheit noch alles geschehen, ohne fotografiert zu werden! In Wut und Rührung sagte sie unvermittelt: «Stani – ich kann dir nicht helfen, obwohl ich dich so gut verstehe, dir auch so dankbar bin; zehn Zentner Pfirsiche, zehn Zentner! – hast du heute geschleppt, weißt du das? Und bis auf vielleicht fuffzig Pfund sind die schon alle, so ein Geschäft hab ich überhaupt mein Lebtag noch nicht gemacht! Geld darf ich dir ja keins geben, aber du weißt, wo's liegt und was du brauchst, wenn du heimwillst damit, das nimm dir! Nie würde ich einem Menschen sprechen, daß mir welches fehlt. Und wo die Anzüge von meinem Mann hängen, das weißt du auch und Namen sind keine reingenäht – nimm dir einen und mach, daß du zu deiner Mutter kommst, Junge, sonst holt uns der Teufel!» Und sie küßte ihn rasch – doch rascher als sie sich wieder dem Herd zuwenden konnte, griff er sie; sie taumelte gegen ihn, unfähig, sich loszumachen, denn ihr war, als sei damit «das Problem» behoben, daß er stammelte: «Heute – einmal. Nur heute! Dann hau ich ab, aber nicht nach Polen.»

Herbert kam aus dem Hof, Stani sagte, während Pauline auf dem Herd irgend etwas herumschob, um ihre zitternden Hände zu beruhigen: «Aber nicht heim – ich erreiche nicht bis nach Polen, ich sehe ja aus wie einer von Deutschland, und in Eisenbahn sind die Soldaten-Polizisten mit silberne Schildern an Halsketten, jeder sieht mich nach, ob ich bin deutscher Deserteur!»

Sie murmelte, ohne sich umzudrehen, über den Kochtöpfen auf dem hochbeinigen alten schwarzen, gußeisernen Holz- und Kohlenherd: «Schweiz also?»

Er: «Unmöglich, die liefern aus!» Und dann, mit Blick auf Herbert: «Elsaß, Vichy-Frankreich, da bringen einen welche nach England. Herbert, hol mir die Flöte, ich geben sie Kamerad, der das kann richtig messern, reparieren sie, daß sie flötet! Hol sie –»

Herbert sagte trotzig: «Ich will nicht flöten!»

Stasiek drängte: «Hol sie. Wenn du nicht willst Flöte, ich geb sie Max nebenan, der freut sich!» Zu Herberts Mutter sagte er: «Viel überlegen. Zum Beispiel: kann man riskieren mit Roß? Ich reite schnell, aber nie, noch nie hab ich Mann auf Roß gesehen in Deutschland – niemand reitet, wieso niemand hier reitet, Pauline?»

Sie sagte: «Wer reiten kann, ist jetzt Soldat. Reitpferde haben die auch alle eingezogen. Alte Männer, die daheim sind, die reiten nicht. Ein Pferd kann dich nur verraten!»

Stasiek nickte und schwieg. Die unerhörten Risiken einer Flucht – mindestens Einweisung in ein KZ zur «Vernichtung durch Arbeit», vermutlich aber sofortige Erhängung, wenn man ihn schnappte – kannte er gar nicht, ahnte er nur; dennoch trieb ihn nichts fort; nach Polen zu gehen, wäre Selbstmord auch dann gewesen, wäre er bis dorthin gekommen: immer hätte er dort versteckt leben müssen, seine Eltern in Todesgefahr gebracht; Partisanen gab es da 1940 noch nicht, zu denen er hätte gehen können. Nach England war es sehr weit, doch immerhin: möglich war es wohl, aus Vichy-Frankreich, das die Deutschen (noch) nicht besetzt hatten, bis Spanien oder Nordafrika geschleust zu werden. Doch, ohne daß er sich das selber eingestand, hielt ihn diese Frau! Zuerst, vor vielen Monaten – es war für ihn der «Blitzschlag» –, hatte er sich an ihren harten, runden, braunen Oberarmen wundgesehen, als Pauline im Frühjahr zum erstenmal seit dem Winter mit einem ärmellosen Kleid vor der Haustür die Milchkanne entgegengenommen hatte; wunderbarerweise war trotz des Winters ihre Haut noch holzfarbig gelbbraun, nicht weiß. Auch noch hochgehoben hatte sie einen Arm, um ihre Frisur festzumachen – und hatte so den großen, sehr dunklen und dichten Achselwald Stasieks ausgehungertem Blick fast kußnah in roher Ahnungslosigkeit hingehalten. Das zuerst hatte ihn qualvoll aufgewühlt zu todtraurigen Ein-Mann-Exzessen, nachts, jede Nacht – diese Achselhöhle war ihm der Urbegriff von allem, was ein Gefangener nicht hat! Heute im Keller zum erstenmal hatte er sie sich genommen, diese nackten Schultern, Oberarme, Achsel – eine Minute, zwei Minuten, er wußte es nicht, wußte nur, er würde den Verstand verlieren, verbrennen, wenn er davongejagt würde von dieser Frau. Doch das würde nicht – es wäre denn schon geschehen. In ihm war Jubel, die Gewißheit: sie hat nur Angst – doch sie mag mich.

Zu dieser Frau, nicht von ihr weg zu fliehen, war ihm jetzt jedes Risiko wert; so sagte er ohne Nachdruck, da es momentan für ihn keineswegs aktuell war: «Wie oft hab ich Flucht mit Roß mir vorgemalt, Melchiors Stute ist wunderbar reiten, ich reite sie sattellos ja immer auch in Fluß, wenn man dies wenige Wasser da unten Fluß nennen will. Und ich weiß aber, wo Melchior hat Sattel, ich kann ihm Sattel fortholen, ihn verstecken auf Wagen, wenn ich ins Holz fahre. Ins Holz fahre ich immer schon um vier und zuerst allein, Melchior nachkommt nie vor neun, manchmal mittags, manchmal nie nachkommt. An so ein Tag kann vielleicht erst abends nach fünfzehn Stunden gespürt werden, daß ich fort! Wagen in Wald stellen, ein Pferd an Baum binden zu grasen – und hoi!» er lachte, als jagte er bereits auf der Stute davon, «auf das andere Roß nach Elsaß! Aber leider», seine Stimme sackte weg, ganz gedämpft fügte er an: «Jedes Kind, jedes Mensch auf jede Straße staunt mich nach, sie nur einmal sieht ein Reitroß. Jeder Polizist auch staunt nach . . .» Er lachte leise. Ungeduldig gegenüber diesen zu nichts führenden Träumen sagte Pauline: «Dann mußt du dir das auch gar nicht vorstellen. Kein Pferd, ein Rad! Nimm mein's – nimm mein Rad!»

Er wehrte ab: «Nie, Pauline – nie. Bring Gefahr auf Sie. Wenn du mir Anzug gibst von Ihre Mann ist das *sehr* lieb. Auch Geld. Ja. Nicht auch noch Rad, nie! Rad finden ist sehr leicht, muß nicht haben von Ihnen.»

Die Kuckucksuhr, ein Hochzeitsgeschenk an die ins Markgräfler Wiesenthal hinabziehende Schwarzwälderin, schlug ruckartig siebenmal; Melchiors aßen um sieben – übrigens wie ausnahmslos alle im Dorfe, die einen Gefangenen als Arbeiter hatten, gemeinsam mit dem Gefangenen, obgleich das verboten war. Die erste der zahllosen Nazi-Vorschriften über das Verhalten gegenüber den Kriegsgefangenen lautete, daß kein Deutscher mit Ausländern am gleichen Tische essen dürfe. Jedermann hier im Dorf aber setzte sich darüber hinweg, ob Nazi oder nicht. Stani stand auf mit dem letzten Schlag, Herbert war auch wieder in der Küche und hatte wortlos Stani die Flöte gebracht. Stani faßte den Kopf des Jungen und sagte, die Flöte mitnehmend: «Ist bald fertig»; dabei sah er Pauline an. «Gute Nacht», sagte er, und da sie ungereizt freundlich war wie immer – zog er plötzlich den Schlüssel aus der Türe zum Hof und steckte ihn Pauline in die Kitteltasche; ehe sie Einspruch erheben konnte – sie hatte zu Herbert hingeschaut, doch der war beschäftigt –, sagte Stani: «Sonst – vielleicht aus Gewöhntheit – schließen Sie doch ab!»

«Nein!» – sagte sie. Und er war so rasch hinaus, daß ihr keine Zeit blieb, zu erklären, wie dieses Nein gemeint war.

4
Krankenblatt I: Geist der Zeiten

«Paranoia (griech.) Verrücktheit, eine als selbständige ‹Wahnkrankheit› aufgefaßte Seelenstörung. Außer dem Wahn (Liebes-, Größen-, Verfolgungswahn) sind die Kranken oft in ihrer Persönlichkeit wohlerhalten. Der Wahn ist meist zu einem in sich logischen System ausgebaut und durch Gegeneinwände nicht zu entkräften.»

Lexikon Editions Rencontre, Lausanne

Der Fisch stinkt zuerst am Kopf: so sagt der Volksmund; im Urfaust steht's gereimt:

«Was ihr den Geist der Zeiten heißt,
das ist im Grund der Herren eigner Geist.»

Einer der Herren dieser Zeit, und zwar der im Staate Hitlers damals noch zweitstärkste, war Ministerpräsident Generalfeldmarschall Hermann Göring, Beauftragter für den Vierjahresplan, Vorsitzender des Ministerrats für die Reichsverteidigung, wie 1940 ein sehr bescheidener Teil seiner Titel lautete; bezeichnender als alles andere ist für Göring, daß er zwar bis Kriegsende sich mit diesem weittönenden Titel: Vorsitzender des Ministerrats schmückte und ihn drucken ließ auf vermutlich mehr als hunderttausend Briefbogen und Befehlen – daß jedoch dieser Ministerrat nicht ein einziges Mal im Krieg zu einer Beratung zusammentrat . . .

Am 8. März 1940 diktierte Göring die grundlegende Verordnung über die Behandlung jener Polen in Deutschland, die als Zivilisten, nicht als Kriegsgefangene zur Arbeit gekommen waren, teils freiwillig, teils zwangsdeportiert. Görings Verordnung umfaßte viele Seiten und war doch erst die Vorankündigung der ungezählten und ins einzelne greifenden Polizei-Verfügungen zur «Sicherstellung der einwandfreien Lebensführung» der Polen. Detaillierte Briefwechsel diskutierten zum Beispiel die Frage, ob einem Polen die Benutzung von Streichhölzern erlaubt werden könne oder gar eines Taschenmessers bei der Landarbeit. Der unter Himmler und Heydrich wütende Gestapo-Chef Heinrich Müller mußte zum Beispiel am 6. Mai 1940 «an den Herrn Regierungspräsidenten in Potsdam» schreiben – was beweist, daß deutsche Zivilbeamte nicht weniger den Verstand verloren hatten als die

hervorragendsten Nazis im Reich –, «das von dort vorge-
schlagene Verbot des Besitzes und Mitführens von
Streichhölzern und Taschenmessern für polnische Zivil-
arbeit halte ich nicht für durchführbar, da

a) Taschenmesser bei der Landarbeit häufig gebraucht
werden,

b) das Verbot des Besitzes von Streichhölzern praktisch
zu einem Rauchverbot erweitert werden müßte . . . Es
ist jedoch nicht beabsichtigt, den polnischen Arbeitern
das Rauchen völlig zu verbieten . . .»

Gestapo-Chef Müllers Brief füllt dann eine gedruckte
Buchseite, Görings Verordnungen und ihre Ausfüh-
rungsbestimmungen durch Himmler, Heydrich, Kalten-
brunner, Müller und ungezählte ihrer Unterlinge füllen
viele dicke gedruckte Bücher, diskutieren zum Beispiel
das «Problem», ob ein Pole einen Gottesdienst besuchen
dürfe, warum ihm Heiratsurlaub «grundsätzlich» nicht
zustehe oder daß Kinder von Landarbeitern «als arbeits-
fähig gelten, sobald sie das 12. Lebensjahr vollendet haben». Auch wird erörtert und festgelegt, daß ein Pole,
sogar ein freiwillig zur Arbeit ins Reich gekommener, kein
Fahrrad benutzen dürfe . . . «Anträgen auf Erteilung von
Religionsunterricht oder Unterricht zur Vorbereitung
auf die Beichte bzw. Kommunion für Kinder polnischer
Zivilarbeiter ist ebenfalls grundsätzlich nicht stattzuge-
ben». Daß diese Kinder niemals eine Schule besuchen
durften, «verstand» sich von selbst bei jenen, die den
Verstand verloren hatten, jedoch den Krieg gewinnen
wollten . . .

Sogar diese Zivilisten aus Polen hatten laut Görings
Verordnung «ein mit der Kleidung festverbundenes
Kennzeichen zu tragen. Die Regelung erfolgt durch Poli-
zeiverordnung.» Göring kündigte an, daß Parteigenosse
Heinrich Himmler, der sogenannte «Reichsführer SS und

Chef der Deutschen Polizei im Reichsministerium des Inneren . . . die hierzu erforderlichen Rechts- und Verwaltungsvorschriften» erlassen werde.

Görings Erlaß sah ferner vor: «Beim Arbeitseinsatz von Polen in den Städten, gewerblichen und industriellen und den großen landwirtschaftlichen Betrieben ist die geschlossene Unterbringung in besonderen Unterkünften, Schnitterkasernen weitgehendst anzustreben, so daß im wesentlichen nur in den kleineren landwirtschaftlichen Betrieben eine Einzelunterbringung den gegebenen Verhältnissen entsprechend zu erfolgen braucht . . . Mißständen muß dadurch entgegengetreten werden, daß den Polen durch Einschränkung der Bewegungsfreiheit klargemacht wird, daß sie lediglich zur Arbeitsleistung nach Deutschland gekommen sind . . . Die hierfür geeigneten Maßnahmen, wie unbedingter Aufenthaltszwang am Arbeitsort, verschärfte Meldepflicht, Einführung einer Sperrstunde, Einschränkung des Alkoholgenusses u. ä. m. sind unverzüglich zu treffen . . . Schon jetzt zeigt sich zum Beispiel, daß eine freie Benutzung öffentlicher Verkehrsmittel wie Eisenbahn, Omnibuslinie usw. dem eigenmächtigen Verlassen der Arbeitsplätze und einem unkontrollierbaren Umherschweifen der Polen im Reich förderlich ist und daher dringender Abstellung bedarf . . .»

Inkorrekt wurde «weitgehendst» statt weitestgehend damals in allen amtlichen Briefen geschrieben.

Ihre Rassen-Paranoia mit dem Über- und Untermenschen-Wahn legte den dafür Verantwortlichen die «Verpflichtung» auf, keinem «Delikt» größere Aufmerksamkeit zuzuwenden als dem «GV» – Geschlechtsverkehr – der «Fremdvölkischen» mit Deutschen: was zu Tonnen wiegendem Schrift-«Verkehr» führte, zur Möglichkeit, sich vor der Front zu drücken für zahllose Männer im wehrfähigen Alter und zu bis heute, 1978, noch ungezählten Hinrichtungen.

So hatte beispielsweise schon am 8. Januar 1940 der Chef der Sicherheitspolizei und des SD, Parteigenosse Reinhard Heydrich – ohne Komma, wie hier zitiert –, geschrieben, und zwar mit Aktenzeichen B Nr. IV 98/40, geheim aus Berlin, an «alle Staatspolizei(leit)stellen *nachrichtlich* an die höheren SS- und Polizeiführer Inspekteure der Sicherheitspolizei und des SD Kripostellen SD Abschnitte»: «Gemäß einer am 6. 1. 40 zwischen mir und dem OKW getroffenen Vereinbarung werden in Zukunft jene polnischen Kriegsgefangenen, welche sich mit deutschen Frauen eingelassen haben, als Kriegsgefangene entlassen und der örtlich zuständigen Staatspolizei-(leit)stelle überstellt. Die auf diesem Wege überstellten Kriegsgefangenen sind zunächst in Schutzhaft zu nehmen. Die Tatsache dieser Inschutznahme ist mit einer eingehenden Schilderung des Sachverhalts mittels FS ohne Verzug an mich zu berichten; weitere Weisung ist sodann abzuwarten, gez. Heydrich. Beglaubigt: Hellmuth, Verwaltungssekretärin.»

Diese sarkastisch «Inschutznahme» genannte «Überstellung» der Kriegsgefangenen aus den Lagern der Wehrmacht an die Polizei führte bei Polen und Russen und Serben immer, bei Franzosen aber nur anfangs ausnahmslos zur «Sonderbehandlung», das heißt: zur Exekution. Erst vom 5. Juli 1941 an gab es sogar für Polen eine gewisse, an mehrere Voraussetzungen gebundene Chance, angezeigten GV mit einer Deutschen dann zu überstehen, wenn der Pole für «eindeutschungsfähig» befunden wurde. Davon später.

Das Wort «Sonderbehandlung» war bereits zwanzig Tage nach Kriegsbeginn, am 20. 9. 39 eindeutig definiert worden als das nunmehr übliche Tarnwort für Hinrichtung: «Im letzteren Falle handelt es sich um solche Sachverhalte, die hinsichtlich ihrer Verwerflichkeit, ihrer Gefährlichkeit oder ihrer propagandistischen Auswirkung geeignet sind, ohne Ansehung der Person durch rücksichtsloses Vorgehen, nämlich durch *Exekution*, ausgemerzt zu werden.» Schon bevor Göring im Hinblick auf die geplante Heranziehung auch polnischer Zivilisten zur Arbeit in Deutschland seinen Erlaß diktierte, hatte Himmler am 31. 1. 40 sich auf eine für ihn ganz besonders bezeichnende Weise mit Kriegsgefangenen beschäftigt: «Deutsche Frauen und Mädchen, die mit Kriegsgefangenen in einer Weise Umgang pflegen, die das gesunde Volksempfinden gröblich verletzt, sind bis auf weiteres in Schutzhaft zu nehmen und für mindestens ein Jahr einem Konzentrationslager zuzuführen . . . Beabsichtigen die Frauen und Mädchen eines Ortes, die betreffende Frau vor ihrer Überführung in ein Konzentrationslager öffentlich anzuprangern oder ihr die Haare abzuschneiden, so ist dies polizeilich nicht zu verhindern.»

Im deutschen Alltag sah das dann so aus, wie es hier aus Potsdam am 12. 12. 1940 ein Herr Dr. Husmann beschrieb, und zwar mit Briefkopf: Geheime Staatspolizei, Staatspolizeileitstelle B.-Nr. 6890/40 II E. Husmann berichtet über eine Achtzehnjährige, «z. Zt. in Berlin-Moabit in Haft», daß «die Vorgenannte in Neumecklenburg, Krs. Friedeberg, im Oktober 1940 mit einem Volkspolen wiederholt den Geschlechtsverkehr ausgeübt hat, obwohl ihr das betreffende Verbot bekannt war, und sie keinen Zweifel daran hatte, daß es sich um einen Volkstumspolen handelte. Der Name des Polen ist hier nicht bekannt.» (Das kann nur heißen: das Mädchen verriet den Geliebten nicht.) Dr. Husmann schrieb weiter: «Nachdem der Vorfall in Nauen bekannt geworden ist, hat die Nauener Bevölkerung in Verbindung mit der Kreisleitung der

NSDAP Selbsthilfemaßnahmen gegen die Riske getroffen. In den Nachmittagsstunden des 12. 11. 1940 wurde sie mit kahlgeschorenem Kopf und in Säcke gekleidet durch die Straßen Nauens geführt.

Sie trug eine Tafel mit Aufschrift: ‹Ich bin ein verkommenes Subjekt, weil ich mich mit einem Polen eingelassen habe. Deshalb gehe ich ehrlos aus dieser Stadt ins Zuchthaus›.»

Das war später zuweilen den Verantwortlichen selber nicht mehr plausibel. Am 15. 11. 43 schrieb der «Chef der Sicherheitspolizei» in einem mit Geheim!-Stempel bedruckten SD-Bericht zu Inlandfragen: «Einzelstimmen weisen auch darauf hin, daß es nicht im Interesse der deutschen Volkskraft gelegen sein könne, wenn etwa ein unbescholtenes Bauernmädchen in der Vollkraft seiner Jahre, das sich einmal bei dem Männermangel vergessen habe, ins Zuchthaus komme und dort verdorben und für das Leben aus der Bahn geworfen werde. Gerade in ländlichen Gegenden, in denen diese Schwierigkeiten sehr viel deutlicher zutage träten als in der Stadt, werde die strenge Bestrafung oft nicht verstanden. Eine Sonderstellung nehmen noch die Gebiete mit überwiegend katholischer Bevölkerung ein. Dort ist man unter dem Einfluß der Geistlichkeit geneigt, in dem katholischen Polen oder Franzosen den Glaubensgenossen zu sehen, dem man sich näher verbunden fühlt, als einem Menschen des eigenen Volkes, der sich nicht zur Kirche bekennt. Diese Einstellung wirkt auch stark auf die Einstellung der Frauen und Mädchen gegenüber den Kriegsgefangenen ein.»

Schon zwei Jahre bevor diese Feststellung getroffen wurde, hatte Hitler persönlich die von Himmler 1940 gutgeheißene Terrorisierung deutscher Frauen und Mädchen durch Mitbewohnerinnen bei der Abführung ins Konzentrationslager verboten. Hitler wies Heydrich an,

Himmlers Erlaß am 31. 10. 41 zurückzunehmen. Heydrich empfand zweifellos Genugtuung, seinen Chef Himmler vor allen zehn Dienststellen im Reich korrigieren zu dürfen, an die sich Himmlers Brief gerichtet hatte: den Staatspolizei-leit-stellen; den Kommandeuren der Sicherheitspolizei und des SD; dem Chef der Ordnungspolizei; den höheren SS- und Polizeiführern; den Amtschefs, Gruppenleitern und Referenten des Sicherheitshauptamtes; den Befehlshabern der Sicherheitspolizei und des SD; den Inspekteuren der Sicherheitspolizei und des SD; den SS- und Polizeiführern; den Kriminalpolizei-leit-stellen; den SD-Leit-Abschnitten.

Wir haben diese zehn verschiedenen *Sorten* von Polizei-Ämtern aufgereiht, ohne selber zu wissen, wie viele Ämter es jeweils von jeder dieser zehn Sorten gab, um anschaulich zu machen, wie fürchterlich engmaschig das Polizei-Netz war, das über Deutschland hing. Dieses Netz entschuldigt viel von dem, was die Untertanen unter ihm verübt und sich – und Fremden – gegenseitig zugefügt haben! Kein Bürger, der nicht zum Hund erniedrigt worden war; kein Hund, dem nicht ein Spürhund zur Seite lief . . . Heydrich also gab am 31. Oktober Hitlers Widerruf der Verordnung Himmlers weiter: «Bei erwiesenem Geschlechtsverkehr mit Kriegsgefangenen sind vielfach ehrvergessene deutsche Frauen öffentlich angeprangert worden. Auf Befehl des Führers dürfen derartige Maßnahmen in Zukunft nicht mehr durchgeführt werden. Die Dienststellen der NSDAP haben von der Parteikanzlei entsprechende Anweisungen erhalten.»

Die also auch noch, die Dienststellen der Partei! Zum großen Glück der Alliierten wurden viele, viele hunderttausend wehrfähige deutsche Männer – komplette potentielle Armeekorps – im Reich und in den besetzten Gebieten damit beschäftigt, aufeinander und auf das eigene

Volk aufzupassen und Zehntausende von Tonnen Papier mit Briefen wie den zitierten zu beschreiben. Heydrich hatte seinen Brief geschlossen: «Die mit Erlaß des Reichsführers SS und Chef der Deutschen Polizei v. 7. 5. 40, Abs. IV. gegebene Anordnung, Anprangerungen polizeilich nicht zu verhindern, wird mit sofortiger Wirkung aufgehoben. Der Absatz IV des vorbezeichneten Erlasses ist zu streichen. Ich bitte, diese Anordnung allen Beamten bekanntzugeben.» Demnach hatte Himmler also auch am 7. Mai 40 noch einmal darüber geschrieben, während der von uns zitierte seiner Erlasse bereits Ende Januar versandt worden war . . .

Schon damals also müssen deutsche Beamte es für eine ernsthafte Arbeit gehalten haben, wenn sie Briefe wie jenen schrieben oder diktierten oder lasen oder Unterlingen zur Beschäftigung weiterreichten; Oswald Spengler nannte die Partei Hitlers: «Die Organisation der Arbeitslosen durch die Arbeitsscheuen.» Und solche Briefe schrieben sie sogar noch, als immerhin – Ende Oktober 1941 – die Sowjet-Union im Bunde mit dem strengsten Winter seit hundert Jahren und mit einem noch völlig ungeschlagenen Großbritannien, sich schon anschickte, Hitlers Heer vor Moskau kaputtzumachen . . . Die Geisteskrankheit – ein Trost –, mit der Hitler und seine namhaftesten Bazillenträger die Nation infiziert hatten, und die vielleicht am genauesten als mordsüchtige Realitätsblindheit zu bezeichnen ist: ihn und die Seinen hatte sie am lähmendsten befallen! Denn daß Rassen-«Politik» jede Eroberungs-Politik wieder zunichte, weil sie die Unterworfenen zu Partisanen, statt zu neuen Untertanen macht: das *muß* Hitler gewußt haben!

Doch konnte dieses Wissen sich nicht durchsetzen gegen den ausgeprägtesten seiner Triebe: die Haß-Lust. Daß er intelligent war, auch Instinkt hatte, anfangs, für

das, was außenpolitisch den Nachbarn zumutbar war –
dann aber nicht mehr –, vermochte alles nicht, die Regun-
gen seiner Massenmörder-Seele untenzuhalten.

Slawen ausrotten, doch slawische Territorien, die größer waren als das eigene Reich, annektieren wollen: daß
Hitler schon allein mit dieser «Denk»-Weise alle seine
Bemühungen vereitelte, den Krieg zu gewinnen – dieser
Gedanke kam auch seinen höchstgestellten «Paladinen»
nicht, obgleich wenigstens die Generalität hätte wissen
müssen – und die Courage haben, ihm das zu sagen –, daß
Rassen- und Eroberungspolitik einander ausschließen.
Erfolgreiche Eroberer waren bemüht, die Töchter unter-
worfener Völker mit ihren Soldaten zu verheiraten. Hitler
war bemüht, sie einzufangen «zur Vernichtung durch
Arbeit»! Der Kaiser, als dessen Untertan Hitler 1889 zur
Welt gekommen war, der Herrscher Österreichs, hatte
König auch der Ungarn siebzig Jahre bis zu seinem Tode
bleiben können, weil er die Ungarn nach ihrem Aufstand
1848 auf das brutalste mit russischer Waffenhilfe nieder-
warf – sie aber alsbald zu völlig gleichberechtigten Staats-
bürgern wieder «erhob» und sogar Führer des Aufstands,
die in Abwesenheit zum Tode verurteilt worden waren,
dann amnestierte und – wie Julius Andrassy –, zum unga-
rischen Ministerpräsidenten ernannte, später auch zum
k.u.k.-Außenminister, obgleich er ihn 1851 hatte – wie
das hieß – «in effigie hängen» lassen . . .

Daß Hitler diese Elementarkenntnis jeder Eroberungs-
politik ignorierte – denn natürlich kannte er sie –, wirft
erneut die Frage auf, warum Gefühlsbindungen so unvergleichlich viel zäher und beherrschender sind als die
praktische Vernunft und als sogar die Vorteilssucht. Es
gibt da, wie auf alles Irrationale, keine Antwort. Hitler
ließ von Urbeginn seinem Haß auf alles «Fremdvölkische» freien Lauf, vielleicht, weil er das Gefühl hatte,

selber – ob berechtigt, ob nicht, macht da keinen Unterschied – kein «richtiger» Deutscher, kein reiner «Arier» zu sein. Und da dieser Haß auf das Fremde, auf Juden und Slawen, sein existentieller Motor war: so *konnte* Hitler ihn nicht unterdrücken, nicht einmal zugunsten seines Vorhabens, andersrassige Länder dem deutschen Reich einzuverleiben.

5
Der Mann denkt

«Die Hoffnung, daß der vernichtende
Schlag gegen England unmittelbar be-
vorsteht, daß er gleichzeitig den allgemeinen Frieden zur Folge hat und daß
dadurch ein zweiter Kriegswinter mit
den Erschwernissen der Verdunkelung,
Heizmittelbeschaffung usw. erspart
bleibt, ist geringer geworden . . . Ver-
fehlungen gegen die Verbote des Ver-
kehrs mit Kriegsgefangenen wurden
bisher nur zwei bekannt. In Planken-
fels hat der ledige Landwirt Klötzer
einem französischen Kriegsgefangenen
eine Zigarette und die Bäckersfrau
Rödel französischen Kriegsgefangenen
Schwarzbeersaft geschenkt. Strafanzei-
gen wurden an den Leiter der Amtsan-
waltschaft bei dem Landgerichte Bayreuth abgegeben.»

Landrat Dr. Niedermayer,
Ebermannstadt.
Monatsbericht v. 31. 8. und 2. 9. 1940.

– wenn ich einschlafe, das fehlte noch: mich ansagen bei ihr und es dann verschlafen, aber ich schlafe tatsächlich ein . . . ich werde jetzt mit diesem verdammt lauten Wekker mitzählen, so oft der tickt . . . Aber warum soll ich eigentlich nicht einschlafen – wach werde ich bestimmt, jede Nacht liege ich wach zwischen eins und drei, ungefähr; um endlich wieder normal durchschlafen zu können, riskiere ich's ja überhaupt! Nein, es ist kein Risiko mehr – ein Risiko war's, da heute im Keller *den* Griff zu tun. Daß jemanden «in der Hand haben» doch daher kommen muß – aber trotzdem die ganz andere Bedeutung hat, genau die umgekehrte – sonderbar: kommt vom Menschlichsten, das einer mit Händen greifen kann – und hat trotzdem diese üble Bedeutung angenommen! Und wie bereit sie da war für meine Hand, wie sie diese drei Atemstöße lang, bis sie sich losriß, so an mir lehnte, daß sie gestürzt wäre, hätte nicht ich sie gehalten –

Und daß sie völlig unfähig war, auch gar nicht willens, zu verbergen, wie . . . wie – natürlich ihr nur war, daß sie hineinglitt in meine Finger . . . Blutorangen, die spätesten im Jahr, wenn man eine mit den Händen aufmachen muß, weil man kein Messer dabei hat – die rinnen einem auch so über die Hand. Wenn ich mir jetzt noch länger vorstelle, wie sie da aussehen wird, dann brauche ich gar nicht mehr hinzugehen . . .

Die Gefahr, den Verstand zu verlieren, wenn ich sie nicht kriege, aber ich kriege sie ja – ist größer als die, das Leben zu verlieren, wenn mich ein Deutscher bei ihr erwischt. Scheiß auf das polnische Sprichwort: in der richtigen Stunde triffst du einen guten Freund, in der falschen eine schöne Frau . . . wozu schuftet man für zwei, wozu ist man jung, wenn man sich das Menschlichste jahrelang wegklemmt, bis man neurotisch wird?

Wenn nur der Chef den Schlüssel nicht abgezogen hat,

ehe er schnarchen ging . . . lustig, dieses Schnarcher-Duett, man hört ja ganz genau, ob seine Frau es ist, ob er – und wie ihr Schnarchen ehelich aufeinander abgestimmt ist, er doch immer erst dann einsetzt, wenn sie ihren Schnarcher schon leise ausröchelt . . . Sollten die da unten einmal wachliegen, sehr unwahrscheinlich, so hören sie aus meinem Zimmer das Schnarchen sogar noch, wenn ich – bei ihr bin. Denn Joseph schnarcht ja für uns zwei . . . daß der so gut schlafen kann, obgleich er doch schon zwei Wochen weiß, daß in Lublin seine Frau mit einem Deutschen schläft, der arme Hund, wie er mir leidtut; was hat seine Mutter ihm angetan mit dieser Denunziation! Und doch will ich nichts so sehr, *muß* ich nichts so sehr wie genau das gleiche heute nacht einem Deutschen antun, was zu Hause ein Deutscher dem Joseph angetan hat. Schuld sind nicht wir Menschen, daß Ehebruch geschieht, sondern ist der Krieg, der uns zu Gefangenen macht und Ehen trennt – und gäbe es weit und breit ein Mädchen, das nicht verheiratet ist, wäre irgendwo eins erreichbar für mich, ich ginge nicht zu Pauline – doch, doch, zu *ihr* ginge ich; denn selbst wenn ihr Mann mit der Flinte auf mich wartete, ich käme nicht mehr los von ihr; ein Unterschied zwischen den Schulmädchen von damals und dieser Frau wie zwischen März und August! Der März ist ein so lieblicher Monat, aber der August ist der volle Sommer – und wenn ich mir ausmale, nein: stell's dir jetzt nicht schon wieder vor, peinlich genug vor Joseph, daß ich mich Nacht für Nacht selber zur Ruhe bringen muß, weil ich's nicht lassen kann, in Gedanken Pauline zu haben. Und deshalb müßte ich selbst dann heute zu ihr, wenn ich noch einmal durchs gleiche Schußfeld zu robben hätte wie bei Kowno, als mich die Deutschen in die Schulter schossen . . . war auch wieder gut, ich glaube, sie behandelten mich nur deshalb anständig, weil ich verwundet ihr Gefangener wurde – leicht verwundet; schwer verwundet hätten die mich vermutlich liegengelassen und abgeschossen ... wie wir das ja auch oft genug mit Deutschen gemacht haben; hör jetzt auf, an Krieg zu denken, denk drüber nach, was du anstellst, wenn Melchior tatsächlich den Schlüssel abgezogen hat. Nachdenken – wozu: nachsehen! Schützt mich auch davor, einzuschlafen, wenn ich nachsehe – anderseits wie unklug, zweimal die Treppe hinabzutappen und wieder hinauf, wenn einmal auch genügt: warum sollte der Chef den Schlüssel abgezogen haben! Hier aus dem Fenster käme ich allenfalls, aber nicht wieder rauf! Sollte ich das Unglück haben, daß der doch den Schlüssel – ich halt das nicht aus, ich sehe nach! Barfuß – nehme ich eigentlich zu Pauline die Schuhe mit? Selbstverständlich, ich kann ihr doch nicht mit Füßen, die über einen Kohlenhändler-Hof geschlichen sind, die Bettwäsche – sei nicht so verdammt sicher, daß du bis an ihre Bettwäsche überhaupt rankommst! Und selbst, wenn sie's erlaubte – natürlich –: sie schläft im gleichen Zimmerchen wie ihr Herbert, ich müßte sie doch rüberholen auf die Küchencouch ...

Dieses verdammte Knarren der Türe, aber wie könnte ich vor Melchiors begründen, daß ich die Türangel schmieren will. Ich kann das nur tun, wenn sie's nicht gewahr werden, also mit meiner, aber nicht mit der Haustüre. Stehenbleiben. Nein, nein, keine Unruhe – die schlafen, die schlafen so ausgezeichnet. Und er steckt, der gute Schlüssel ... sollte ich nicht jetzt gehen, da ich schon einmal hier unten bin? Und niemand schläft so gut wie im ersten Schlaf, heißt es ... anderseits, es ist erst halb elf, und ich bringe Pauline in Gefahr, wenn ich drüben ankomme und – wer weiß – womöglich diese gefährliche, schöne Buchhalterin noch nicht von ihr weggegangen ist;

wie dumm, daß ich nicht fragte, wie lange die manchmal abends noch bleibt . . . die hat ja nachts auch nichts zu tun wie jetzt alle diese Soldatenfrauen, und da sie oft erst spät kommt, sitzt die vielleicht noch da . . . Wie töricht von mir, nicht offen den Melchiors erklärt zu haben, ich müßte mich nachts oft auf den Hof oder sogar in den Grasgarten setzen, weil ich stundenlang wach sei und nicht einmal lesen könnte, da ja das Licht den Joseph stört . . . gleich morgen muß ich das anbringen, diese Behauptung, ich ginge in warmen Nächten lieber im Hof und Garten umher als da oben schlaflos zu liegen: das können sie kaum verbieten, obgleich die Verordnung heißt, im Hause sei der Kriegsgefangene «zu halten», ich glaube – «zu halten», so sagen die Deutschen sonst nur bei Vieh; die halten sich zwei Stück Rindvieh – und zwei Gefangene! Nun, das kommt einmal anders . . . Wohin schleppen die jetzt alle, die sie zu Hause wegholen, erst alle Professoren und Oberschul-Lehrer, jetzt die Juden . . . und knapp sechs Wochen hat's nur gedauert, da hatten sie *den* großen Verbündeten, den Polen immer gehabt hat, Frankreich, in Scherben zerschlagen wie einen angeberischen Kronleuchter . . . aber England wird ja weitermachen, ich könnte jeden Mitgefangenen in die Schnauze hauen, der den gemeinen Witz weiterredet: «England kämpft bis zum letzten – Polen!» England, das ist eine Tatsache, hat bisher nie einen Krieg verloren; ob allerdings auch Englands Verbündete seine Kriege immer mitgewonnen haben, das weiß ich nicht . . .

Sicher ist das deprimierend, daß die Briten und Franzosen erst unseren Staat garantiert haben, dann aber keinen Schuß abfeuerten im Rücken Hitlers, als er uns fertigmachte in drei Wochen. Doch immerhin: wer hat denn England gezwungen, die Garantie für Polen abzugeben – niemand! Und getan haben sie es doch. Und was haben schließlich wir für England getan, das Hitler den Krieg erklärt hat, nur weil er hergefallen ist über *uns*? Nun schlaf endlich, geh wieder ins Bett – «Was? Ich bin's, Joseph, wer sonst, ich war mal draußen, schlaf weiter! Wie? – noch nicht elf, ich hab noch gar nicht geschlafen, gute Nacht.»

Jetzt aber wirklich zwei, drei Stunden schlafen, sonst bin ich hernach so taumelig, daß ich wo anstoße oder eine andere Dummheit mache! Keine Sorge, ich werde ganz bestimmt zu meiner üblichen Zeit gegen zwei wach . . . Aber wär's nicht doch besser, ich – verschliefe diese Chance, doch auch diese Gefahr? Nein, das wäre nicht besser. Weil ich mich lieber erschießen lasse als einweisen in ein Irrenhaus – und weiter vegetiere ohne Frau. Ohne *diese* Frau! Nimm dich nicht so wichtig . . . andere werden auch nicht irre, weil sie ohne Frau sind. Aber die sind noch im Lager: im Lager hält man leichter aus ohne Frau, erstens, weil man nie eine sieht; zweitens, weil man derart hungert – daß man nur nach Fressen giert. Drittens, weil man keine spricht, riecht, berührt und ihre Sympathie spürt . . . Blöd daß ich den Joseph geweckt habe – nein, den hab ich nicht geweckt, der wurde eben wach. Und käme er mir auf die Schliche, der hielte dicht, natürlich. Ob auch Melchiors dichthielten? – die *dürfen* mir nicht auf die Schliche kommen! Und jetzt will ich schlafen, damit ich wirklich im Morgengrauen wach bin . . . und vielleicht, hoffentlich, wieder ein normaler Mensch werde, der auf seinem Kutschbock sitzen kann, ohne daß der Anblick der straffen, strammen, glatten Pferdeärsche, die da vor ihm im Gespann sich auf und ab bewegen – und das braungebrannte Fell Paulines, ihr herrlicher haarfreier Nacken, ihre runden, glatten starken Oberarme, ihre Waden und der straffgespannte Rock, wenn sie sich bückt und aus dem unteren Regal Gemüse auf den Ladentisch

legt und einem den Hintern hinhält . . . vor meinen per-
vers unbefriedigten Sinnen eines werden! Sodomie . . .
das alles macht dieser Krieg aus unsereinem, der so normal war wie jedermann, daß ihm der Kompaß-Zeiger,
sogar wenn er nur seinen Gaul putzt und dessen Wärme
untern Händen hat, ausschlägt als hielte er die Backen
seiner Geliebten . . . was speziell mich natürlich auch nur
deshalb so zum Aufstand bringt, weil ich das noch nie
hatte! Weil das einzige Mädchen, das ich überhaupt ausziehen und endlich und nur zu guter Letzt und zweimal
und nicht wieder dann richtig haben durfte, ehe das
Militär mich vereinnahmte, vor lauter Unschuld und
Katholizismus sich eher hätte ermorden lassen als bereit
zu sein, es bei Licht zu machen oder mir gar einmal seinen
Hintern auch nur zu zeigen, geschweige denn hinzuhal-
ten, worum ich sie vergebens anwinselte, die Esther.

6
Wer eine Geschichte erzählt...

«Der Irrsinn ist bei einzelnen etwas
Seltenes – aber bei Gruppen, Parteien, Völkern
und Zeiten die Regel.»

Nietzsche

Wer heute eine Geschichte erzählt – der müßte sehr stark sein, das bin aber ich keineswegs, um sich hinwegzusetzen über eine fast unbezwingliche Mode, die der Maler und Bühnenbildner und Ostasiatica-Sammler Emil Preetorius einmal so verspottet hat: «Die modernen Kunstwerke haben eine auffällige Kommentarbedürftigkeit. Man hat manchmal das Gefühl: die Künstler machen erst ihren Kommentar und dann ein Werk dazu . . . besonders in Deutschland. Die Deutschen haben ein merkwürdiges Verhältnis zum Schauen. Sie trauen sich erst über etwas Geschautes zu urteilen, wenn sie darüber etwas wissen. Das ist falsch.» Falsch fand Preetorius auch – er war achtzig und langerfahren, als er das feststellte –, daß die Kunstmittel selber Objekte der Darstellung werden, weil Ästhetiker den Spleen epidemisch verbreiten, die Kunst habe keine Inhalte mehr; sein spanischer Freund Ortega y Gasset hatte eine ganze Essay-Sammlung betitelt: «Die Vertreibung des Menschen aus der Kunst» – holt man ihn jedoch wieder herein, den Menschen: so erübrigt sich die Frage nach den Inhalten, denn es gibt keinen Menschen, der nicht ein überliefernswertes Schicksal hat; oder – da wir ja nicht wissen, was Schicksal ist – sagen wir vorsichtiger: jedermann bringt ein malenswertes Gesicht oder eine erzählenswerte Geschichte mit. Das sollten wir festhalten, verteidigen . . .

Doch Paulines und Stasieks Geschichte zu erzählen: das ist *eine* Aufgabe. Eine andere, aktuellere: den Prozeß des Recherchierens ihrer Geschichte aufzuschreiben! Denn die Menschen, die heute über diese fast vierzig Jahre zurückliegende Tragödie sprechen: wie wenig Ähnlichkeit haben die doch mit jenen Menschen, die diese Geschichte angerichtet und ihre Hauptfigur hingerichtet haben! Und wer ein wenig Aufmerksamkeit diesem Versuch, eine tief vergrabene Geschichte ans Tageslicht zu holen, widmen will – der wird eine ganze Menge erfahren über die Schwierigkeiten überhaupt, erstens Geschichten zu glauben, zweitens zu erzählen!

Überraschend ist doch bereits – und ich denke: nicht nur für mich – diese erste Erfahrung, die ich dabei machte und die ich bestritten hätte, bevor ich selber sie machen mußte: daß es nämlich so viel leichter ist, eine Geschichte zu erzählen, wenn die Menschen tot sind, die sie zum Sprechen bringen soll, als wenn diese Menschen noch leben! Das ist seltsam – ja: schon dies ist höchst recherchierenswert, diese Frage, warum das so ist. Denn dies habe ich tatsächlich erfahren: daß weit stärker zum Verstummen als zum Reden die meisten Menschen bringt, wer sie befragt, um solche Ereignisse aufzuschreiben, denen diese Leute zugesehen oder die sie gemacht oder mitgemacht haben. Tatsächlich ist es viel einfacher, aus der Phantasie einen Menschen aufzubauen, den wir niemals gesehen haben – als einen darzustellen, der uns soeben noch lebendig vor Ohren und Augen trat; bezweifelt das einer, so mag er's probieren.

Könnte der Altbürgermeister und Ortsgruppenleiter Josef Zinngruber, heute achtzig, von dem ich doch weiß, daß er für seine Denunziation immerhin nach dem Krieg von den Franzosen fünf Jahre bekam – nicht alle saß er ab –, mir nicht mehr so beredt dartun, allein die Meineide dreier Mitbewohnerinnen und eines Gendarms hätten ihn hinter Riegel gebracht, so würde ich mühelos (und im Wortsinne: «leicht»-fertig) einen gradlinigen Holzschnitt dieses Mannes hergestellt haben. Jetzt jedoch, da ich soeben an seinem Tisch saß neben seiner gelähmten Frau, und in Zinngrubers Augen sah, die so ehrlich, befeuert, groß und gletscherblau besonders dann auf einen blicken, wenn er einem frontal ins Gesicht lügt, ist es unendlich kompliziert, herauszufinden, wie dieser Ortsgruppenleiter vor 36 Jahren eingriff und durchgriff, als ihm zugetragen wurde, die Gemüsehändlerin Pauline Krop schlafe mit dem polnischen Kriegsgefangenen, der beim Kohlenhändler Melchior arbeite . . .

Ohne Frage: sehr weit zurückliegende Geschichten sind leichter zu erzählen, weil man weniger von ihnen weiß. «Die Wirklichkeit», seufzte Heinrich Mann, doch er meinte: die Gegenwart, «ist eine Stütze und eine Last!»

Denn nur die Gegenwart ist die Wirklichkeit – von der historischen wissen wir fast nichts; bezweifelt das einer, so mag er probieren, seinen Kindern – von den Enkeln schon gar nicht mehr zu reden –, nur seinen Kindern noch zu erklären, in welcher *Atmosphäre* er vor dreißig Jahren für oder gegen wen irgendwo mitmarschiert ist! Oder er lese zehn Seiten in der «Kartause von Parma», einem Roman aus der Gegenwart seines Verfassers: dann wird er zugeben, daß niemand heute, hundertfünfzig Jahre *nach* den dort geschilderten Ereignissen, mehr fähig wäre, außer diesen Ereignissen, die sekundär sind, ein einziges gesellschaftliches Detail, einen Dialog zwischen einem hochgestellten Paar von damals, das seit Jahren ein Verhältnis hat und Politik macht, noch wiederzugeben, eine einzige der damals bestimmenden Atmosphärilien zu «rekonstruieren». Niemand kann das – so daß man sagen muß: es gibt nur einen Schrecken, der die Schrecknisse der Geschichte noch übersteigt: den sogenannten historischen Roman . . .

Denn die Atmosphäre einer verschwundenen Zeit, die exemplarischer ist für sie und wahrheitshaltiger als die Fakten, kann keiner mitliefern. Und eigentlich unterscheidet *nur* die Atmosphäre, die nie tradierbar ist, die sich weitgehend gleichenden Fakten der verschiedenen Epochen voneinander. Zum Beispiel: Ehebruch mit einem Kriegsgefangenen, als Faktum auch aus anderen

Zonen und Zeiten belegt, war noch im ersten der bisherigen Weltkriege gar nicht strafbar; und wenn ihn später auch Fakten, nämlich die Gesetze Hitler-Deutschlands, dann zu einem totbringenden Verbrechen erklärten: erst die Atmosphäre des Polizeistaates konnte darüber ein ganzes Dorf und die benachbarte Kreisstadt in Geisteskrankheit versetzen. Und konnte bisher harmlose Nachbarn, einen Gemeindeförster, einen Waldarbeiter, einen Kleinbauern dazu bringen, für den «Fremdvölkischen» den Galgen zu zimmern . . .

Heute verstehen diese Männer auch nicht mehr, was sie getan haben – damals fanden sie normal, das zu tun. Atmosphäre ist vermutlich einfach die Geisteskrankheit einer Epoche im Sinne jener Einsicht Nietzsches, ohne die man gar nicht mehr auskommt, sobald man nicht nur von den zwölf Hitler-Jahren erzählen will und von der Inquisition, sondern auch von den vergleichsweise gesunden, harmlosen Dezennien wie der Gründerzeit: daß nämlich Geisteskrankheit bei Individuen etwas höchst Seltenes sei – jedoch bei Völkern und Zeitaltern die *Regel*!

Da diese Atmosphärilien einer Epoche schon von der Enkel-Generation überhaupt nicht mehr wahrzunehmen sind, so lebenbestimmend sie auch waren für alle Angehörigen der Großeltern-Zeit; und da auch von den Fakten unendlich viele für immer flußab gingen, so wären Geschichten aus der Gegenwart wahrer, wenn man sie erzählen könnte.

Doch eben das kann man nicht. Selbst Melville mußte eingestehen, in seiner letzten, vielleicht größten Novelle: «Die symmetrische Form, die man einer frei erfundenen Erzählung geben kann, läßt sich nicht so leicht in einer Geschichte erreichen, deren Kern weniger auf Dichtung als auf Tatsachen beruht. Wenn man die Wahrheit kompromißlos berichtet» – und hier meint Melville ebenso

wie Heinrich Mann die Wirklichkeit der Gegenwart –,
«gibt es stets scharfe Kanten, und das Ende einer solchen
Erzählung ist selten ein so vollendeter Abschluß wie die
Kreuzblume der Architektur» . . .

Und da kein Schreiber, und wäre er selbst Melville,
diese Last der Wirklichkeit transportieren kann – so erklärt er sie zum Ballast, nur um zu rechtfertigen, daß er
sie abwarf. Abwerfen mußte, um formen zu können! Doch
was dann übrigbleibt von den Geschehnissen, das ist
nicht genauer und kaum festhaltbarer als im fließenden
Wasser das Spiegelbild eines Bootes, das darüberhin-
schwimmt.

Ob man also nicht den Verdacht hegen muß, daß eine
Chronik unwahrer wird, je lesbarer sie geschrieben ist, je
anschaulicher? Denn Anschaulichkeit – womit sonst wäre
sie zu erzwingen als durch Begrenzung der Geschehnisse
auf *unseren* Gesichtskreis? Zeichnen heißt Weglassen, mag
sein; doch es verstimmt, daß dieses abgenutzte mot der
Kunstgeschichte immer so vorgebracht wird, als sei hier
keineswegs die Tugend aus der Not entstanden, sondern
als sei sie ein Gütezeichen! Es ist doch schlimm genug,
daß man zeichnen nur kann, wenn man wegläßt! Bezweifelt das einer, so mag er einmal mitgehen, wenn ich Zeugen besuche, also Helfershelfer der Durchführer des Führers, und mag sich deren Dankbarkeitsbeteuerungen anhören, sobald ich versichere – sonst käme ich ja nie zu
meiner Geschichte –, dieses oder jenes *wegzulassen* von
dem, was sie mir sagten, besonders ihre Namen wegzulassen aus diesem Bericht . . . Weglassen eine Kunst? –
vielleicht; bestimmt aber eine Treulosigkeit; eine Fäl-
schung sowieso!

Also, es bleibt fraglich, ob sich diese Untat schon erzählen läßt, da ja fast alle Zeugen und Mitmacher noch
leben; die meisten lügen natürlich. Ich kalkuliere, die

Hälfte von allem, was alle sagen, darf man glauben – wer aber sagt mir, welche Hälfte? Denn die vorsätzlich lügen, sprechen am überzeugendsten, weil sie nun schon seit Ende der Hitler-Zeit ihre Version erzählen; das übt nicht nur, das drängt sich sogar als Wahrheit auf – und zwar auch den Lügnern selber! Die schlimmsten glauben sich bereits jedes Wort. Ihre Berichte sind Triumphe der Willenskraft über das Gedächtnis: das habe ich getan, Sie kennen das Aperçu, sagt unsere Erinnerung; das *kann* ich nicht getan haben, sagt unser Stolz; das durftest du nicht tun, sagten nach Hitlers Tod Gesetze, die Gesetze Hitlers für ungültig erklärten: also gab das Gedächtnis nach . . .

Natürlich will ich nicht behaupten, wenn diese Geschichte erst nach dem Tode aller Helfer erzählt würde, dann käme sie ohne Beschädigung der Wahrheit heraus – nein: sie käme sehr wahrscheinlich überhaupt nicht mehr heraus. Wenn aber doch, so würde sie nur besser als Geschichte, geschlossener, literarisch prägnanter in dem Maß, in dem sie unwahrer würde. Das ist betrüblich und wird ungern eingestanden. Als Bismarck in Petersburg, um einen Rivalen herabzusetzen, eine stark münchhausensche Jagdgeschichte, mit der sich dieser Rivale angeblich wichtig gemacht habe, dem britischen Gesandten zum zweitenmal erzählte, konterte der trocken: «Die Geschichte ist besser geworden!»

Wie man sich davor hüten soll, weiß ich nicht.

Merkwürdig genug, daß diese Geschichte überhaupt noch herauskommt, nachdem sie sechsunddreißig Jahre lang nur verdrängt worden ist – von ausnahmslos allen; Frau Krop hat vor fünf Jahren alle sie betreffenden Akten der Geheimen Staatspolizei Lörrach und des Konzentrationslagers Ravensbrück, wo sie zweieinhalb Jahre mit geschorenem Haar als Zwangsarbeiterin zubrachte, vernichtet – «Begründung»: weil das neue Schlafzimmer angeschafft wurde, habe ihr der Platz für die Papiere gefehlt . . . für eine einzige Mappe, aber sie besitzt ein kleines Reihenhäuschen! Freut sie sich jetzt auch, daß ich ihr ein Foto des Geliebten verschaffen will – zuerst wehrte sie ab, als ich's anbot –, so war sie doch erschrocken, als ich zu ihr kam, fast so sehr wie die Mörder ihres Freundes . . . *Ihre* Peiniger, die sie während der Zwangsarbeit im KZ Ravensbrück bewachten, fand ich überhaupt nicht; Pauline selbst ist auch an denen ganz uninteressiert – von Rachetrieb ist nichts in ihr, sie sagt sogar: «Noch bei fünfunddreißig Grad Kälte mußten wir Straßen bauen, ich wurde aber niemals so oft wie die meisten anderen geprügelt.» Sie versteht nicht, wieso sie so ein Glück im Unglück hatte . . . Sie spricht auch nicht eigentlich von sich selbst, wenn sie über die Tragödie – mehr schweigt als redet; sondern über den Polen, den «ich auf dem Gewissen habe»! Ihre Augen sind voll Tränen, wenn sie über ihn spricht.

Nein, niemand begehrt die Wahrheit zu wissen, vielleicht mit Ausnahme der mir unbekannten Eltern des Polen – sofern die noch leben –, die vor dem Hitlerkrieg in Lodz eine Autoschlosserei hatten.

Am wenigsten sind die Behörden des Landes Baden-Württemberg daran interessiert, die in ihrem Bundesland lebenden und dort Pension verzehrenden Mörder dieses – und zahlloser anderer – Gefangener, die aus dem gleichen «Grund» dilettantisch gehängt, das heißt: erwürgt wurden, dingfest zu machen. Ist doch der zurückgetretene Ministerpräsident dieses Landes, Dr. Filbinger, ein so furchtbarer Jurist gewesen, daß er noch in britischer Gefangenschaft nach Hitlers Tod deutsche Matrosen mit ehemaligen Nazi-Gesetzen verfolgt hat.

7
Die Frau denkt

«Die Gastwirtfrau D. . . . in Brambert hat mit einem französischen Gefangenen unerlaubte Beziehungen unterhalten . . . Als die D. auf die Kreisleitung vorgeladen wurde, wurde sie von einigen Volksgenossen ergriffen und kahlgeschoren. Sodann wurde ihr ein Plakat umgehängt: ‹Ich habe die deutsche Frauenehre beschmutzt› und sie ein Stück durch die Stadt geführt. Die Gendarmerie griff alsdann ein und nahm die D. in Haft, in der sie sich noch befindet. Die Kunde von diesem Vorfall ging wie ein Lauffeuer durch das ganze Kreisgebiet. Stimmungsmäßig ist festzustellen, daß ein großer Teil der Bevölkerung die Maßnahme gutheißt, manche forderten geradezu noch Prügelstrafen. Ablehnung fand die Maßnahme dagegen bei den meisten Frauen, auch bei denen, die Parteigenossinnen sind. Allerdings rückten diese mit ihrer wahren Auffassung zunächst nicht heraus, sondern erklärten, obwohl sie ganz weiß im Gesicht wurden, als sie die Kahlgeschorene sahen, daß dieser ganz recht geschehen sei. In späteren Gesprächen gaben die Frauen jedoch, als sie unter sich waren, der Überzeugung Ausdruck, daß sie mit der Maßnahme nicht einverstanden seien. Vereinzelt wurde auch die Frage aufgeworfen, ob in der gleichen Weise gegen die Männer vorgegangen würde, die sich in Frankreich mit Französinnen einließen. Ganz ablehnend zur getroffenen Maßnahme verhielten sich die kirchlich, insbesondere die katholisch eingestellten Bevölkerungsteile. Hier fiel die Äußerung, ‹man brauche nur noch Daumenschrauben und Folterkammern, dann sei das Mittelalter fertig›.»

SD-Außenstelle Ebern, Gau Mainfranken, am 14. 3. 1941

Gegenwind, der hat mir noch gefehlt, und regnen wird es auch noch, und dauernd mit einer Hand zu radeln, damit mir nicht der Rock um die Ohren fliegt, das wäre auch dann zu anstrengend, wenn ich heut früh zwischen zwei und vier geschlafen hätte, statt –

Und doch macht es ruhig, radzufahren. Säße ich die ganze Mittagspause zu Hause ab, ich hätte wieder Angst wie heute früh, bevor die erste Kundin im Laden mich nicht anders ansah als sonst – und ich sie, hoffe ich, auch nicht anders ansah. Bis die kam, hatte ich wirklich den Spleen, jeder müsse mir's anmerken . . . und man sieht's ja wirklich einer Frau an, jedenfalls Männer sagen das, vielleicht sagen sie's aus Eitelkeit, sie sähen uns an, wenn wir zum erstenmal seit langem wieder . . . Ja, wenn wir glücklich sind, dann sehen sie's vielleicht, aber mit so viel Angst im Leibe soll eine glücklich sein! Ich kann ja noch nicht einmal wissen, ob er ungesehen wieder in seine Stube kam; die liegt doch genau über der Schlafstube von Melchiors!

Er ist auch viel zu spät zu mir geschlichen und deshalb zu spät wieder weg, es war ja fast hell! Doch hätte jemand einen Verdacht – er wäre schon heute früh im Dorfe damit umhergelaufen, jeder ist sowieso ein Dreckmaul, und irgendeine hätte im Laden dann Anzügliches geredet . . . Da kommt wieder ein Wehrmachtslastwagen, halt dir den Rock fest, sonst rufen die Soldaten wie vorhin hinter dir her . . . auch ein Zeichen, daß die mich nicht für bald Mitte Dreißig halten . . . jeder hält mich für wesentlich jünger; nur mein Mann, der muß sich in Holland ein fast nackertes Mädchen im zweiteiligen Badeanzug auf die Schulter setzen – und mir sogar zwei Fotos mit der Nutte heimschicken!

Egal war mir das nie – doch daß ich's mir heute sage, liegt nur daran, daß ich eine Ausrede suche für heute nacht. Mein Mann ist gut – und treu sind die alle nicht, die als Besatzer irgendwo im Ausland herumgähnen und nichts zu tun haben als aufgedonnerten Städterinnen aufzulauern: da ist's mir schon lieber, obwohl's gefährlicher ist, er hat eine, die mit ihm sogar zum Strand fährt – als daß er wie die meisten in den Militärpuff geht. Tut er womöglich auch noch!

Nun zieh nicht über *ihn* her . . . aus schlechtem Gewissen: jede Woche kommt ein großes Paket, ich weiß gar nicht, woher er dazu das Geld nimmt; sein bißchen Sold kann ja nicht reichen für diese herrlichen Sachen, die er den Kindern und mir schickt; und ehe er zuletzt wegfuhr, hat er für vier Monate die Ladenmiete im voraus bezahlt und hat die Lebensversicherung erhöht, er ist verdammt gut und es ist ganz niederträchtig, *ihm* das anzutun, was ich nun einmal nicht hätte tun dürfen – und doch wieder tun werde! Daß ich heute plötzlich zum Zahnarzt fahre, wo ich nichts zu suchen habe, weil ich den als Ausrede benutze, um beim Friseur . . . schrecklich! Hat je eine Frau diese Dinger einkaufen müssen – lachen werden die Verkäuferinnen, doch ich hoffe, daß mich der Mann selber bedient, aber nein: der wird ja auch eingezogen sein, aber seine Frau, die wird ja verstehen, wenn ich sage: ich will die haben, schon vorsorglich: wenn mein Mann auf Urlaub kommt und hat keine dabei, dann ist es passiert, zwei Kinder sind grade genug, heutzutage . . . Quatsch. Quatsch doch nicht! Gar nichts sagen, einfach: «Heil Hitler – ich brauche Rasierseife und Präservative!»

Für die Rasierseife habe ich ja den Kartenabschnitt.

Die denken dann sowieso, mein Mann sei auf Urlaub – nein: denken die nicht, denn ein Mann, der auf Urlaub ist, der mutet nicht seiner Frau zu, diese Dinger einzukaufen, der holt sie selber . . . nun denk nicht daran, das macht so unsicher! Gib nur acht, daß niemand aus Lörrach, der dich kennt, in dem Laden ist! Stani darf ja nun einmal einen Laden nicht betreten . . . und wenn er's täte, könnte er's nur in Brombach. Und dann schnüffelte das ganze Dorf, bei wem er die brauchet –

Ob man auf mich käme? Seine Chefin hat den Mann daheim, eine andere Frau ist da im Hause nicht – keine außer der Ortsfrauenschaftsführerin. Und ich bin noch leidlich bei Figur und abends oft mit ihm zusammen – allein: die Kinder sind zu klein, um zu stören. O ja – auf mich, auf keine andere fiele Verdacht, wenn Stani selber diese verdammten Dinger kaufen würde, unmöglich! Es sei denn, man hielte mich, nachdem der armen Rosi Lindner das zugestoßen ist, für zu klug, mich solchen Gefahren auszusetzen . . . Warum, Herrgott, halte eigentlich ich selber mich nicht für zu klug dazu? Ist überhaupt eine entsetzlichere Warnung denkbar als – diese Verzweiflungs-Untat an sich und an ihren Kindern! Die hat doch manchmal Schlafgäste im Hause – oder nicht? Wieso konnte die nicht angeben, da sei ein durchreisender Soldat gewesen, mit dem's ihr passiert sei! Vielleicht daß ein anderer als sie, ein Verwandter des Mannes oder ein Dienstmädchen, sie verquatscht hat bei der Partei? Was denk ich mir da aus! Diese Frau war viel zu stolz, sich in Lügerei zu verstricken . . . kann ein Mensch so stolz sein, daß er sich lieber erhängt als aushorchen läßt? Kaum . . . da war noch etwas, das niemand weiß.

Elsbeth, da bin ich beruhigt, hat keinen Verdacht gehabt, als ich sie bat, heute nachmittag zu bedienen, bis ich wieder zu Hause bin vom Zahnarzt . . . Die ist meine Freundin, aber was sagt das – sogar in der Bettwäsche nachsehen würde die, hätte sie auch nur die leiseste Ahnung! Ja, das würde die. Doch mich verraten, *das* nie. Das täte die nie . . . Schon sowieso nicht. Und außerdem deshalb nicht, weil sie doch für das rasche Buchführen, das sie mir macht, sicher genug bekommt: daß sie meist Geld nicht will, sondern Ware – ist schließlich ihr Wunsch! Sie hat nie etwas Mißtrauisches gesagt dazu, daß Stani uns Frauen abends die Schlepperei mit dem Leergut abnimmt und ins Haus trägt, was tagsüber vor der Türe ausliegt . . . nur einmal sagte sie: «Der kommt, weil wir beiden jung sind – und er mit dem Polen drüben noch die ganze Nacht das Zimmerchen teilen muß; der kommt auch aus Heimweh zu seiner Mutter, schon zweimal hat er gesagt, an die würdest du ihn erinnern!»

Schützt mich, hoffe ich, ein bißchen, daß Stani das sagte, denn mit seiner Mutter – wer würde schon mit seiner Mutter! Mag sogar sein, daß ich das nicht gern hörte und mich das reizte und daß ich deshalb so anfällig wurde, als ich zuerst dahinterkam, daß er mich nicht als Sohn ansah! Und er ist ja auch mir nie anders erschienen als ein Mann – kein Sohn hat diese . . . diese Wucht! Ich kann nicht sagen, wie ich das meine; es ist die gewisse . . . Schwere ohne Dicksein an ihm, die Gedrungenheit, die ihn so – so männlich macht, so . . . stierisch! Jetzt, seit's geschehen ist – kann ich's mir doch eingestehen, wie sehr ich immer seine Nähe gesucht habe und auflebte, wenn er kam, und gestern mittag im Keller, als er mich endlich faßte – hab ich ja nicht einmal drei Lidschläge lang Anstand vorgetäuscht und ihn wenigstens zum Schein abgewehrt. Weil immer seine Nähe mich so . . . so bedrohlich ihm gegenüber schwach machte. Seine bloße Nähe war gestaute Hitze: wie wenn einer im August auf dem obersten Heuboden gleich untern Ziegeln rumwirtschaftet; sie war vom ersten Moment gefährlich und deshalb so verdammt verlockend. Es war wie einmal daheim bei den Eltern, als ich plötzlich beim Melken Angst bekam vor dem jungen Bullen, den hatte Vadder gekauft, als die ersten einrücken mußten und nach Österreich marschierten, nein: ins Rheinland schon, 36. Gott, wie ich alt werde! Im Stall hatte ich ja keine Angst vor ihm, da war er an der Kette: in seinem eigenen Gatter war der auch, wenn das Vieh draußen war, aber ich hatte immer als einzige das Gefühl, das Gatter hält den nicht, immer war's mir unheimlich, wenn ich an ihm auf der Weide vorbei mußte und hab's oft genug auch gesprochen, doch Vadder sagte, red kein Stuß – und doch kam's dann genau dazu, wie ich's vorausgesagt hatte, daß er sich losriß! Und bis sie ihn dann endlich wieder hatten im Wald! . . . Und die große Überraschung, daß Stani, so jäh er auch ist und so wuchtig und trotz seiner Handschaufeln, die von der Kohlenschlepperei und dem groben Bimsstein, mit dem er sie viel zu oft waschen muß und meist nur mit kaltem Wasser oder mit der fettlosen Kriegsseife, die auch bloß die Haut auffetzt – wie zarthändig er trotzdem ist! Mit seinen Pranken nicht weniger sanft und schmeichelnd als mit seinem Wesen. Und seine ungeheure Dankbarkeit – als hätte ich ihm sonst was gegeben. Hab ich wohl auch: wenn man's vom Standpunkt des Eingepferchten betrachtet. Er sagt, er wäre ohne Würde gewesen, solange er mich immer nur heimlich hätte anstarren, nur mit Augen hätte ausziehen dürfen – das hätte ihn selber mit Verachtung für sich so tierisch wütend gemacht . . . Und daß ich ihm dann trotzdem sagen mußte, daß ich aus lauter Angst, geschwängert zu werden, doch nur eine Enttäuschung für ihn sei . . . aber ich war's ja auch gar nicht und versprach ihm, daß ich diesen Weg zum Friseur auf mich nähme, obwohl mir der schlimmer ist, als müßt ich zu einer Kiefernoperation . . . red dir das nicht ein, sonst fängst du an zu stottern, wenn du die Dinger verlangst –

Ganz falsch ist nur, daß er zu mir ins Haus kommt, wie gefangen man da ist: bekäme wer Verdacht und guckte nach, wo sollte Stani hin, es gibt keinen Ausgang, die Fenster am wenigsten, die liegen ja zur Straße hin . . . im Wald ihn zu besuchen, wenn er allein Holz macht oder abfährt! Scheitholz. Denn wenn er Langholz fährt, ist er nie allein. Aber wie käme *ich* in den Wald, ungesehen. Ja, morgens um vier, wenn *er* aufbricht, – ich könnte eine Stunde später für eine Stunde hinterhergehen, aber zurück käme ich doch nie, ungesehen; und ich *muß* ja wegen der Kinder zurück und um den Laden aufzumachen! Und Stani weiß ja auch selten ganz genau, ob von Melchiors nicht doch einer mitkommt oder nachkommt in den Wald – doch, an manchen Tagen weiß er das . . . Wenn ich am Sonnabend zu den Eltern fahre und die Kinder hinbringe und reiste Montag morgen mit dem ersten Frühzug heim und stiege unterwegs aus und träfe ihn irgendwo im Holz, wo er auch schon ist seit sechs . . . aber das ist alles, wie man's auch machte, nicht weniger gefährlich, als in meiner Wohnung, denn wie leicht kann einen jemand sehen, sobald man heimgeht. Es ist auch weniger die Angst, die ich daheim habe, daß ich mir jetzt vorstelle, ihn draußen zu lieben, als der Wunsch, daß es dort geschieht, wenn es denn schon geschieht, wo nichts ist, was mich an meinen Mann und die Kinder erinnert – was mir Schuldgefühl gibt. Im Wald könnt ich mir sprechen, du bist jetzt so wenig daheim wie dein Mann – und ebenso frei, auswärts zu tun, was auch er tut, wenn er auswärts ist! Nachts mit ihm im Wald sich zu treffen, das ist unmöglich – die dürfen ja, hier so nah an der Grenze, ohne Anruf auf Gefangene schießen, die würden den Stani schießen wie einen tollwütigen Fuchs. Und wie käme ich bei Tage, denn da ist es natürlich am wenigsten riskant, für *ihn* am wenigsten – wie käme ich da weg von zu Hause? Nur immer, wenn ich Elsbeth sagte, ich müßte zum Zahnarzt, doch dann müßte ich wirklich auch sein beim Arzt! Denn es könnte ja im Laden jemand eine Frage stellen, etwas Wichtiges, ein Lieferant oder einer von der Partei – und dann würde doch Elsbeth anrufen beim Zahnarzt, um mich an den Apparat zu rufen . . . Nein, ich muß dann auch wirklich hingehen an einem solchen Tag, dann könnte ich im Hinradeln, hier ist ja auch links und rechts Wald an der Straße, Stani eine halbe Stunde im Forst lieben . . . Wie ihn das – anders kann man das gar nicht sagen – *erlöst* hat, obwohl ich ihn doch beim erstenmal nur mit den Händen befreite, aus Angst, er machte mir sonst ein Kind! Und was für Worte er für mich fand, nie hat einer so zu mir gesprochen, – schrecklich nur, daß er auch sagte, sogar schon zum zweitenmal: könnte ich *dir* dafür danken, dann hätte ich nicht so viel Angst, dem Schicksal dafür zahlen zu müssen, denn ein *solches* Glück kriegt doch mitten im Kriege kein Gefangener gratis geschenkt! Das sagte er. Und die steckte mich an, seine Angst – und die ist unheimlich deshalb, weil sie so unbestimmbar ist, denn wir wissen nicht, er nicht und ich nicht, wo die herkommt! Denn was wir tun, das ist eine so ungeheure Verletzung aller Gesetze, daß keiner auf die Idee kommen wird, wir riskierten das. Also sind es nicht die Behörden, bis jetzt, die uns diese Angst machen! Wer tut's schon, wenn er dafür gehängt wird! Und diese Gefahr, die bringt auch die . . . ich weiß nicht, wie's sagen! Doch, ja: das Romantische in alle Worte, die er findet für mich und für das, was wir tun. Und sein leises, sein – ich kann's nicht anders nennen: *überredendes* Lachen, mit dem er mir schließlich doch abzwang, was ich so lange absolut ihm nicht erlauben wollte, weshalb ich ihn zu vertrösten suchte auf heute nacht, wenn wir diese verdammten Dinger haben: mich rumzudrehen – was ja auch furchtbar weh tut: die Strafe, daß man sich damit die Angst vor Nachwuchs ersparen will –

«Heil Hitler, Frau Bernhart!» – verdammt, daß diese falsche Ziege mich sehen mußte! Warum auch nicht, ich fahre zum Zahnarzt . . . da ist nichts dabei. Aber verrückt bin ich doch, auch nur daran zu denken, ihn im Wald zu treffen, obwohl ich nicht glaube, daß sie wirklich Menschen töten, die sich lieben – einsperren würden sie *ihn* bestimmt; mich sicher nicht. Doch den Laden, den Mietvertrag für den Laden, den bekäme ich kaum verlängert . . . es gibt genug im Dorfe, die scharf darauf sind, mir den Mietvertrag streitig zu machen, indem sie ihn überbieten – da bin ich! Wo ist mein Fahrradschlüssel . . . nein, ich sehe vom Laden das Rad, ich schließe es nicht ab. «Heil Hitler! – bitte, ich möchte gern Rasierseife . . . hier ist der Bezugschein. Und dann – bitte, auch Präservative.»

8
Odysseus 1940

«Er ist im Grunde stets ein rothaariger Faun geblieben, der allen, die ihm in den Weg kamen, eine Nase drehte.»

Churchills Arzt nach Churchills Tod

«Zeus ähnlich an Listen», sagt Homer von Odysseus, dem rothaarigen.

Der rothaarige Churchill, doch viele Haare hatte er schon seit dem Ende seiner Jugend nicht mehr über der «gewaltigen Stirn mit den Buckeln unmittelbar über den Augen . . . auf der Spitze seines Schädels gingen zwei Haarbüschel in verschiedene Richtungen, so daß der Eindruck entstand, er habe mehr Haare, als tatsächlich der Fall war», wie sein Arzt Lord Moran beschrieb; Churchill wurde zum Odysseus des Jahres 1940, weil er in den sechs Monaten nach der britischen Flucht bei Dünkirchen «den Mann da drüben», wie er naserümpfend Hitler zu nennen pflegte, dreimal kriegsentscheidend überlistet hat!

Die erste List brachte die Deutschen um die Chance, sofern eine bestand, auf der Insel zu landen. Die zweite ließ sie die Luftschlacht um England verlieren, weil Churchill Görings Flugzeuge von den britischen Jagdflughäfen weglockte auf London. Die dritte zettelte jenen Volksaufstand in Belgrad an, der Hitlers Terminplan zum Überfall auf Rußland durchstrich, so daß seine Panzer, von Schlamm und Schnee geschlagen, vor Moskau liegenblieben und ungezählte seiner Soldaten erfroren . . .

Diese dritte List konnte wie schon die zweite Churchill nur glücken, weil einige *Polen* bereits vor Kriegsbeginn für die Engländer (wie natürlich ebenso für sich selber) jene deutsche Chiffriermaschine entdeckt und davon ein Exemplar entwendet hatten, die Hitler dann arglos während seines sechsjährigen Krieges benutzte, um alle Befehle an seine Armeen in eine Geheimsprache zu übersetzen, die eben dank dieser Genie-Tat Polens schon seit Herbst 1940 für die Briten kein Geheimnis mehr war . . .

Daher hat in der Lebensgeschichte eines unbekannten Polen, die so leidvoll endet, die triumphalste aller polnischen Geschichten im 20. Jahrhundert auch ihren Standort! Doch deshalb nicht allein. Sondern weil eine Erzählung zu einseitig und entmutigend ausfiele, die sich darauf beschränkte, nur jene drei Männer mitzucharakterisieren, deren Untaten auch Zasadas Leben auslöschten und sogar geeignet sind, von der Betrachtung der Geschichte überhaupt abzuschrecken! Sollte doch kein Erzähler die Szene verlassen wie der Kranke aus Braunau, der überall nichts hinterließ als verbrannte Erde . . .

Die Frage, wofür leben Menschen, wenn Menschen wie Hitler, Göring und Goebbels die Macht haben, einen Kontinent in ein Schlachthaus zu verwandeln und Millionen Lebende in erbärmlich Sterbende, darf nie das letzte Wort sein! Zwar hilft die Sonne, die über einem Leichenfeld aufgeht, den Umgebrachten nichts mehr. Doch ist es den Weiterlebenden eine Ermutigung, zu sehen, wie die Nacht der Tyrannei durch die Entschlossenheit, List, Intelligenz und Unbeugsamkeit der anfangs so viel Schwächeren, ja fast Wehrlosen schließlich überstanden wurde. Ohne zu wissen, daß der Hitler-Clique *endlich doch* Menschen, die zehn Jahre vor ihr gewarnt haben (wie Churchill), gegenüberstanden und sie schließlich dorthin zu verlocken vermochten, wo diese Clique mit vereinten Kräften von aber Millionen Namenlosen besiegt werden konnte: hätte jede Geschichte-Schreibung nur mehr die traurige Funktion eines geistlähmenden Nekrologs. Daß sie aber auch im 20. Jahrhundert noch ein Heldenlied – ein Heldenlied *auch* neben dem Trauergesang – sein kann, daran zu erinnern, macht Erzählungen aus dem Kriege erst erträglich.

Liedern aber ist eigentümlich, sogar *Volks*-Liedern, von Einzelnen zu künden, denn Einzelne allein sind sichtbar; auch will jeder von uns als Einzelner gesehen werden, das ist ein Menschenrecht. Die Politiker lieben das nicht: sie lieben die Volks-*Versammlungen*, die kontrollierbarer und verführbarer sind als Einzelne. Der Wiener Arzt Schnitzler hat schon im ersten der bisherigen Weltkriege diagnostiziert: «Der alte Kunstgriff der Politik, vom einzelnen abzusehen, mit Massen zu rechnen, im Gegensatz zum Künstler, der die Masse in die einzelnen auflöst.» Nun wird von bürgerlichen nicht anders als von marxistischen Gelehrten gern die Auffassung verbreitet, der Einzelne sei allenfalls noch wirksam als Katalysator eines allgemeinen Willens: die ihn nach vorn stießen, bestimmten auch seine Stoß-Richtung! Ernst Robert Curtius schrieb: «Man übersieht, daß ein Mann niemals durch seine persönlichen Eigenschaften sozial wirksam wird, sondern durch die soziale Energie, welche die Masse in ihm niederlegt. Seine persönlichen Talente sind nur der Anlaß dafür, daß sich der soziale Dynamismus in ihm kondensiert.» Nun ist es wahr, daß es die britische *Labour* Party gewesen ist, die dem König und den Konservativen in der Notstunde, als Hitler auf Paris lospanzerte, den zehn Jahre lang von den Konservativen jedem Amt ferngehaltenen Churchill als Premierminister aufzwang; ihn allein nominierte Labour als jenen Konservativen, mit dem sie zu koalieren bereit seien. Warum aber erwählten sie dazu *diesen* Erz-Tory? «Seine persönlichen Talente», sagt fast verächtlich Curtius, «sind nur der Anlaß»: doch genau sie sind es, die ihn schwer ersetzlich machen! Sonst hätte ja Labour auch den von König und Konservativen empfohlenen Lord Halifax zum Noah der Nation – Noah heißt: Mann der Ruhe! – in der Sintflut des Jahres 1940 wählen können. Und wenn die marxistischen Gelehrten schreiben, nicht die Person des Steuermanns sei entscheidend, sondern die gesellschaftlichen «Bedingtheiten» seien es, die ihn auf die Brücke stellten: so ist daran natürlich wahr, daß aber Millionen Wähler ebensoviel wie er selber dazu beigetragen haben, daß *er* – und nicht ein anderer – Steuermann wurde und damit Schicksal für Unzählige in seinem Kommandobereich. Doch wie er das Steuer führt, das ist von seinem Verstand und Charakter ebensosehr abhängig wie von den Umständen. Wer einwendet, die Person sei doch austauschbar, der lege sich zum Beispiel die Frage vor, ob die stalinschen Schauprozesse auch dann stattgefunden hätten, wäre Lenin alt geworden . . .

Der Pole Stasiek Zasada ist dieser Einzelne, der für alle jene hier steht, die in Deutschland das gleiche Schicksal erlitten; der Brite Winston Churchill ist jener Einzelne, der am souveränsten 1940 dem Geist des Odysseus in seiner Person eine Wiedergeburt, eine zeitgemäße Verkörperung gab. Dreimal hat Churchill in nur sechs Monaten gegen Hitler eine List ausgespielt, deren jede einzelne würdig ist des Einfalls, das hölzerne Pferd den Trojanern als vermeintliche Beute vor das Stadttor zu stellen . . . Damals war Churchill 66 Jahre alt und auf der Höhe seines schon viereinhalb Jahrzehnte lang «öffentlich» geführten Journalisten-, Autoren- und Politikerlebens, das neunzig Jahre währte; daß er dann mit dem Satz starb: «Es ist alles so langweilig», charakterisiert ihn ebenso wie seine Bemerkung aus mittleren Jahren, die seine zahllosen innenpolitischen Feinde immer gegen ihn zitiert haben, um die Aggressionslust dieses schließlich doch zum Retter gewordenen Kriegers zu beweisen: «Ich mag's, wenn Dinge passieren, und wenn sie nicht passieren, sorg ich dafür, daß sie passieren.» Doch zu «beweisen» war dieser Kriegstrieb in Churchill deshalb nicht, weil er ihn niemals verbarg, auch in Friedenszeiten nicht, die er gequält und verächtlich «den milden Himmel des Friedens und der Banalitäten» nannte. «Bis dann der verdammte Friede kam», sagte er als sehr alter Mann über das Jahr 1918 zu seinem Arzt.

Als er mit zweiundsiebzig beschloß, die Opposition im Lande zu führen, ein Jahr nach dem Hitler-Krieg, kündigte er seinem Arzt das mit den Worten an: «Vor kurzem war ich bereit, in Anmut zu sterben. Jetzt . . . werde ich sie zum Duell fordern. Ich werde ihnen die Eingeweide herausreißen. Ich bin sehr gut in Form.» Und noch acht Jahre später notierte der Arzt über den achtzigjährigen – wieder amtierenden – Premierminister, der inzwischen *drei* (!) Schlaganfälle überstanden hatte, nach einer Unterhausdebatte: «Sogar jetzt noch . . . da die Nation über die Parteigrenzen hinweg zu ihm als dem weisen alten Staatsmann aufsehen möchte . . . findet er Geschmack daran, sich im Unterhaus herumzuprügeln. Er liebt einen handfesten Streit . . . und genießt jede Minute dieses Austausches von Grobheiten. Kurz gesagt, er ist im Grunde immer noch der rothaarige Gnom, der allen eine lange Nase macht, die des Weges kommen.»

Die erste der kriegsentscheidenden Listen, die ihm einfielen in jenem halben Jahr, das den Tiefpunkt der militärischen Schwäche – und den Höhepunkt der moralischen Stärke – Englands im Hitlerkrieg kennzeichnet, kostete die Briten keinen Tropfen Blut: sie gaukelte Hitler und seiner ebenso borniert Generalität nach der Besetzung Frankreichs und dem unverhofften Entkommen des britischen Expeditionsheeres vom Kontinent vor, England sei kapitulationsbereit – es warte nur eine wenige Wochen dauernde Anstandsfrist ab zwischen seiner Flucht vom Strand bei Dünkirchen und der Einleitung von Friedensverhandlungen, um das Gesicht nicht zu verlieren. Hitler, dem Churchill systematisch über seine Botschaften in den damals neutralen Ländern: USA, Schweden, Spanien, Schweiz – dieses Gerücht, vorgeblich das größte Staatsgeheimnis Englands, servieren ließ, glaubte es aufs Wort. Er *wollte* das glauben, weil er eine Invasion Großbritanniens nie in seine Pläne einkalkuliert hatte, da sie zu gefährlich schien im Hinblick auf die kleine deutsche Flotte, die zudem bei der Invasion Skandinaviens im April schon stark angeschlagen worden war.

So gewann die Insel, die nicht eine Minute zu Gesprächen über Frieden bereit war, genau das, was sie damals nötiger brauchte als Brot: Zeit, sich zur Abwehr einer Nazi-Invasion zu bewaffnen!

Denn die 224585 Mann des britischen Expeditionsheeres, die sich Anfang Juni 1940 aus Dünkirchen nach England zu retten begannen, brachten nur einhunderttausend Verbündete mit, Franzosen, Polen, Belgier, Holländer – aber gar keine Waffen! Zwar besaß England die stärkste Flotte der Welt. Doch konnte sie erst im Ärmelkanal kämpfen, wenn Hitlers Luftwaffe ausgeschaltet wäre: die jedoch die damals stärkste der Welt war! Englands Heer war fast waffenlos. Die britischen Jäger, die deutsche Truppen-Transportflugzeuge bei einer Invasion hätten abschießen müssen, waren im Frankreichfeldzug zum größeren Teil abgeschossen oder am Boden zerstört worden. Am Strand bei Dover, verteilt auf sieben Kilometer Breite, standen ganze drei Panzerabwehrgeschütze und jedes «besaß» nur sechs Schuß Munition.

Es war Englands schwächste Stunde in seiner langen Geschichte. Wie Churchill Hitler hinhielt, bis der sie verpaßt hatte, diese Stunde der Ohnmacht, das hat 1967, als Churchill schon zwei Jahre tot war, Laurence Thompson in einer Studie enthüllt, deren Titel das Schicksalsjahr ist: «1940». Und was Thompson auch 1967 nôch nicht wußte, das belegen die noch ungedruckten Tagebücher von Goebbels aus dem Jahr 1940: daß Hitler tatsächlich gierig die Köder fraß, die Churchill ihm zur Einschläferung hinlegte; daß der Braunauer nicht eine Stunde lang Verdacht schöpfte, hat zwei Ursachen: er hatte wie jedermann, dem niemand zu widersprechen wagt, die Fähigkeit, zu glauben, was er glauben *wollte*, bis zur Vollkommenheit ausgebildet; zweitens: Churchills List war ebenso simpel wie genial und, da keine materielle Voraussetzung mit ihr verknüpft war, absolut unüberprüfbar.

Hitler, der mehrfach sagte, nebst der Rheinlandbesetzung sei die Norwegen-Invasion das von ihm meistgefürchtete Unternehmen gewesen, da er wie fast alle Befehlshaber großer Landheere kein Verhältnis zum Seekrieg fand, äußerte noch Ende April 1940 zu Goebbels, die empfindlichen Verluste seiner Kriegsflotte in Norwegen seien zu verschmerzen, da er in diesem Krieg der Marine keine bedeutende Aufgabe mehr zu stellen habe. Er rechnete eben niemals damit, in Großbritannien landen zu müssen. Die Schnelligkeit der Überwindung Frankreichs überraschte ihn dann nicht weniger als die ganze Welt. Als er im Juni am Kanal stand, «entdeckte» er, daß er nicht einmal Konstruktionspläne für Landungsboote besaß – so daß seine ganze Hoffnung nunmehr die Illusion war, England werde kampflos «einlenken»; ein erstaunlicher Trugschluß! Wie ratlos er war, für seine «arbeitslose», millionenstarke Heeresmacht jetzt keine Beschäftigung zu wissen, verrät sein irrationaler, keineswegs aus Übermut, sondern aus der Angt, anders auch mit England nicht fertig zu werden, geborener Einfall vom 31. Juli 1940, nach Moskau zu marschieren.

Doch acht unersetzliche Wochen hatte er dann seit Beginn der britischen Flucht aus Frankreich am 2. Juni schon tatenlos verloren dank der gezielten Falschmeldungen, die ihm Churchill durch diplomatische Kanäle zugehen ließ – zum erstenmal am 7. 6., als der Unterstaatssekretär des Foreign Office dem schwedischen Botschafter Prytz sagte: «Vernunft und nicht Tollkühnheit» würden die Haltung der Downing Street bestimmen; in Genf schlug wenige Tage später ein Agent des britischen Generalkonsulats einem Agenten des deutschen Konsulats erste Friedensgespräche vor; in Madrid täuschte der britische Botschafter persönlich dem Schwager und Außenminister Francos, dessen betont hitlerfreundliche Haltung berüchtigt war, Friedensbereitschaft vor – alles wurde als strengst vertraulich bezeichnet, in der Gewißheit, daß es *deshalb* sofort an Hitler weitergeschwätzt werde, was auch der Fall war! In Washington sagte Botschafter Lord Lothian sogar, sein Land habe «den Krieg verloren, es soll zahlen»; und in Bern wurde der britische Botschafter angewiesen, mit einem deutschen Prinzen, der dem Auswärtigen Amt ebenso nahestand wie der SS-Führung, Geheimgespräche, von denen Hitler wußte, über Frieden zu führen; Hitler lechzte gradezu nach der Realisierung seines Lebens-Traumes: von England einen Blanko-Scheck zu bekommen, aus Osteuropa eine deutsche Strafkolonie machen zu dürfen! Und glaubte jede einzelne dieser gezielten «Indiskretionen» der britischen Diplomaten, die in ihren Gesprächen oft so taten, als dürfe nicht einmal die Downing Street Wind davon bekommen, wie weit sie in ihren Zugeständnissen an die Deutschen zu gehen für vernünftig hielten. Churchill verrechnete sich nicht: es vergingen sechs volle Wochen, bis Hitler sich aufraffte und seinen Urwunsch, mit England kampflos zum Verständigungsfrieden zu gelangen, endlich aufgab und Befehl erteilte, am 16. 7. 40 «eine Landungsoperation gegen England vorzubereiten» . . . Nichts ist so erstaunlich im ganzen Krieg wie dieses Datum: daß er zuvor eine Invasion nicht einmal «vorbereiten» ließ! Seine Rat- und Planlosigkeit wird auch charakterisiert an diesem Tag durch seine Äußerung zum Generalstabschef Halder, der das in sein Journal schrieb: «Irgend etwas ist in London geschehen. Die Engländer waren schon ganz down, nun sind sie wieder aufgerichtet.»

Auch belegen ja ebenso die Tagebuchnotizen von Goebbels, daß Hitler die britische Friedensrederei ernstgenommen hatte. Da er nun wieder, obgleich Herr über Polen, Skandinavien und Frankreich, ebenso ratlos durch Englands Haltung geworden war wie am 3. September 1939, als England, um Polen zu retten, ihm wider Erwarten den Krieg erklärte und er zu seinem Außenminister sagte: «Was nun?» – fiel ihm nichts anderes ein als der Überfall auf den befreundeten Stalin, ein Wahnsinnsakt, den er scheinbar rational bemäntelte, auch vor sich selber, indem er zwei Wochen später zu Halder sagte: «Rußland, ein Faktor, auf den England am meisten setzt . . . Ist aber Rußland zerschlagen, dann ist Englands letzte Hoffnung getilgt.»

Erstaunlich, in welchem Unmaß er zu verdrängen vermochte, daß immerhin die USA auch noch existierten! Und übrigens kein Wort davon an diesem 31. 7. 40, daß er sich von dem absolut vertragstreuen Stalin bedroht fühle . . .

Churchills zweite List kostete Blut, sogar von Zivilisten: die Ablockung der deutschen Kampfflugzeuge von den britischen Jagdflughäfen auf – London! Um die britische Luftüberlegenheit zu retten, die allein eine Invasion Hitlers verhindern konnte, hielt Churchill als Köder die Hauptstadt hin, von der er wußte und das im Unterhaus auch sagte, sie sei mit den Mitteln des Bombenkrieges, über die das Jahr 1940 erst verfügte, nur anzuschlagen, doch nicht zerstörbar. Hitlers Generale, versteht sich, wußten auch das nicht: sie müssen die Achtmillionen-Gemeinde verwechselt haben mit dem Marktflecken Guernica in Spanien, wo Deutschlands Legion Condor 98 Menschen totbombte, was das Entsetzen der Zivilisierten erregte, doch den Briten auch zeigte, daß Kampfflugzeuge, wie die Deutschen sie nur statt Langstreckenbomber gebaut hatten – sie glaubten, allein eine taktische Luftwaffe zur Unterstützung des Heeres zu benötigen –, nicht Weltstädte «ausradieren» könnten!

Daß Churchill Görings Flugzeuge weglistete von Marshall Dowdings Jagdflughäfen und ihnen London hinhielt, das dürfte in Zukunft einmal ebenso beurteilt werden wie das Opfer Moskaus 1812: Stendhal, der mit Napoleon bis in den Kreml marschiert war, nannte die Verbrennung ihrer Stadt durch die Russen, um die Grande Armée obdachlos zu machen, die bedeutendste moralische Tat des 19. Jahrhunderts! Churchills Entschluß, London «zum Verdun der deutschen Luftwaffe» zu machen, wie der deutsche Oberst Wodarg schon am 4. Oktober zu Goebbels sagte, wird ebenso bewertet werden, denn er allein rettete vermutlich die britischen Jagdflieger, Radarstationen und Flugzeugfabriken . . . also die Mittel, eine Invasion abzuwehren. Und zerfetzte «Görings Kühe», wie der Luftmarschall Harris ihrer Langsamkeit wegen die als schwere Bomber ungeeigneten deutschen Kampfflugzeuge nannte, die über London völlig hilflos waren, da Hitler ihnen keinen Jagdschutz bis dahin mitgeben konnte: die deutschen Jäger hatten einen zu engen Aktionsradius . . .

Churchills List beweist, daß ein großer Krieger nur sein kann, wer ein ebenso bedeutender Psychologe ist. Churchill hatte in seinem Meisterwerk: «Weltkrise 1911–18» geschrieben: «. . . waren diese Deutschen von allen Feinden der Welt die gefährlichsten, wenn sie ihre eigenen Pläne verfolgten, aber sie waren auch am leichtesten aus der Fassung zu bringen, wenn sie gezwungen wurden, sich nach den Plänen ihres Gegners zu richten. Den Deutschen Muße zur Entfaltung ihrer ungeheuren, geduldigen, exakt ausgearbeiteten Anschläge, zum Treffen ihrer langsamen, gründlichen, unendlich weitblickenden Vorbereitungen zu lassen, hieß eine schreckliche Gefahr heraufbeschwören. Sie aus der Bahn zu stoßen, sie in ihrem eifrigen Planen zu verwirren, ihr Selbstvertrauen zu brechen, ihren Unternehmungsgeist zu dämpfen, die Anstalten, die sie trafen, mit unerwarteten Taten über den Haufen zu werfen: das war sicherlich nicht nur der Weg zum Ruhm, es war auch das Gebot der Klugheit.»

Damit hatte man sie schon am 9. September 1914 an der Marne um den Sieg in der truppenreichsten Landschlacht aller Zeiten geprellt.

Doch Hitler hatte diesen beispiellosen Erfahrungsbericht Churchills aus dem Ersten Weltkrieg nicht gelesen; hatte nicht für nötig gehalten, sich diese auch für 1940 noch höchst aufschlußreiche Kriegsfibel seines Gegners zum Studium übersetzen zu lassen – habent sua fata libelli! Doch Bücher *machen* auch Schicksale, nicht zuletzt jene, die einer *nicht* liest: bis ins Jahr 43 hinein hatte der deutsche Amokläufer keine Ahnung, welches militärische Genie in London ihm trotzte! So konnte ihm nicht einmal der Gedanke kommen, daß Churchill seine kriegstechnisch so völlig unzulänglichen, kaum Gebäude demolierenden, fast gar keine Menschen tötenden sieben Bombenangriffe zwischen dem 25. August und dem 7. September 1940 auf Berlin nur deshalb startete, weil er mit diesen provokativen Nadelstich-Operationen etwas anderes erreichen wollte, als das, was er offensichtlich 1940 damit noch gar nicht erreichen *konnte*: eine ernst zu nehmende Zerstörung Berlins!

(Vom März 43 bis Kriegsende machte er Berlin dann zur meistgebombten Stadt der Geschichte: 363 Luftangriffe mit über 45000 Tonnen Bomben, dem sechseinhalbfachen Gewicht des Eiffelturms, wurden von 18468

Bombern der Briten und Amerikaner nach Berlin getragen, fünfzigtausend Berliner wurden getötet, also im Verhältnis zur Zahl der Angriffe wesentlich weniger als in den anderen gebombten Städten. In Hamburg wurden in nur vier Tagen fast fünfzigtausend getötet; in Dresden – sofern man dem von Irving aufgefundenen Grosse-Bericht glauben darf – vermutlich eine Viertelmillion. Allerdings fehlt die Zahl der in Berlin nach Bombardements Vermißten.)

Churchill hatte schon 1935 geschrieben, jedes feindliche Flugzeug, das man auf offene Städte locke, werde nur widerwillig der Front entzogen werden; und in schokkierender Ehrlichkeit kündigte er im voraus seinem Volk an, was er für nötig hielt! Virginia Woolf schrieb am 20. Mai 1940 in ihr Tagebuch: «Gestern abend forderte Churchill uns auf, wenn wir bombardiert werden, uns zu sagen, daß wir wenigstens für diesmal das Feuer von den Soldaten auf uns abziehen.» So kam es. Und Churchill schrieb noch im März 44 an Stalin, die fabelhafte Haltung der Londoner 1940 ermutigte ihn, zur Entlastung seiner Invasions-Armeen, bevor er die nach Frankreich übersetze, von neuem die Deutschen zu verlocken, ihre Flugzeuge abzuziehen zur Bombardierung Londons. Von all dem ahnte Hitler nichts; er faselte von «offenen» Städten, von Genfer Konvention – und meinte damit: offen für seine Infanterie, offen für seine Panzer, offen für seine Genickschuß-Spezialeinheiten und offen für seine Juden-Vergaser-Verbände, die er seinen Kampftruppen auf dem Fuß folgen ließ! Churchill war nicht gesonnen, diesen «langgehegten» Plänen die Erfüllung zu gönnen, sondern sprach sich stets vor dem Krieg dagegen aus, daß Großbritannien einem internationalen Luftkriegs-Recht beitrete zum Schutze der Städte vor Fliegerangriffen, das auch Hitler propagierte: wußte Churchill doch, daß seine

Insel ohne nennenswerte Heeresmacht gegen das deutsche Heer nur durch Luftangriffe und auf See antreten konnte! Doch da Hitler ja nicht England als Feind eingeplant – sondern vielmehr die Illusion bis zum Kriegsbeginn gehegt hatte, die Briten würden ihm «freie Hand» in Osteuropa lassen, obgleich Churchill schon 1936 dem deutschen Botschafter Ribbentrop das «Versprechen» gab, England lasse wieder «die ganze Welt» gegen Deutschland aufmarschieren, wenn Hitler über den Osten herfalle: so hatte er sich von seinem zum General ernannten Flieger-Playboy Udet einreden lassen, keine Bomber bauen zu müssen, sondern nur zur Unterstützung des Heeres eine taktische Luftwaffe, wie seine «Stukas» – die er dann auch prompt nach acht Tagen als zu langsam aus der Schlacht um England herausziehen mußte.

Um auch noch vor der Welt Hitler bloßzustellen als den Mann, der zuerst London traf, bevor Churchill Berlin angriff, hatte der Brite – beispiellos – die Nerven, abzuwarten, bis geschah, was geschehen *mußte*: daß bei den Angriffen gegen militärische Ziele – in über fünfzig Angriffstagen töteten die Deutschen nur vierzehnhundert Briten, sie bombten Flughäfen, Fabriken und Docks – endlich doch einige Maschinen (oder nur eine) abirrten und *versehentlich* neun Londoner töteten! Darauf hatte Churchill gewartet. In der nächsten Nacht warf er 22 Tonnen Bomben auf Berlin – weniger als nichts, aber es ging ihm ja auch gar nicht um eine Zerstörung, zu der er damals noch unfähig war, sondern in exakter Einschätzung des Charakters seines sich schon als Sieger aufblähenden Gegners um dessen Herausforderung. (Ein sehr bedeutendes Nebenergebnis der Berlinangriffe 1940 war allerdings, daß nunmehr weder die neutralen Spanier noch die Russen mehr glaubten, daß die Deutschen bereits den Krieg gewonnen hätten.) Churchill kam bis zum 7. September noch siebenmal nachts mit seinen Bombern auf die «Reichshauptstadt». Denn Hitler hatte wutspukkend inzwischen öffentlich angedroht, wenn Mr. Churchill diesen «Unfug» nicht sein lasse – dann werde die deutsche Luftwaffe die britischen Städte «ausradieren»! Nicht eine Sekunde – so wenig wie bei Churchills drittem Streich, der Hitler nach Belgrad verlockte – kam dem Rasenden der Verdacht, Churchill überliste ihn. Göring, den ebensowenig die Ahnung anfiel, Churchill führe etwas anderes im Schilde mit seinen Angriffen, als das, was er offensichtlich ja doch nicht mit ihnen fertigbrachte: eine wirksame Zerstörung Berlins – Göring wurde nun beauftragt, seine Maschinen gezielt auf London zu hetzen. Der britische Colonel Winterbotham, der nahezu alle entscheidenden deutschen Funksprüche zu dieser Zeit bereits mitlas und sie täglich bis 1945 dem Premierminister aushändigte, schrieb: «Das war Görings schwerster Fehler! Hätte er seine Angriffe auf unsere Flugplätze in Südengland noch 14 Tage durchgehalten, dann hätte er unsere restlichen Jagdflugzeuge wahrscheinlich ausgeschaltet. Am 5. September . . . befahl er jedoch . . . die Londoner Docks anzugreifen . . . Wollte er nur für einen Angriff britischer Bomber auf Berlin Rache nehmen, der die Versprechungen des Reichsmarschalls, kein britisches Flugzeug werde jemals die deutsche Hauptstadt erreichen, Lügen gestraft hatte? . . . Strategisch gesehen, beging er jedenfalls einen gewaltigen Fehler . . . Die deutschen Angriffe auf die Londoner Docks hatten die letzten Jagdflugzeuge der RAF vor der Vernichtung bewahrt.

. . . Am 7. September . . . kam der erste jener ‹Blitz›-Angriffe, die sich eindeutig gegen die Zivilbevölkerung richteten. Am 9. September . . . fingen wir wieder einen

Funkspruch ab, der einen Angriff von über 200 Bombern gegen London . . . anordnete . . . Görings Befehle, die Angriffe auf britische Flughäfen abzubrechen und statt dessen London anzugreifen», verstärkten den Eindruck, Hitler habe auf die Invasion verzichtet. Wieder einmal war der neunte September – der Tag des Marne-«Wunders» 1914 – das Datum der epochemachenden deutschen Niederlage auch im zweiten der Weltkriege. Denn Görings Kampfflugzeuge konnten, mit sehr wenigen Ausnahmen, den Ring der frühzeitig alarmierten britischen Jäger nicht durchbrechen und nicht bis London vordringen. Nachts kamen sie wieder. Nun kamen einige mehr durch. Doch dann verhing der Himmel sich für eine Woche. Und erst Sonntag der fünfzehnte ist das Datum des Verendens aller deutschen Hoffnungen auf eine Invasion. Die Briten wußten, daß wegen der einbrechenden Herbststürme im Kanal dieser Tag der letzte Test war, ob noch 1940 ein Transport der Invasionstruppen über See ermöglicht werden könne, weil die britischen Jäger ausgeschaltet seien, mit denen Marshall Dowding bisher so listig, so geheimnisvoll haushälterisch umgegangen war; er setzte sie sparsam ein, nie alle; nie durfte einer seiner Jäger einen deutschen Jäger angreifen, sondern nur deutsche Bomber . . . Heute aber warf er sie alle ohne Ausnahme den Deutschen entgegen – und Görings Flieger ohne Jagdschutz flohen, ebenso überrascht wie entsetzt. Winterbotham schreibt: «Göring, den dieser Mißerfolg offenbar rasend gemacht hatte, befahl einen sofortigen zweiten Angriff. Sein Funkspruch wurde . . . von uns sofort entschlüsselt . . . die Geschwindigkeit sollte diesmal Geschichte machen: Unsere Jagdflugzeuge wurden . . . rechtzeitig wieder in die Luft gebracht, um die zweite deutsche Angriffswelle zu stellen. Auch diesmal ließen die Deutschen ihre Bomben zerstreut fallen und ergriffen die Flucht.»

Zwei Tage später entschlüsselten die Briten den enthüllenden Befehl aus Berlin an die in Holland stationierten Luftlandeverbände, die Verlade-Einrichtungen abzubauen, die für die Luftbrücke nach Großbritannien errichtet worden waren: Churchill «verlas mit strahlendem Gesicht Görings entschlüsselten Funkspruch, der . . . das Ende von ‹Seelöwe› bedeutete, zumindest für das Jahr 1940». Seelöwe war Hitlers Geheimwort für die Invasion Englands . . .

Nun Churchills dritte List in diesem Krisenhalbjahr: im Dezember 40 hatte er durch entschlüsselte Funksprüche die Gewißheit, daß der «Mann da drüben» Anfang Mai über Rußland herfallen werde. Churchill, der sofort, doch vergebens Stalin informierte (Stalin hielt das für eine britische Provokation!), war eher beunruhigt als erleichtert durch diese Ablenkung: denn wenn den Deutschen in Rußland im kommenden Sommer ebenso ein Blitzkrieg glückte wie im vergangenen Sommer in Frankreich, dann könnten sie den Krieg gewinnen! Also war es nötig, Hitlers Terminplan umzustoßen – und seinen Überfall auf Rußland so weit in den Sommer hineinzuverschieben, daß Hitlers Armeen noch kämpfend in den Winter hineingerieten wie jene Napoleons, der auch erst Ende Juni marschiert war!

Churchill telefonierte mit Roosevelt – ein volles Jahr vor dem Eintritt der USA in den Zweiten Weltkrieg. Und beide Herren wurden sich rasch darüber einig, daß «nur eine Schweinerei auf dem Balkan», die sie organisieren müßten, Hitler weglocken konnte von seinem Angriffstermin: einen brennenden Balkan an seiner rechten Flanke würde er zuerst löschen müssen, ehe er Richtung Moskau losbrechen könnte!

Churchill ist für nichts anderes so hart verspottet worden während des Krieges wie für seine angeblich so kraß «mißglückten Balkan-Abenteuer», über deren wahre Motive er selbstverständlich keine Silbe sagen durfte.

Erst 1976, elf Jahre nach Churchills Tod, hat William Stephenson, der kanadische Business-Millionär, enthüllt, daß er mit dem Amerikaner William J. Donovan, dem späteren General und Gründer der Urzelle der CIA, 1941 den Balkan in Brand gesteckt hat, um Hitler zum Amoklauf nach Athen und Belgrad zu verlocken und ihn dadurch zu zwingen, seinen Überfall auf Rußland um nie mehr einzuholende sechs Wochen zu verschieben!

Wer war Stephenson?

Noch bevor Churchill als neuernannter Premierminister am 10. Mai 40 Zeit gefunden hatte, aus der Admiralität umzuziehen in die Downing Street, empfing er Stephenson, um ihn zur «Koordinierung der britischen und amerikanischen Geheimdienstarbeit» nach New York zu verabschieden. Als der Krieg dem Ende zuging, erhielt dieser Kanadier als erster (oder einziger?) Ausländer vom Präsidenten die höchste amerikanische zivile Dekorierung; der FBI-Chef schrieb ihm, daß «Ihr Beitrag zum Endsieg der Verbündeten als einer der bedeutendsten gewürdigt werden wird, wenn man eines Tages über diese Dinge sprechen kann», und Churchill empfahl ihn dem König mit den Worten zum Ritterschlag: «Dieser Mann liegt mir am Herzen» . . . Er hat ihn dann in den zwölf Bänden seiner Memoiren nicht erwähnt: die Leistungen der Geheimdienste haben zu oft die eigenen erst ermöglicht, als daß Generale und Staatsmänner Lust hätten, auf sie hinzuweisen!

Daher die Vorschriften über Geheimhaltung – besonders in England – zuweilen ohne jeden praktischen Nutzen ein Menschenalter und länger, ja ad infinitum Gültigkeit haben: das militärische Establishment teilt auf der Insel wie überall seinen Ruhm zu ungern mit dem der «unteren Sphäre» . . . Zuweilen glückt es einem Geheimdienstler noch, das zu rächen: Colonel Winterbotham nennt den Marschall Montgomery, der Winterbothams (und der Polen!) Entschlüsselung des deutschen Code ausnahmslos *alle* seine Siege über Rommel und in der Normandie verdankt, nur verächtlich; den höchsten Soldaten Englands, Feldmarschall Lord Alanbrooke, dem Winterbotham fünf Jahre lang täglich die deutschen Geheimnachrichten zutrug, erwähnt er überhaupt nie in seinen «Aktion Ultra»-Memoiren . . .

Es ist ein Prozeß von unerhörtem Interesse, diese alliierte Kriegslist, das erste geschichte-machende Ergebnis der Freundschaft Roosevelts mit Churchill, in ihren Auswirkungen auf den ahnungslosen Hitler und seine ebenso dumme deutsche Generalität Tag für Tag zu verfolgen im noch unveröffentlichten Tagebuch von Joseph Goebbels, das auch Stevenson noch nicht zugänglich war, als er seinen Bericht fünfunddreißig Jahre nach den Ereignissen schrieb. Diese Ereignisse haben zwar vermutlich Moskau vor einer Besetzung durch Guderians Panzer geschützt, mußten jedoch auch bezahlt werden mit weit über zehntausend Belgrader Zivilisten, die auf Befehl Hitlers Ostern 1941 ohne Kriegserklärung totgebombt worden sind . . . Die Briten waren am 7. März 41 in Piräus gelandet aufgrund abgefangener deutscher Nachrichten, daß Hitler in Griechenland einfallen wolle, um den Italienern erstens in Nordafrika, zweitens in Griechenland selber beizustehen, das sie ohne seine Kenntnis und gegen seine Intentionen am 28. Oktober 1940 überfallen hatten und wo sie fast pausenlos geschlagen wurden.

Hitler, der – wegen des ihm fehlenden Öls – Rumänien, das er wie Bulgarien zu seinem Vasallen gemacht hatte, nie aufgeben konnte, mußte die Briten aus Athen wieder

vertreiben, ehe er gegen Moskau aufbrechen konnte –
wollte er nicht riskieren, mit offener Flanke zu kämpfen
und das rumänische Öl zu verlieren, ehe er das kaukasi-
sche erobert hatte. Doch seine Ablockung nach Griechenland hin schien Churchill nicht ausreichend zu sein, um
Deutschlands menschenreichen Armeen die Verschie-
bung des Angriffstermins gegen Rußland mit Sicherheit
aufzuzwingen. Also zog er auch noch Jugoslawien in den
Krieg, das soeben in Wien den Drei-Mächte-Pakt mit
Hitler unterzeichnete und von ihm um freien Durchmarsch nach Griechenland für Teile der 2. deutschen
Armee (Generaloberst v. Weichs) ersucht wurde. Denn
die britischen Chancen, Griechenland gegen die Deutschen zu verteidigen, wenn es nicht nur aus Richtung
Rumänien–Bulgarien (Feldmarschall Lists Armee), sondern auch noch von Jugoslawien aus besetzt würde, waren null. Fast niemand in England begriff, warum Churchill überhaupt versuchte, dort zu kämpfen, seit die jugo-
slawische Regierung des Prinzregenten Paul mit Ministerpräsident Cvetkovič den Pakt mit Berlin geschlossen
hatte. Doch Eden und Donovan veranlaßten den jugosla-
wischen Luftwaffengeneral Simovič als demonstrative
Protesterklärung gegen das Bündnis mit Berlin die Regierung zu stürzen, den Kronprinzen Peter für volljährig zu
erklären, zum König auszurufen und den großen Volksaufstand in Belgrad losbrechen zu lassen: damit hatten
die Jugoslawen das Bündnis mit Hitler zerrissen, der
typischerweise seinen Racheakt, Bombardement und Besetzung, «Unternehmen Strafe» nannte . . .

Die Brutalität dieser «Strafe» wurde die gefühlsmäßige
Basis, um in diesem Lande bald den von Tito geführten
Partisanenkrieg aufzuhetzen, der mehr deutsche Divisio-
nen jahrelang gefesselt hat als jeder andere Guerilla-
Krieg in Europa . . . Und der so meisterhaft geführt wur-

de, daß Hitler mehrfach vor den Ohren seiner Generale sagte, er wünschte, daß auch nur einer von ihnen das Format Titos habe, den er einen «Mordskerl» nannte – ein Lob, das er sonst nur noch für Stalin fand.

Nichts ist aufregender im Tagebuch von Goebbels nachzulesen, der täglich jetzt bei Hitler sitzt, als die Tatsache, daß Hitler zwar nicht eine Sekunde im unklaren darüber ist, daß Roosevelt und Churchill es sind, die in Belgrad gegen seine «freien Durchmarsch»-Pläne nach Griechenland den großen Volksaufstand organisieren; daß aber dennoch auch hier Hitler nicht einen Moment erwägt, daß der Volksaufstand nur ein Mittel ist, kein Selbstzweck: das Mittel, Hitlers Terminplan zum Einfall in Rußland zu durchkreuzen, um ihn damit in die verhängnisvollste Falle tappen zu lassen, die ihm während des ganzen Krieges von Churchill hingestellt wurde!

Liest man in den Aufzeichnungen des bedeutendsten Strategen im Kaiserreich, Feldmarschall von der Goltz, der typischerweise 1914 kaltgestellt war, überhaupt nicht mitwirken durfte, wie er das «Wunder» an der Marne deshalb kommen sieht, weil der Generalstabschef durch den Einfall der Russen in Ostpreußen die Nerven verliert und mitten in der Entscheidungsschlacht deren Plan ändert, um Truppen nach Osten zu werfen: so drängt sich Hitlers Entschluß, seinen Rußlandfeldzug zugunsten «der Bereinigung» des Balkans zu verschieben, als Parallel-«Falle» auf. Ludendorff, der 1914 mit Hindenburg die Schlacht bei Tannenberg vorbereitet, weiß, daß Truppen, die elfhundert Kilometer entfernt in Belgien einwaggoniert werden, ohnehin an dieser Schlacht nicht teilnehmen könnten und bittet daher, die Westfront *nicht* zu schwächen – doch der «Neffe» Moltke, der ohnehin Schlieffens Plan bis zur Wirkungslosigkeit verwässert hat, zieht genau jene Truppen ab, die genügt hätten – laut

Churchill –, die Lücke zwischen der ersten und zweiten deutschen Armee aufzufüllen, in die dann die Engländer vordringen, um mit nur zweitausend Mann Verlusten die Deutschen zum Rückzug zu bewegen, der den Krieg entscheidet . . .

Und Hitler verschiebt den Beginn seines risikoreichsten Feldzugs, *obwohl er weiß* und das oft genug betont, er darf nicht in den Winter geraten! Denn er ist durchaus gedanklich mit der Vernichtung Napoleons durch den Winter beschäftigt – dennoch aber kommt es dazu, daß er erst am 22. Juni marschiert, am selben Tag, an dem 1812 Napoleon seine Proklamation an die – ebenfalls – größte Armee erlassen hatte, die je in Europa zu einem Überfall aufmarschiert war: ein wahrhaft fataler, ja grauenerregender Zufall!

Auch weiß Hitler genau und beredet das täglich mit Goebbels, daß der britische Außenminister und der Amerikaner Donovan sich seit Wochen als Brandstifter auf dem Balkan herumtreiben, um ein Großfeuer dort zu entfachen – dennoch läßt sich Hitler nicht «ungestraft» provozieren: er startet denn auch sein «Unternehmen Strafe» . . . ohne die geringste Ahnung, *wer* hier bestraft werden wird! Wieder ein Beleg für die furchtbare Entdeckung, daß der Verstand nichts vermag, wo das Gefühl dominiert: das Gefühl sagt Hitler, er, der Sieger auf dem Kontinent, dürfe «ungestraft» nicht beleidigt werden – denn die Studenten nicht nur, sondern überhaupt weite Teile der Belgrader Bevölkerung rotten sich demonstrativ zusammen gegen den in Wien unterzeichneten Pakt mit Hitler. Goebbels notiert:

«Der Führer sieht etwas angegriffen aus. Der Fall Jugoslawien ergrimmt ihn sehr . . . In den USA gibt man nun auch offiziell zu, daß Roosevelt ein wenig der Belgrader Operettenrevolution nachgeholfen habe . . . Churchill triumphiert in seiner Rede über Jugoslawien. Der Führer ist empört.»

Goebbels notiert am 29. März:

«Belgrad große Demonstrationen gegen uns. London und Washington erklären sich solidarisch.»

Oder, am 1. April: «Dahinter stecken Engländer und Juden . . . Eden wieder in Athen. Der reisende Kriegsverwickler.» Oder, am 2. April: «Eden in Belgrad. Er will natürlich Krieg . . . Belgrad dementiert die Anwesenheit Edens, fügt hinzu, er sei nicht eingeladen . . . Judenjungenangst.»

Ein Oberbefehlshaber Hitlers liefert in diesen Tagen das «Bon»-mot: «Herr Feldmarschall, wenn Jugoslawien keinen Widerstand leistet: wie lange brauchen Sie dann, es zu besetzen?»

Antwort: «24 Stunden!»

Frage: «Und wenn die Jugoslawen Widerstand leisten?»

Antwort: «Zwölf Stunden!»

Erstaunte Frage: «Wieso?»

Antwort: «Dann fallen die Begrüßungsreden weg.»

Der Fisch stank an jeder Gräte, an jeder Schuppe. Größenwahn war in Deutschland zur Volksseuche geworden. Nicht einige Gedenkminuten lang fällt diesen «Marschall» der Verdacht an, und auch offenbar keinen einzigen der anderen ach so intelligenten deutschen Generale, die alle nach dem Kriege versuchen werden, «den böhmischen Gefreiten» Hitler allein haftbar zu machen für die «verlorenen Siege»: daß jede einzelne dieser britisch-amerikanischen Herausforderungen mit genialer Psychologie abgestimmt ist auf den Wutschäumer in der Reichskanzlei.

Nichts von allem ahnen die Deutschen! Der Veitstanz der Verrücktheit hat Goebbels wieder erfaßt, sobald er hinschreiben kann, daß zum orthodoxen Osterfest, samstagfrüh, die Belgrader durch die Flieger Löhrs – immerhin wird wenigstens Löhr, als einziger Bombardeur des Zweiten Weltkrieges, dafür aufgehängt werden am Untatort – ohne Kriegserklärung in den Betten ermordet werden.

. . . Goebbels frohlockt: «Dieser Saisonstaat wird die Provokation des Reiches mit seiner Existenz bezahlen.» Am 5. April notiert er: «Samstag soll nun in aller Frühe der Angriff auf Jugoslawien und Griechenland beginnen . . . Jugoslawien wird . . . aufgelöst. Italien bekommt die Küste, Bulgarien Mazedonien und unsere Ostmarkgaue die früheren österreichischen Provinzen . . . Belgrad versucht krampfhaft abzuwiegeln und ergeht sich in weinerlichen Loyalitätserklärungen.»

Immerhin, der doch wesentlich intelligentere Hitler muß dann – fünf Tage vor seinem Überfall auf Rußland – eingestehen, was Goebbels notiert: «Der Feldzug in Griechenland hat unser Material stark mitgenommen, deshalb dauert die Sache etwas länger.» Die Sache, das heißt: «Unser Aufmarsch gegen Rußland.» Daß die verlorenen Monate nie mehr einzuholen sind; daß Hitler nun genau das tun *muß*, was er mit Sorgfalt hatte vermeiden wollen; so spät im Sommer wie Napoleon die russische Grenze zu überschreiten, diesen Gedanken verdrängt er; seinem Goebbels, versteht sich, kommt der gar nicht, dieser Gedanke: daß Hitler nun nicht mehr nach seinem, sondern nach Churchills Terminplan marschiert – in den Winter!

Drei Listen – drei Schlachten. Die moderne Schulbuch-Auffassung leugnet bekanntlich, daß – wie Churchill 1935 schrieb – «Schlachten die wichtigsten Meilensteine in der Weltgeschichte» seien. Sie leugnet das aus dem sehr ehrenwerten, sehr menschlichen Empfinden, daß nichts, was uns derart verhaßt ist wie der Krieg, das erste Wort zu sagen habe in der Zivilisation, die ja aufhört, eine zu sein, wo Krieg beginnt. Je verhaßter uns der Krieg ist, je natürlicher ist es, ihm *nicht* zuzugestehen, daß *er* das Gesicht der Welt, der Menschen, ja auch nur die Landkarten so tiefgreifend verändert habe, wie nichts anderes. Und doch ist das wahr: große Schlachten «verändern in Wahrheit den gesamten Lauf der Ereignisse und schaffen in Heeren und Völkern völlig neue Wertmaßstäbe, neue Stimmungen und Anschauungen, neue Atmosphären, denen sie sich anpassen müssen». Wer das bezweifelt, was Churchill hier in seiner Geschichte des Herzogs von Marlborough schrieb, und was auch Plato schon wußte, als er feststellte, sogar die musischen Ordnungen änderten sich nur mit den staatlichen – der frage sich, welche Wertmaßstäbe, Stimmungen, Anschauungen, Ländergrenzen heute wohl in Europa anzutreffen seien, wäre der Zweite Weltkrieg mit der Besetzung Londons durch Hitler beendet worden – statt mit der Eroberung Berlins durch die Rote Armee!

9

«Heimat deine Sterne»

«O armer Erich Knauf! Zwanzig Jahre
kannte ich ihn. Setzer in der ‹Plauener
Volkszeitung› . . . bevor er Redakteur,
Verlagsleiter und Schriftsteller wurde.
Ein Mann aus dem Volke . . . Dabei
fällt mir ein anderer Mann ein . . . jener
Lump, der Abend für Abend fein säu-
berlich eintrug, was Knauf und E. O.
Plauen, der Zeichner, gesagt hatten.
Der dann hinging und die beiden an den
Strick lieferte. Der, ehe die zwei davon
wußten, über ‹die ja nun bald frei werdenden Zimmer› im Haus disponierte.
Was macht denn dieser Herr Schulz,
damals Hauptmann der Reserve im
OKW? Dieser Verleger von Zeitschrif-
ten, die sich mit ‹Körperkultur› befaß-
ten, um auf Glanzpapier Nacktfotos ab-
bilden zu können? Hat Herr Hauptmann das letzte Kriegsjahr gesund und
munter überstanden?»

Erich Kästner, 1946

«Ein Hemd hat sie dem Polacken geschenkt und sogar einen Schlips!» sagte Maria. Ihre puppenstubenkleine Wohnung, auch so aufgeräumt, doch farblos karg, lag im gleichen Häuschen wie Paulines Gemüse- und Blumenlädchen und Küche und Schlafstuben, also in Hörnähe.

Ihr Mann konterte unwirsch: «Ein Hemd geschenkt – das beweist gar nichts! Melchiors haben ihm sogar einen ganzen Anzug gegeben.» Das schränkte seine Frau ein: «Nur einen gebrauchten. Und du kannst doch Melchiors nicht vergleichen mit unsrer Nachbarin! Melchior ist der Arbeitgeber des Polen, der Pole wohnt bei denen und ißt sogar mit ihnen am Küchentisch.» Sie wiederholte mit Nachdruck: «Am Familientisch, obwohl das ja streng verboten ist, einen Kriegsgefangenen am Familientisch mitessen zu lassen!» Marias Aufmerksamkeit für alles Verbotene, wenn andere sich erdreisteten, das zu tun, war so alt wie sie selbst. Dieses schnüffelnde Interesse: was hatte er sich schon anhören müssen über Marias Freundinnen und Nachbarn! Langweilte ihn das sonst, fing es nunmehr an, ihn wütend zu machen . . . Er sagte: «Wenn die Leute selber in der Küche essen – soll dann ihr Fremdarbeiter im Schweinestall essen? Oder sollen sie ihm extra servieren, in der guten Stube!»

Sein Ton war so, daß sie vorsichtig erwiderte: «Ich sage ja nur – und es ist nun mal verboten!»

Dies zu wiederholen, war charakteristisch für sie. Er sagte, jetzt unverhüllt verächtlich: «Bist du nie auf die Idee gekommen, daß es heutzutage Verbote gibt, die – verboten werden müßten!»

Sie schwieg, doch ihr Gesicht antwortete ihm, daß *der* Gedanke ihr nie gekommen sei. Er dachte, ohne das zu sagen: wie merkwürdig, daß so viel Gerissenheit vereinbar ist mit der hündischen Lust, zu parieren. Als Kind konnte ich Katzen nicht ausstehen, ich liebte Hunde –

heute ist es umgekehrt, weil keine Katze sich abrichten läßt, aber jeder Volksgenosse auf den Pfiff gehorcht wie ein Hund. Er hätte das seiner Frau gern gesagt, dann ließ er es sein, wozu im Urlaub, in einem so kurzen, Probleme erörtern.

Ach, als hätte jemals er darüber entschieden, was in dieser Ehe beredet wurde! Zwar lag Maria noch so besänftigt, wie sie nur einige Stunden nach dem Akt war, unter seiner Hand – doch die Falte über der Nasenwurzel deutete bereits wieder auf ihre Grübelei; und da ihre Hartnackigkeit jeder männlichen Energie spottete – doch energisch war er nur, wenn er arbeitete –, so war sie nicht eine Minute in Versuchung, seiner Bitte nachzugeben und das ihn anwidernde Thema fallenzulassen. Ihr einziges Zugeständnis war, daß sie einen Umweg machte, «zum Laden» der Nachbarin, den sie haben wollte und den sie kriegen würde – immer hatte sie bekommen, was sie wollte –, zurückzufinden. «Der geht immer besser, weil Obst und Gemüse ja schon fast das letzte sind, das es noch ohne Lebensmittelkarten zu kaufen gibt! Und Blumen führt die nun auch schon, obwohl gar nicht sicher ist, daß die dafür die Konzession hat, es darf ja nicht jeder Gemüsehändler auch Blumen führen! Aber bei Blumen sind die Preise amtlich nicht festgelegt wie bei Kartoffeln oder Äpfeln. Da ist was zu verdienen!»

Er sagte, ohne zu wissen, warum er sich darauf einließ: «Wer kauft hier auf dem Dorf schon Blumen, jeder hat selber welche im Garten.»

Sie lachte, ohne amüsiert zu sein: «Ja – *du* kaufst mir natürlich keine Blumen, aber Blumen werden gekauft!» Und dann küßte sie ihn über den Augen und sagte so sanft, weil seine Hand noch da war, wo allein darüber entschieden wurde, wie sanft oder wie böse Maria jeweils war: «Laß nur, du mußt mir keine Blumen kaufen, du hast mir ja so viel mitgebracht und hast vor allem dich selber hergebracht und *ihn*!» Das betonte sie mit zärtlicher Ironie und mit «Nachdruck» und für einige Atemzüge hielt sie sogar den Mund und ließ ihn hoffen, sie habe den Laden vergessen. Während dieses Schweigens war es ihm zu bitter, wieder daran zu denken, wie sie vorgestern, kaum daß er eine Stunde zu Hause gewesen war, schon gewehklagt hatte, verdammt leichtsinnig seien sie soeben gewesen und nun habe sie's womöglich «erwischt». Die redet von einem Kind wie andere von einem Schuß – der Gedanke, *ich* könnte grade deshalb ein Kind wollen, weil ich demnächst vermutlich von den Fischen im Kanal gefressen werde, sofern ich nicht in meiner He 111 verbrenne oder mir auf dem Londoner Pflaster, weil mein Fallschirm verklemmt ist, den Schädel in den Brustkasten ramme, kommt ihr gar nicht. Sie sagte: «Neulich hat die nebenan zehn Zentner Pfirsiche an einem Tage verkauft und so blöd war sie auch noch, damit zu prahlen, das hat die mir selber erzählt, zehn Zentner an einem Tag! Und weißt du, wer ihr die Kisten in den Laden geschleppt hat – der Pole! Alle vollen Kisten in den Laden, spät abends alle leeren Kisten aus dem Laden!»

Ihr Mann hörte das erleichtert, weil er nun sagen konnte: «Was wirfst du der Frau dann eigentlich vor: sie hat ja damit eine amtliche Begründung, warum soll eine Gemüsehändlerin, deren Mann eingezogen ist, sich abends nicht von einem Kriegsgefangenen aushelfen lassen!»

Seine Frau höhnte: «Abends ‹aushelfen› lassen! – haben wir ja gehört, zwischen eins und zwei heute nacht und waren doch selber eigentlich müde genug zum Schlafen, wo der ihr aushilft! Und ihr Mann ist so ein anständiger Mensch und schickt ihr jede Woche – ich sehe das doch – ein Paket, halb so groß wie ein Klavier! Und wäre die Hure da überhaupt zu dem Laden gekommen ohne ihren guten Mann? Ihm – nicht ihr hat man den Laden verpachtet, ich werde mich erkundigen, auf wen der Mietvertrag ausgeschrieben ist!»

Trostlos sagte er und nahm die Hand weg und holte Zigaretten vom Nachttisch: «Was geht dich das an, ob der Laden . . .» Und mechanisch knipste er den kleinen «Volksempfänger» an, wie amtlich das Radio hieß, das seit Jahren zu staatlich subventioniertem «Billigpreis» mit Propagandaaufwand verkauft wurde, denn jeder Volksgenosse sollte den Führer und – was noch wichtiger war – die für den Führer so geschickt ausgesuchte Begleitmusik in die gute Stube übertragen bekommen oder auch in die Küche, und tatsächlich hatte dieser Apparat so lange über dem Küchensofa gehangen, bis Maria allein in ihrem Schlafzimmer war und sich deshalb wenigstens das Radio auf den Nachttisch ihres eingezogenen Mannes gestellt hatte. Sie fauchte mehr als sie redete: «Ja, das sieht dir ganz ähnlich, daß du nicht drauf kommst, mir einen Laden zu besorgen! Ein Kind willst du, schön. Aber frag dich erst, wovon ich leben soll mit dem Kind, wenn dir – kann doch sein: was zustößt! Die Küche ist hinterm Laden, ich bräuchte nicht aus dem Haus, um Geld zu verdienen, das wäre ideal, auch wenn ich ein Kleines hätte!»

Er rauchte und sah zur Decke, es dauerte einige Zeit, bis er sagen konnte: «Ich hab nichts dagegen, daß du ein Geschäft aufmachst, wenn sich eins findet, das wir pachten können. Ich hab aber keine Lust, eine Frau zu haben, die ihr Geschäft einem Mord verdankt! Du weißt wie ich, der Pole wird umgebracht, wenn wir ihn melden – und sie? Konzentrationslager kriegt die Frau mindestens, weil sie das gemacht hat – was vielleicht auch ihr Mann macht, so wie fast alle Soldaten das tun: Ehebruch mit einer Ausländerin.»

Sie war erbittert: «Ja, wenn du das aus Erfahrung sagst! Du schläfst wohl auch in Frankreich herum?» Doch sie erwartete gar keine Antwort auf diesen berechtigten Vorwurf, es war ihr gleich; ihr Interesse hatte nur noch *einen* Zielpunkt. Er lenkte ab: er nahm ihren Gedanken auf – und der war ja verdammt naheliegend –, daß er fallen werde. Er sagte nüchtern: «Wenn ich falle, dann kriegst du eine Rente, die dich besser und sicherer versorgt als so ein verdammter Laden. Was du verdienen würdest in dem lächerlichen Lädchen, das zögen sie dir noch ab von der Witwenrente! Und mit dem Kind – ich glaub's nicht, daß es vorgestern . . .»

Sie fuhr ihm in den Satz: «Aber du willst eins! Meinetwegen. Und ich will einen Laden – ich hab keine Lust, daß sie mich als Kinderlose einziehen in die Munitionsfabrik. Ich müßte um fünfe aufstehen und mit dem Rad ins Wehrethal, um sechs fangen die an, die haben auch Nachtschicht!»

Er dachte, während sie auf ihn einredete, immer das gleiche: sie ist zum Kotzen . . . Und er – nein: *es* . . . irgend etwas Unbenennbares in seiner Tiefe – sträubte sich, lehnte sich auf gegen die Tatsache, verheiratet zu sein, «gegen» diese Nackte da neben sich, die entschlossen war, tatsächlich über eine Leiche zu gehen! Als Maria ihn am Dienstag von der Bahn abholte und schon auf dem kurzen Heimweg redete von dem, was sie nachts nebenan hörte, da hatte er sich noch das Funkeln in ihren Augen mit der Bosheit der Ausgehungerten erklärt; sie waren ins Bett gefallen und seitdem kaum mehr herausgekommen aus dem Bett, es sei denn, weil er sich einige Male auf ihr Drängen hatte ausgehfein machen müssen, da sie ihn mit Wonne vorzeigte; doch weil sie den Neid der Alleinschläferin nun hinter sich hatte und Sattsein auch den Bösesten freundlicher stimmt, so hatte er sich einzureden vermocht, sie lasse davon ab, gegen die Nachbarin zu hetzen. Wie blöd von ihm! Er mußte sich etwas Plausibles, das gegen die Annexionsgelüste seiner Frau ins Treffen zu führen war, einfallen lassen – oder diese ahnungslose Gemüsehändlerin nebenan vögelte sich mit ihrem Polen um Kopf und Hals! Aber kaum, daß er sich das gesagt hatte, wußte er schon, daß Maria herumquasseln würde im Dorf auch dann, wenn sie überhaupt keinen andern Zweck damit verbinden konnte als die beiden da hinter der Wand in eine Tragödie hineinzuquatschen. Sie war erstaunlich lange still gewesen, während sie Marzipan aus Brest kaute, jetzt sagte sie: «Du bist immer nur gegen alles, Schatz – aber hast denn du was Besseres zu bieten als so einen Laden! Was kannst du denn schon heimschikken aus Frankreich? Und die sprechen jetzt auch dauernd im Radio davon, daß die deutsche Frau berufstätig zu sein hat, ich sage dir, wenn ich nicht an ein Geschäft kommen kann, bin ich reif für die Munitionsfabrik!»

Er konnte einfach nicht länger liegenbleiben neben dieser . . . dieser: er überlegte, wie er jemanden nennen würde, der wie Maria dächte, aber nicht seine Frau sei! Er warf die Decke beiseite und stieg aus dem Bett und stellte sich, noch immer rauchend, vors Fenster. «Man sieht dich von der Straße», sagte sie, «die Gardine ist so dünne.» Er trat zurück, und sie war sanft vor Genugtuung, ihn zu haben, und sie sah ihn sehr gern, er hatte noch immer den kleinen harten, fettlosen Hintern eines Jünglings; ihre Angst, die sie noch nach der Hochzeit lange nicht losgeworden war, diesen schönen Mann zu verlieren, war nicht mehr: tatsächlich hatte sie lange nicht begreifen können, daß ihr, der weniger als mittelmäßig Aussehenden, es geglückt war, diesen Jungen einzufangen, um den alle Mädchen sogar noch in Lörrach sie beneidet hatten. Und nun war er Unteroffizier geworden, und diese verfrühte Beförderung war der Tatsache zu danken – die aber Maria ohne Mühe verdrängte –, daß er zuweilen binnen vierundzwanzig Stunden *dreimal* nach London fliegen mußte, weil die Briten, was Maria nicht ahnte, so viele Deutsche herunterholten . . .

Er brachte nun, mit Überwindung, den Einfall an, der vielleicht helfen würde, ihre Habgier nach dem Laden zurückzudrängen, er sagte und war froh, daß er ihr dabei den Rücken zuwandte, denn Lügen war nicht seine Stärke: «Liebling – mit einem Laden, das ist schon deshalb kein guter Plan, weil ich überlege, ob ich mich auf Offiziersschule melden soll.»

Sie hörte auf zu kauen, sie stützte sich sofort auf ihre Ellenbogen und rief: «Überlegen? – wie kannst du überlegen, natürlich sollst du Offizier werden! Wenn ich das der Erika spreche» – ihrer Schwester –, «dann platzt die vor Neid!»

Er sagte trocken: «Das ist natürlich ein Argument!»

Sie war nicht zu halten vor Begeisterung, sie war schon aus dem Bett und umarmte und küßte ihn und dann fragte sie: «Ja – geht denn das überhaupt, du warst doch nur Volksschüler, kann denn ein Volksschüler Offizier . . .»

Nun kam er doch zu Wort, er hatte sie abgedrängt: «Wenn du mich dauernd unterbrichst», sagte er ungetarnt gereizt, «kann ich's dir nicht erklären, geh doch wieder unter die Decke – also: Fronteinsätze, ich glaube, fünfundzwanzig, und so viele habe ich längst, berechtigen ohne Vorprüfung zum Besuch der Offiziersschule. Aber Ladenpächter oder wenn die Frau einen Gemüseladen hat – ich weiß nicht, ich glaube, das entspricht nicht den gesellschaftlichen Anforderungen an eine Offiziersfrau!» Er hatte keine Ahnung, ob das noch so war. Er wußte nur, daß sein Vater und sein Onkel einmal davon geredet hatten, beim Kommiß nichts geworden zu sein im Ersten Weltkrieg, weil sie Verkäufer und Handwerker waren. «Gewiß, der Führer kommt ja auch von unten und wir bei der Luftwaffe», dachte er jetzt laut, «haben sowieso viel weniger Adlige unter den Offizieren als das Heer! Und ich würde mich schon gern melden auf Schule, nicht aus Ehrgeiz, sondern um einige Monate Ruhe zu haben!» Das war sein wahres Argument: so viel verstand er auch von Statistik, um sich auszurechnen, daß er bereits mehr Glück gehabt hatte als im Durchschnitt die Royal Air Force zuließ. Er schwieg, bedrückt. Sie sagte mit einer so echten Neugier wie nicht der Krieg, wie jedoch seine Karriere sie hervorrufen konnte: «Wunderbar wäre das, auf der Schule kann dir nichts passieren und kann ich dich besuchen . . . du erzählst mir überhaupt nichts, ich hatte keine Ahnung, daß du noch Offizier wirst!»

Noch gereizter hielt er dagegen: «Ich ‹werde› nicht Offizier – ich werde: *vielleicht* Offizier!»

Sie lachte: «Du ewiger Pessimist, denkst du, ich hätte Angst, du könntest durch die Prüfungen fallen?»

Nun lachte auch er, doch schroff: «Durch die Prüfungen fallen nicht, nein. Aber vom Himmel – denn noch bin ich ja nicht aus der Scheiße raus!»

Sie bat: «Komm wieder ins Bett», denn sie war jetzt so verliebt in ihn, als dürfte sie sich bereits mit Frau Leutnant anreden lassen, «und dann erzähl mir doch endlich mal, wie's eigentlich zugeht bei euch, du erzählst nie davon – plötzlich erschreckst du einen dann durch den Ausdruck ‹Scheiße›! Es ist wohl doch viel schlimmer als du mich bisher merken ließest? Komm doch –» Aber er kam nicht, er ging vor dem Doppelbett auf dem marmelade-roten Kitschläufer auf und ab und betonte, denn längst ärgerte er sich über seine Dummheit, in ihrer Gegenwart den englischen Rundfunk abgehört zu haben;

ihre Habgier nach dem Laden hatte ihm wieder verdeutlicht, wie gefährlich sie immer gewesen war: «Du hast doch nun selber dreimal mitgehört, was soll ich noch erzählen!»

Wie ein Kind fragte sie: «Ja willst du damit sagen, die Engländer sprechen die Wahrheit! Ich dachte –»

«Die Wahrheit liegt in der Mitte, mindestens, was die Abschuß-Zahlen betrifft, deshalb hab ich überhaupt London angestellt. Wenn ich schon nicht dabei bin in diesen Tagen, verstehst du, Maria, dann will ich wenigstens hören, wie viele von meinen Kameraden runtergeholt wurden. Wenn die Tommies zweiundzwanzig angeben und wir sagen sieben, dann rechne ich mir aus, daß wir vierzehn verloren haben, vierzehn Maschinen sind eine Menge!»

Sie: «Kommen die denn immer um, die abgeschossen werden?»

Er: «Nö – nö, manchmal kommen mehr von denen, die mit dem Schirm ausgestiegen sind, lebend unten an als von denen, die noch auf dem Heimathorst eine Notlandung probieren: die kann gefährlicher sein, weil die Vögel oft brennen.» Er schwieg, sie schwieg. Nun hatte sie Angst um ihn und sagte: «Kannst du die nicht beschleunigen: deine Versetzung auf Offiziersschule?» Ihre Frage rührte an seine Pilotenangst, die so stark in seinem Halbbewußtsein war, daß er noch gar nicht die «Stimmungsmusik» wahrnahm, die der Volksempfänger, der eigentlich Volks-*Ein*-Fänger heißen müßte, ziemlich laut ins Zimmerchen trug – ohne aber hier und jetzt seiner Funktion gewachsen zu sein: die Zeitsorgen in seinen Hörern abzutäuben.

Er sagte und legte sich nun wieder ins Bett, denn er suchte hastig Ablenkung, aber nun redeten sie erst einmal, und nichts konnte die Liebe derart niederhalten, obgleich sie sofort zu ihm hinrückte und ihn küßte: «Das fliegende Personal wird knapp, es kann passieren, daß wir abends um acht, um elf und um zwei rübergeschickt werden. Deshalb glaub ich nicht, daß die mitten in der Schlacht welche von uns zum Lehrgang abkommandieren.»

Sie fragte: «Wie lange dauert denn so eine Schlacht, ich dachte immer, eine Schlacht, die dauert eine halbe Woche oder . . . so!» Sie sah ihn so ängstlich an, jetzt plötzlich, daß er sie umhalste und, um ihre Augen nicht zu sehen, auf seine Brust drückte. Und sagte: «Das weiß keiner, Liebling, wie lange die dauert. Gegen eine so große Stadt wie London, daran hat neulich ein Kamerad erinnert, aber das bekam ihm nicht, haben wir Deutschen überhaupt erst einmal gekämpft, 1871 gegen Paris: und auch damals hat's verdammt viel länger gedauert, als Bismarck voraussah.»

Sie hob den Kopf, ihm ins Gesicht zu sehen; seine Art zu reden füllte sie mit Angst an, obgleich er so zu tun versuchte, als spreche er über das Wetter; doch ein bißchen tat es ihm sogar wohl, daß sie offenbar für ihn fürchtete. Sie sagte: «Was soll das heißen, ‹aber das bekam ihm nicht›, dem Kamerad?»

Er sagte schockierend einfach: «Na ja – weil sie ihn natürlich erschossen haben!» Da sie sprachlos war, setzte er hinzu, als begründe das die Erschießung: «Er hat auch nicht Paris, das wir ja einundsiebzig schließlich doch genommen haben, und neulich wieder, mit London verglichen – sondern er hat gesagt, London wird zum Verdun der Luftwaffe. Verdun war im Ersten Weltkrieg die Festung, an der mehr Menschen von beiden Seiten fielen als irgendwo sonst – und wir Deutschen haben es nie genommen.» Er setzte hinzu, weil er für gut hielt, sie merken zu lassen, wohin Denunziation führt: «Ein Kamerad hat ihn verpfiffen – und dann haben zehn andere ihn erschießen dürfen, sie haben sich freiwillig dazu gemeldet! Es melden sich bei Erschießungen von Kameraden übrigens stets mehr Freiwillige als gebraucht werden!»

Sie sagte nichts, aber gewirkt hatte, was er sie wissen ließ, denn sie stand auf mit der Bemerkung: «Gut, daß du was Scharfes zu trinken mitgebracht hast» – und er sah ihr nach, wie sie ins Nebenzimmer ging; ihr Rücken war entschieden ihre attraktivste Seite, vorn war sie katzenmager, auch sah ihr Po lustig aus. Es war gut, daß sie endlich wiederkam, sie hatte in der Küche noch den Cognac aufgemacht, denn nun verlangte ihn nach Ablenkung: er hatte auch nötig, Dieter Bracke zu vergessen, den sie totgeschossen hatten, weil er nicht nur gesagt hatte, London werde das Verdun der Luftwaffe; er hatte auch noch den Chef nachgemacht, wie der, im Auge das Monokel, in den arschfeisten Wangen das Kaviarbrötchen, zu Goebbels gesagt hatte, fast schreiend vor Triumph: «In vierzehn Tagen ist in London jedes Leben ausgelöscht ... Ausgelöscht, die ersticken in der eigenen Scheiße!»

Goebbels, mit großen braunen Augen, die Begeisterungsglanz verstrahlten, hatte dem schwäbelnden Feldmarschall doch mit merklicher Skepsis zugehört, und diese Skepsis hatte sie alle, die da in Sperrles Palast-Hauptquartier in Deauville als Kellner anläßlich des Ministerbesuchs Dienst machen mußten, sympathisch beeindruckt; Goebbels, obgleich auch uniformiert, wirkte einfach bescheidener als der viermal so breite, soeben zum Marschall ernannte «Monokel-Schwabe», wie Dieter Bracke Sperrle getauft hatte. Exakt wie den Schwaben Sperrle – hatte Bracke auch den Rheinländer Goebbels imitiert, seinen jaulenden Heulton. Und hatte mit einer Abortbürste demonstriert, wie Sperrle aus einem seidegefütterten Lackkasten die Feiertags-Ausgabe des Marschallstabes, den er sonst nicht trug, herausnahm, um damit zu dem Flugzeug zu gehen, dem dann Göring und Goebbels entklettert waren. Goebbels hatte einmal gesagt: «Aber Herr Sperrle, wir dürfen uns doch nicht derart übertriebene Vorstellungen machen! Gewiß müssen diese Bombardements furchtbar sein, aber ein Weltreich stürzt noch nicht zusammen, weil ein paar Ladies im Hyde-Park ihre Notdurft verrichten!» Denn der Marschall hatte, bevor sie Kaviar und Champagner reichen mußten, Luftaufnahmen gezeigt und einen Agentenbericht zitiert, demzufolge Londons Kanalisation und Wasserversorgung demoliert seien und die Menschen bereits die Parks düngten. Während Maria zwei Wassergläser halbvoll Cognac schenkte und er ihr die Decke aufhielt, damit sie wieder ins Bett käme, fragte sie: «Wann war denn das? – und müßt ihr das oft, einen Kameraden erschießen!»

Er trank in einem Zug aus; während sie ihm wieder einschenkte, schon im Bett, sagte er bitter: «Hör uff davon, jetzt – ich sagte dir doch: von müssen ist keine Rede, es drängen sich immer Freunde, mehr als gebraucht werden, zu Kameraden-Erschießungen!» Obgleich er sie bat, nicht davon zu reden – redete er davon: «Das war kurz nachdem ich dir die Fotos vom Goebbels-Besuch geschickt habe, aus Berlin, wohin ich die Ministermaschine damals auf dem Rückflug zu eskortieren hatte – sechzig Maschinen haben den kleinen Kerl heimgeleitet, aber der ist doch mehr, glaub ich, als nur eine Groß-Schnauze . . . kommt vielleicht von seinem Hinken, daß der nicht so optimistenstramm durch die Welt marschiert wie unsere Herren Generale und wie der Dicke!» Sie wußte, er meinte Göring. Auch von dessen Besuchen hatte er Fotos heimgesandt, und mit Bewunderung hatte sie ihm geschrieben: «Wen du jetzt alles mit eigenen Augen da siehst!» Doch dieser Begeisterungsausruf hatte in ihm kein Echo gefunden. Göring trug zum erstenmal die lohengrin-weiße Lederuniform des Reichsmarschalls, zu dem er nach dem Sieg über Frankreich ernannt worden war. Sperrle, ebenso wie Göring den Bauch vorgewölbt wie ein Flitzebogen, «schritt» an Görings Seite, ob sie nun die Angetretenen «abschritten» oder ob sie im Atlantik badeten, zwei sogenannte Joviale, die in Wahrheit brutal um ihren Ruf kämpften – auf Kosten «ihrer» über England grausam dezimierten Flugzeugbesatzungen. Und wie wenig hatte zu Görings siegesfestlicher Gewandung – weißes Cape, weinrotlederne Stiefel – der gereizte Ernst gepaßt, mit dem er sie andonnerte: daß schließlich doch auch er alle Sorgen «seiner» Besatzungen kenne, da er selber in soundso vielen Einsätzen während des Ersten Weltkrieges mit Engländern im Gefecht Pilot gegen Pilot gewesen sei. Das stimmte; und doch, es war eben diesmal kein Gefecht Pilot gegen Pilot mehr – es war jetzt, als sollten sie mit Flammenwerfern den Atlantik entzünden! Denn wer je über London gewesen war und gesehen hatte, an wie wenigen Stellen bis jetzt dieser Ozean von Stadt erst brannte, der konnte gar nicht im Zweifel darüber sein, daß London zu ihrem Verdun werde! Und Dieter lag jetzt irgendwo ohne Grabstein, ohne Holzkreuz . . . Die Eltern! Er dachte: Was denken die Eltern eines Erschossenen, der im Recht war! Schämen die sich ihres Sohnes? Widerlich. Wahrscheinlich schämen die sich, widerlich. Und schleichen an der Wand lang und müssen begründen vor Volksgenossen, warum sie keine Todesanzeige im Heimatblättchen, die jedem Gefallenen zusteht, aufgeben durften. Und war im Recht der Dieter – und wurde doch verscharrt wie einer, der Kameraden beklaut hat . . .

Doch noch elementarer hatte ihn die Tatsache berührt, die er schon dreimal nicht hatte verdauen können: daß sich stets zur Erschießung von Kameraden mehr Freiwillige meldeten als man brauchte! «Hanoi, a sonem Erlebnis muß ma sich doch a'chemaol g'stellt habe!» hatte ein Kamerad ihm erklärt. Und da hatte er das Maul gehalten, aber sich im stillen gefragt: warum mußt du eigentlich, als Schreinergeselle, du Arschloch, dich dem «Erlebnis» einmal gestellt haben, einen Zimmer-Kumpel mit umzulegen?

«So sind die Menschen», war eine Redensart seines Großvaters gewesen . . .

Und drei Schritte vom Fenster, sah er, vom Bett aus, in der Lörracher Straße Frauen mit Taschen voller Obst und Gemüse aus dem Laden kommen, den zu pachten Maria beschlossen hatte, obgleich, nein: weil sie wußte, daß sie mindestens einen ans Messer liefern müßte, das zu erreichen!

«So sind die Menschen!» – er entsann sich genau und zum erstenmal seit Jahren, wann sein Großvater das im Hinblick auf Maria gesagt hatte. Der Eisenbahner hatte den Enkel gebeten, ihm zu helfen, Stangenbohnen zu ernten, sie waren allein im Garten, er war auf Urlaub; und da hatte er dem Alten anvertraut, was er nie auch nur seinen Geschwistern oder Eltern eingestanden hätte, ja längst schon sich selber nicht mehr zugab: wie Maria ihn hineingezwungen hatte in die Ehe. Geheiratet hätte er sie sowieso; ihr jedoch war es sicherer gewesen, ihm zu erzählen, ihre Eltern seien verreist – und das waren sie tatsächlich. Doch als er nachts einmal hinaus mußte, war da ganz «zufällig» Marias Bruder in SS-Uniform auf Urlaub gekommen, und der ertappte ihn dann auf «nackter» Tat und höhnte bedrohlich: «Oho – man geht bereits auf Stube bei meiner Schwester!» – und dann waren sie rascher verheiratet, als man einen Garten umgräbt!

«Ja, Junge – so sind die Menschen!» Er dachte diesem Satz nach, als könne er auch dem alten Mann noch nachsehen, der ihm nichts anderes als Warnung hatte hinterlassen können, und Großvater war nun auch tot, und den Schwager fraßen bereits die Würmer an der Maas – wie mich bald die Fische, dachte er wieder, erbeutet von Melancholie: lustig, im Bett, so lange man's tut, aber hinterher ist man verflucht stimmungsanfällig! Und noch etwas ist man – doch er war zu müde, dem länger nachzusinnen; er meinte seine immer zu große, jetzt aber überwältigende Neigung, zu beschwichtigen, nachgiebig bis blöd zu sein, zu friedlich für diese Frau, die jetzt kandierte Früchte aus Antwerpen lutschte. Sie hatte ihm die glatten, schönen Schultern zugewendet, jetzt sah sie sich plötzlich um, bevor er noch die Augen wieder schließen konnte. Und strahlte: «Ach, du bist wach – ich dachte doch, du bist eingenickt!» Und sofort griff sie zu, und nachgiebig wie immer war er froh, durch ihre Hitze, ihre Haut, die so gut roch, und durch ihr Haar abgelenkt zu werden von ihrem Gesicht und von den unguten Gedanken, die ihn feindselig aufbrachten gegen sie und auch gegen sich, weil er sich doch verachtete dafür, daß die feste Glätte ihres Körpers und sicherlich auch seine Angst vor dem Tod und seine Sehnsucht, nichts denken zu müssen – ihn wieder zu ihrem gehorsamen Knecht machten. «Wie du schon wieder da bist!» lachte sie anerkennend – und weil es ihm unerträglich wurde, wie sehr er sich verachtete, so gab er sich den Rest, indem er ihr half, auf ihn zu klettern. Doch stärker als sie – war das Ende des Urlaubs vor seinen Augen, eine fürchterliche Bedrohung, so daß er abwehrend murmelte: «Laß uns noch zu meinen Eltern gehen, morgen um diese Zeit bin ich sowieso schon wieder weg –»

«Ist das ein Grund, jetzt aufzustehen?» fragte sie belustigt und meinte: abzusitzen und beherrschte ihn wie die Reiterin ihr Pferd, und er konnte nur in ratloser Wut denken, aber parierte doch wie stets: das ist nun die gleiche Frau, diese sanfteste und zärtlichste Mitgenossin, ein gutes Wort für sie, zerfließend wie beflissen, die buchstäblich auf *Mord* sinnt, sobald sie zurückkehrt zu ihrem bißchen Verstand und wieder *eines* Gedankens fähig ist! Und daß ich Waschlappen ihr immer nachgebe . . . Doch in dieser Sekunde wurde ihm bewußt, daß Maria jetzt zum erstenmal, von der Raserei der überstürzten Umarmung nach seiner Heimkehr abgesehen, sich nicht vorsah. Weil sie mich nun schon als Offizier sieht, nur deshalb, darf ich ihr ein Kind machen, nun also doch! Doch dagegen bäumte er sich auf. «Versprich mir», sagte er, «daß du die zwei da nebenan nicht anzeigst, hörst du!» Und aus ihm sprach jetzt gradezu Angst, von dieser Frau ein Kind zu bekommen.

«Red jetzt nicht!» seufzte sie vertieft – «weiter, mach weiter, du!» Doch er war noch bei Verstand, er warf sie ab und ließ sie roh liegen und sie schrie: «Was hast du, bist du wahnsinnig!» – und er stieß hervor: «Ich hab dir doch eben erzählt, wohin das führt, wenn Kameraden gegen Kameraden aussagen, versprich mir erst . . .»

Sie haßte ihn, gekränkt wie noch nie, und er erschrak, wie sie über ihn herfiel mit den Worten: «Und deshalb hörst du mitten drin auf, du Idiot – ‹Kameraden›! Ist der dein Kamerad, dieser dreckige Polacke, der einem deutschen Soldaten die Frau wegnimmt? Und hältst du mich für so doof, zur Polente zu rennen und eine Anzeige zu machen, daß *mein* Name in die Akten käme? Ha» – und sie lachte, wie Hyänen bellen –, «ich brauche doch bloß der Frieda König zu sprechen, was nachts da nebenan los ist: dann läuft alles von selber seinen Gang!»

Er sagte sich mit Grausen: der Wille einer Frau bricht

Felsen – einer tollwütigen. Doch tollwütig war sie keineswegs; listig war sie, unfehlbar berechnend. Jetzt lag sie in sich zusammengerollt in der Abwehrhaltung eines Igels, wortlos vor Haß. Auch er schwieg, bis es draußen dunkelte, dann sagte er ohne Überzeugung: «Die Frieda König ist die Schwester vom Melchior, der mir selber sagte, wie froh er ist, diesen fleißigen, zuverlässigen Gefangenen zu haben, der sogar Deutsch versteht – was wird schon die König drauf geben, ob der Pole nachts allein schläft, wenn er nur bei Tage für ihren Bruder die Kohlen schleppt! Und abgesehen davon: die König ist keine, die denunziert!»

Maria fuhr herum, und wie sie ihn ansah, dachte er: von der kein Kind zu kriegen – das ist jeden Krach wert! Sie hatte ihn genommen im Gefühl, er werde bald Leutnant sein und wer weiß was noch werden – also liebte sie ihn heftiger als je, sie schmolz wie im Akt bei dem bloßen Gedanken, eine Offiziersfrau zu sein, und nur deshalb hatte sie sich auch bewußt zum erstenmal nicht vorgesehen! Doch dann mußte er anfangen zu quatschen von diesem Polacken – aus war es nun und sie war weiß um die Nase, so tief beleidigt hatte er sie, so haßte sie ihn – genauer: so haßte sie diese Geschichte, die sie auseinanderbrachte, nicht zum erstenmal, aber nun sogar schon, während sie einander hatten! Deshalb sagte sie jetzt so ungerührt, daß er sich fragte, wieso der Teufel immer als Mann dargestellt wird: «Als ob die Frieda König, die schließlich im Dorf die erste Frau in der Partei ist als Frauenschaftsleiterin, sich's überhaupt erlauben dürfte, eine solche Meldung von mir einfach untern Tisch fallen zu lassen! Die wird sich hüten – was . . . bist du eingeschlafen?»

Längst war er, die Augen auf dem Unterarm, weit von ihr abgerückt. Er hoffte, sie werde ihn für schlafend halten

– und tatsächlich stand sie auf, nahm ihren Morgenrock und ging, das Abendbrot zu richten. Er wußte nun: die ist geblieben, was sie immer war, eine Erpresserin. Und ich, was ich immer war, ein schwacher Idiot – der sogar überm Vögeln vergessen konnte, wie gefährlich sie ist und in ihrer Gegenwart London hörte, worauf die Todesstrafe steht! Die wird denunzieren, die braucht dazu nicht einmal ihre Lust nach dem Laden! Und er fragte sich, warum er heimgekommen sei, anstatt die vier Tage Urlaub in Antwerpen zu verbringen: er sah die schwere, blonde, nicht mehr junge, doch sehr schöne Belgierin vor sich, wie sie aus der Wanne stieg, die Frau eines Gefangenen, die er sich dort mit einem Kameraden – nun, mit nur einem vielleicht nicht – bei Kurzurlauben teilte. Sie hatte ihren Preis, und doch, gemessen an seiner Frau: was war die für ein anständiger Mensch! Und er fragte sich, ob er nicht die Nachbarin warnen müsse. Der Volksempfänger übertrug jetzt eines der meistgespielten und gesungenen Lieder der Epoche: «Heimat, deine Sterne» – und die Melodie zwang sich auch ihm als angenehm auf; doch so legitim Heimweh ist, jetzt empfand er den Text als Hohn und dachte verächtlich erbittert: «Was muß das für einer sein, der so was reimt!»

Was hätte er gesagt, doch nur zu sich gesagt, bestimmt nicht auch zu seiner Frau – würde er geahnt haben, daß der Autor dieses Liedes, Erich Knauf, demnächst nicht anders als Dieter Bracke, nicht anders als Stasiek Zasada denunziert werde: Bracke hatten sie erschossen, Knauf würden sie, weil er in einem Treppenhaus gesagt hatte, Deutschland verliere den Krieg, enthaupten; der mit Knauf denunzierte Zeichner der «Vater und Sohn»-Serie: E. O. Plauen würde sich in der Zelle aufhängen, um nicht geköpft zu werden, und der Pole Zasada . . .

Doch da rief Maria: «Schläfst du noch?» Und er hatte

Lust, so zu tun – doch schon rief er gehorsam, ehelich wie militärisch abgerichtet: «Ja, Liebling – oder gibt es schon Abendbrot?» Und da rief sie: «Gleich!» – und kaum hatte sie das gerufen, da hörte er, wie es auf dem Gasherd anfing zu zischen und zu bruzzeln, und er mußte grinsen und sich fragen: ob es irgendwo auf der Welt wohl eine Frau gäbe, die bei Tage hinterher nicht Eier in die Pfanne schlägt!

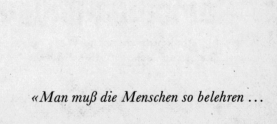

«Man muß die Menschen so belehren ...

... als ob man sie nicht belehrte, und unbekannte Dinge vortragen, als seien sie nur vergessen», meinte der englische Dichter Alexander Pope.

Sicherlich erinnern Sie sich an die beliebteste und effektivste Art zu sparen?

Pfandbrief und Kommunalobligation

Meistgekaufte deutsche Wertpapiere - hoher Zinsertrag - schon ab 100 DM bei allen Banken und Sparkassen

Verbriefte Sicherheit

10
Reist man auf Recherche...

«Die Gerichte hatten vielfach unbedeutende
Fälle abzuurteilen, wie das Essen am gemeinsamen Tisch, das Anbieten einer Zigarette
und Feuer, erste Hilfe bei Verletzungen oder
das Gewähren von Wasser, schmerzstillenden
Mitteln und dergleichen. Sehr häufig entwik-
keln sich aber – und hierin liegt die Gefahr
straflosen Duldens kleiner Gefälligkeiten – aus
zunächst gänzlich harmlos scheinenden
Freundlichkeiten sehr schnell Liebesbezie-
hungen. Die sehr große Zahl hier erfaßter Fälle von Geschlechtsverkehr beginnt zunächst
mit harmlosen und an und für sich kaum straf-
würdigen Anknüpfungen.»

Der Chef der Sicherheitspolizei und des SD,
Berlin, Prinz Albrecht Str. 8 am 13. 12. 1943.

Reist man auf Recherche, soll man stets allein fahren, wenn man eine Frau sprechen muß; denn die sagte einem nichts, käme man mit einem weiblichen Wesen. Recherchiert man dagegen bei einem Mann oder einer Familie – sollte man nie ohne Frau fahren, besser noch mit Kind und Frau. Die verhelfen einem sehr zum zwanglosen Eintritt. Kommt man mit Kind – kommt es nicht vor, niemals, daß einem die Türe vor der Nase wie einem unerwünschten Waschmaschinen-Verkäufer zugeschlagen wird, bevor man noch seine Fragen loswerden konnte. Ein Kind als Türöffner vorzuschieben – das ist schon fast so verwerflich wie eine Frau als Kugelfang vor sich hergehen zu lassen, aber zu seinem Vergnügen hat ja Balzac das Bekenntnis nicht abgelegt: wie der Dieb in der Nacht müsse der Autor sich seiner Stoffe bemächtigen! Wenn sogar dieser große Franzose nicht immer «fein» sein konnte – wie sollte dann erst unsereiner hoffen dürfen, als Alleinlaufender auf diesem Bauernhof auch nur bis zur Anknüpfung des sehr umwegigen, aber doch notwendigen Einleitungs-Gesprächs zu kommen! Wir besuchten einen Pferdezüchter und Reitstall-Inhaber, weil dessen Vater, der Polizist Arthur Stackmann – im Kriege auch der Führer der SA hier im Dorfe –, heute seinen Alterssitz auf diesem Hof am Walde hat. Ein Kind kann Fragen stellen, die einem überhaupt gestatten, das Grundstück auch dann zu betreten, wenn der Gesuchte tatsächlich oder angeblich nicht daheim ist. Das ist wichtig, weil zuweilen Angehörige derer, die man sprechen muß, viel mehr über ihn erzählen, als er selber sagen würde – sofern sie ihn nicht einfach warnen, daß man da war! Auch das kann passieren und einem jeden direkten Zugang verschließen; den öffne man sich dann indirekt durch Gespräche mit Freunden eines allzu redescheuen Zeugen; Mitmenschen, die man redselig machen kann, findet man immer – und dann wende man sich an den Zugenähten telefonisch, als wolle man nur überprüfen, ob wahr ist, was Komplicen über ihn aussagten: das öffnet stets den Mund, der bisher verschlossen war! Denn es kommt nicht vor, ausnahmslos nicht, daß ein Komplice eine Aussage über einen anderen macht, die der nicht ergänzen, abstreiten, ausschmücken oder – rächen will: indem er stets mehr sagt, in Rechtfertigungs-Hitze, als er vorhatte. Mehr sagt auch über sich selber . . .

«Du hast mich schön reingelegt, Thuri!» sagte von der französischen Anklagebank herunter Josef Zinngruber zum abgehenden Zeugen Arthur Stackmann, als der im Freiburger Prozeß zuerst bei seinen Aussagen über den ehemaligen Ortsgruppenleiter einen geradezu antifaschistisch-guten Menschen aus ihm machen wollte – dann aber vom Vorsitzenden des Gerichts seine eidesstattliche Erklärung vorgelesen bekam, die er selber, Ortspolizist Stackmann, gleich nach Kriegsende in französischer Gefangenschaft über Zinngruber niedergeschrieben hatte, um ihn darin mit vielen Beispielen aus dem Brombacher Alltag als einen gemeingefährlichen Nazi in den Jahren des Hitlerkrieges zu charakterisieren . . . Wir fuhren abends zu dem sehr stattlichen, oberhalb Brombachs in einen schönen Schwarzwald-Berghang hineingebauten Hof mit großer neuer Reithalle für die über zwanzig, Stackmanns meist nicht gehörenden, doch bei ihnen stehenden Pferde. Es roch betörend nach nassen Wiesen, die wie Himmel und Felder schon zwetschgenblau waren im Vorabendlicht; der Wald war schon schwarz – auf der Heimfahrt würden wir nicht mehr wie noch soeben den Steinbruch zu sehen bekommen . . . Die hingeschmiegten Bergwiesen haben weibliche Formen, frauliche Frische in der Abendkühle – ja noch die Farben eines weiten Futtermais-Feldes vor einem kaltweißen Kalkfels und das

späte Licht in einer jetzt düster-dunklen Blutbuche genügen schon, wiederum in mir – wie so oft – Bedauern
darüber auszulösen, daß es nicht genug sagt, zum Beispiel dieses Landschaftsbild in Worten zu malen oder
wenigstens zu zeichnen, sondern daß wir als Vertriebene
aus der Natur, was ja nur ein modernes Wort für Paradies
ist, eben diesen Steinbruch da unten, den Holunder fast
überwachsen hat, gar nicht mehr ansehen können, ohne
zu denken, was in ihm Menschen mit einem Menschen
angestellt haben. Andere vor mir haben das ebenso heftig
bedauert, ja sogar ihr Bedauern – wie ich jetzt – ausgesprochen inmitten ihrer Erzählung; so in der «Kartause
von Parma»:

«Politik in einem literarischen Werk ist wie ein Pisto-
lenknall mitten in einem Konzert, sie wirkt roh und
plump, und doch kann man ihr seine Aufmerksamkeit
unmöglich versagen. Wir müssen leider von recht häßli-
chen Dingen reden, die wir aus mehreren Gründen lieber
beschwiegen hätten. Aber wir sind genötigt, Ereignisse zu
berühren, die hierher gehören und nicht unerwähnt bleiben dürfen.»

Wir fuhren so spät, weil Landwirte abends eher zu
erreichen sind als am Tage.

Mein Jüngster, nachdem wir uns überzeugt haben, daß
der nervöse Hund, ein kranker Bernhardiner, an der Kette liegt, geht in den Stall, so forsch, als sei er hier zu
Hause, und offenbar macht das den Eindruck, als kämen
wir, ihn für Reitstunden anzumelden. Das Gespräch erschöpft sich natürlich rasch, da wir von Pferden noch
weniger verstehen als die Sonntagsreiter, denen sie meist
gehören; ich frage mich, wieso zwei Söhne eines Polizisten
einen derart eindrucksvoll nach Gut aussehenden Hof
erwerben konnten – denn offenbar hat keiner ihn von
seiner Frau in die Ehe mitbekommen, weil er dann ja

nicht zwei Brüdern gemeinsam gehörte. Ich finde das auch heraus. Nun, wie zu erwarten war: «Vater Staat» zahlt den Bauern zwar nicht alles, hilft ihnen jedoch wie keinem anderen Berufsstand mit fast zinslosen Krediten so großzügig, wie das alle Regierungen vor und nach den Nazis und diese ganz besonders getan haben, daher auch fast alle Landwirte der Hitleritis erlegen waren; wes' Brot ich eß, des' Lied ich sing!

Angenehm zu hören, wie heute das Reiten keineswegs nur von «Herren» mehr gepflegt wird, sondern vom Volk: Krankenschwestern, Sekretärinnen, zuweilen gemeinsam mit einer Kollegin, haben bei Stackmanns ihr eigenes Pferd stehen, um es abends eine Stunde zu reiten, sonntags auch länger. «Ich komme», sage ich endlich unvermittelt, «um Ihren Vater nach der Geschichte des Polen zu fragen – und Sie natürlich auch. Sie waren doch sicher auch da unten dabei»; ich deute in Richtung des Steinbruchs.

«Ich war ja erst zwölf», sagt der Mann, ohne eine Sekunde im Zweifel zu sein, welche Geschichte ich meine, obgleich doch immerhin sechsunddreißig Jahre seither ins Land gingen. «Kinder durften nicht zusehen – ja, das war sehr schlimm!» fügt er an: weil nämlich «wegen dieser Schweinerei», wie er noch mehrfach sagen wird, «unser Vadder drei Jahre von den Franzosen eingesperrt worden ist, obwohl er überhaupt nichts damit zu tun hatte – er hat nur müssen die Kriegsgefangenen, die hier in der Umgebung in Lagern waren oder auf den Bauernhöfen als Arbeiter, in den Steinbruch führen, damit daß die das sehen sollten, also den Toten, nicht die Hinrichtung».

Das stimmt, denn einer dieser damals von Stackmann dorthin geführten Polen, der bei Kriegsende die Tochter seiner deutschen Wirtsleute geheiratet hat und deshalb in

Brombach blieb, statt nach Polen heimzukehren, hat mir gestern ebenfalls erzählt, Stackmann habe sie, die Gefangenen, erst hinausgeführt, als der Kamerad schon hing.

«Vadder» können wir erst morgen mittag befragen, denn er kränkelt, daher er schon zu Bett ging. Ich sage, er sei doch wohl kaum wegen der Polen-Geschichte nach dem Ende Hitlers eingelocht – sondern automatisch wie jeder SA-Führer und Polizei-Wachtmeister verhaftet worden von der Besatzungsmacht. Das gibt der Sohn zu: «Ja, die haben ja alle Polizisten weggeholt und unser Vadder kam auch nur als Zeuge in den Prozeß, den die Franzosen gegen den Ortsgruppenleiter Zinngruber angestrengt haben.» Das weiß ich von Zinngruber selbst, auch aus den Akten, die der mir gab. Da der Polizist bei Kriegsende «ohne Bezüge» drei Jahre lang eingesperrt war; und der damals sehr kümmerliche landwirtschaftliche . . . «Betrieb» kann man gar nicht sagen; da seine paar Felder Frau und Söhne in diesen Jahren nicht zu ernähren vermochten, so haben seine Jungen bei Bauern um wenig Essen und Geld schuften müssen – «und seitdem bin ich nie mehr gesund geworden», sagt heute dieser Sohn, der in der Tat erschreckend krank aussieht, auch um viele Jahre älter als er ist . . . Man muß den Leuten Gelegenheit geben, ihre eigenen Schicksale in die Recherchen für eine solche Erzählung einzubringen, um sie überhaupt, diese sehr widerwillig darüber Sprechenden, zum Erzählen zu verlocken. Es hat da keinen Sinn, zu kontern, zu korrigieren, Maßstäbe zurechtzurücken, wo ja die Leute durchaus ihre eigenen nicht nur haben, unverrückbar feste, sondern sie auch einbringen wollen ins Gespräch. Würde man einwenden, daß immerhin diese zwei Söhne – den zweiten bekam ich noch nicht zu sehen – ihren Vater nur drei Jahre vermißt haben, statt ihn nunmehr schon dreißig Jahre vermissen zu müssen wie andere Deutsche ihrer Jahrgänge ihren Vater vermissen, weil Vater Stackmann als scharfer Nazi zu Hause bleiben durfte, statt von Hitler auf irgendeinem seiner Schlachtfelder untergerodet zu werden: so brächte man sich nur um die Chance, weitere Studien im Gespräch zu machen. Wieder nur sehr umwegig bringe ich den Bauern – wir reden ja noch immer in seiner angenehm riechenden Reithalle – zu der Geschichte zurück, für die ich Details sammele. Endlich sagt er, «eine Schweinerei» sei das überhaupt gewesen – nicht nur, daß «Vadder» später von den Franzosen geholt wurde. «Fanden denn die Leute im Dorfe das vernünftig, einen wegen Ehebruch aufzuhängen?» frage ich. Nein – sehr überzeugend und wiederholt bringt er vor, die weitaus meisten – aber man habe ja nicht darüber sprechen sollen, obgleich alle und noch lange sehr aufgeregt darüber geredet hätten – seien dagegen gewesen, den Polen aufzuhängen. Es erleichtert mich, das zu hören. Doch ich habe zu früh aufgeatmet, denn Stackmann setzt hinzu, und seine übergroßen Augen – Augen in einem frühverfallenen, fast skelettmageren Gesicht – leuchten auf, aus der Tiefe befeuert, als er das sagt: «Wenn Sie mich fragen, *beide* hätten aufgehängt gehört – wieso denn die Frau nicht, die war doch mehr schuld als er, die war ja älter und verheiratet!»

Am anderen Mittag bin ich wieder draußen bei den Pferdebauern, um – wie die das abwehrend nennen – ihren Vater «auszunehmen». Der kommt klein, krumm, zögernd, Mitte Siebzig, mißtrauisch, aber nicht ablehnend, in Arbeitskleidung und Gummistiefeln über den gepflegten Hof. Ich habe Glück: es war gestern abend zu spät, als daß der Sohn seinen Vater noch hätte vorwarnen können – und heute früh sprach er ihn auch noch nicht. So ist es eine Überraschung für den alten Mann, daß ich mich berufen kann auf ein langes Gespräch, das ich am

Vorabend mit seinem Sohn über «den Polen da unten» hatte: auch dieser Greis weiß sofort, von welchem Polen ich rede. Seine kalten, glasgrauen Augen werden noch kleiner, aber ausweichen kann er kaum, da ja sein Sohn – diesen Sohn schiebe ich nun ein bißchen infam dauernd vor im Gespräch; so kann der Vater nicht mehr grundsätzlich entkommen, sondern nur korrigierend und kommentierend ergänzen oder auch bestreiten, was der Sohn und was Zinngruber, der «Ortsgruppenleiter», mir erzählten. Es hat den alten Mann zuhörbereit gemacht, daß es ein Komplice und Vorgesetzter aus Hitlers Zeiten war, der mich auch auf ihn hinwies. Ob ich «von einer Zeitung» sei? Es scheint so, er glaubt mir, daß ich Deutscher bin – doch diese Frage beunruhigt ihn ungemein, da mein Begleiter absolut nicht aussieht wie ein Deutscher: ein Medizinstudent aus Basel, der mich auf seiner Vespa herbrachte, aber schweizerisch sieht er auch nicht aus. «Kommen Sie aus Polen?» forscht Stackmann; die Beunruhigung ist körperlich spürbar, die er gegenüber dem schwarzhaarigen Riesen empfindet, der in seinem Armylook aussieht wie ein Partisanenleutnant Titos und dem es, wie so oft, auch jetzt beikommt, seine angeborene Gutmütigkeit durch ein sich verfinsterndes Gesicht zu tarnen, als er Stackmanns Verwirrung auf den Höhepunkt treibt, weil er in reinstem baslerisch-alemannischem Dialekt Auskunft gibt: «Nei, i bi Schwyzer, i läb siit sächzäh Johre z'Basel, frihener han'i z'Züri glebt.»

Stackmann hat vor Entsetzen die Pfeife aus dem Mund genommen, und so wie er mich jetzt ansieht, gibt es keinen Zweifel, welcher Gedanke da nistet in seinem Hirn unter dem schmutzigen Hut: «Das sind Zeiten, in denen sogar Spione schon alemannisch schwätzen!» So ergänze ich, um endlich mit dem Mann weiterzukommen, denn mir fiel ein, daß auch meine Frau gestern abend von

Stackmanns Sohn mißbilligend nach ihrer Herkunft befragt wurde: «Er ist mein Schwager, seine Eltern kamen aus Jugoslawien.»

Das hält der ausgediente «Kriminoaler», wie man unten im Dorf Stackmanns Beruf nennt, auch für keine hinreichende Entschuldigung. Immerhin befreit ihn das jedoch von seiner Befürchtung, aus Polen sei hier jemand aufgetaucht, um Fragen zu stellen. (Mir wurde erst da wieder deutlich, wie unauslotbar tief die Abneigung gegen Menschen aus der Fremde in den Kleinbürgern haust; schon neulich, als zum zweitenmal in der Schweiz an einem Wahlsonntag darüber abgestimmt wurde, ob jährlich zwölf Prozent jener Konjunkturkulis, die da jahrelang gearbeitet haben, hinausgeworfen werden sollen, bestätigte sich erneut, was die Marxisten so ungern hören: daß es die Arbeiter sind, nicht die Wohlhabenden, die keinen Funken Mitgefühl, Sympathie, internationale Solidarität gegenüber armen Ausländern empfinden! Denn obgleich es in der glücklichen Schweiz fast keine Arbeitslosen gibt – stimmten bis zu neunzig und mehr Prozent in den Arbeiter- und Kleinrentner-Wohnvierteln gegen die Fremden, die nur deshalb – aber bei weitem nicht alle – dennoch bleiben dürfen, weil in den Wohnquartieren des Mittelstands und besonders der Reichen höchstens fünfzehn Prozent das Abschieben in deren Heimat auf dem Wahlzettel verlangten! Gewiß: es sind die Reichen, nicht die Arbeiter, die an der Mitarbeit der Fremden verdienen – doch schließlich sind es die Arbeiter, die es den Fremden verdanken, daß jede Dreckarbeit jetzt von denen, nicht mehr von ihnen gemacht werden muß!)

Stackmanns Reaktion auf diesen Slawen, der mich zu ihm gefahren hat, offenbart die Tiefe der Kluft, ja des Widerwillens, die selbst heute noch, im Zeitalter des Auslands-Tourismus, überall den Eingeborenen von den Fremden trennt. Wie erst muß dieser Widerwille ins Brutale, ins Herrschsüchtige gesteigert gewesen sein im Krieg, als Gesetze jeden Stackmann, sofern er nur ein Deutscher war, nicht einmal ein Nazi, mit Macht-«Befugnissen» über rechtlos herbeigetriebene Angehörige jener Völker ausstatteten, die Hitler unter seinen Stiefeln hatte!

Aber daß nun mein Schwager alle seine Fragen im Basel-Wiesenthal-Dialekt stellt, wird endlich sogar hilfreich, denn auch Stackmann spricht ihn und spricht ihn so untermischt mit Bauernplatt, daß ich zuweilen Mühe habe – ich spreche nur hessisches Bäurisch –, ihn zu verstehen.

Stasiek Zasadas Tragödie regt noch heute den ausgedienten Nazi-Polizisten auf, denn sie erinnert ihn – und nur deshalb regt sie ihn auf – an eine scharfgeführte Auseinandersetzung mit dem Lörracher Gestapochef Karl Mayer. Mayer, den ich nicht mehr befragen kann, weil er sich bei der Besetzung Lörrachs durch die Franzosen mit einem Gestapo-Kollegen auf dem Lörracher Friedhof erschossen haben soll, verhaftete den Polen mittags am 30. April 1941 und nahm ihn mit nach Lörrach. Doch kam Mayer alsbald nach Brombach zurück, um drohend Stackmann vorzuhalten, der habe versäumt, von Zasada unterschreiben zu lassen, daß auch er wie alle anderen polnischen Gefangenen, ehe sie zur Arbeit auf die einzelnen Gehöfte entlassen wurden, darauf hingewiesen worden sei, man werde ihn aufhängen, wenn er mit einer Deutschen schlafe.

«Das kann übel ausgehen für dich!» habe Mayer Stackmann angedroht. Und wie der das heute erzählt, verwandelt es ihn: alles Karge, Zurückhaltende ist weg – er spricht mit Temperament, ja mit erneut aufsteigendem Ärger. Jetzt noch gekränkt, daß Karl Mayer vor fast vierzig Jahren – «ich hab ihm gesprochen, wie red'ste denn mit mir, du bist nicht mein Vorgesetzter» – den Aussagen dieses Polen auch nur eine Minute geglaubt – und es für möglich gehalten hat, er, Stackmann, habe es versäumt, auch von diesem Polen sich schriftlich bestätigen zu lassen, daß er mit Androhung der Todesstrafe zur Kenntnis genommen habe, er dürfe mit keiner Deutschen schlafen! Und Stackmann sagt nicht nur, er macht es sogar vor – wie er Mayer auf dem Brombacher Rathaus die Mappe hinwarf auf den Tisch, damit der selber sich die Unterschrift Zasadas heraussuche aus der Unterschriften-Sammlung der Polen, die ausnahmslos unterschrieben hatten, sie seien gewarnt worden. Stackmann hat sich erregt. Er kommt noch lange davon nicht los – um so weniger, als er zugeben muß, daß Karl Mayer ein sonst so vernünftiger und sehr tüchtiger Kollege gewesen sei! Ausgerechnet der aber hielt Stackmann des schlimmsten für fähig, was überhaupt jemand ihm anhängen kann: einer Unordnung! Als habe er nicht die Unterschriften jedes einzelnen der Polen sauber abgeheftet gehabt! Er hatte den Polen vorher eine Rede gehalten; er hatte auf der Treppe des Brombacher Rathauses gestanden, die Gefangenen unter sich, und ihnen gesagt, sie würden aufgehängt, wenn sie . . . «Und was glauben Sie, da haben welche gelacht. Da gibt's nichts zu lachen, hab ich gerufen – ja, und da gab's auch nichts zu lachen. Ein Jahr später standen sie alle wieder da, an der gleichen Stelle – und haben gewartet, bis daß ich sie hinführte, wo der eine hing, der nicht mehr da stand . . . und der ein Jahr vorher wahrscheinlich auch gelacht hat . . .»

Stackmanns Genugtuung ist heute unverkennbar: daß erstens Ordnung war in seinen Polizei-Papieren; und daß zweitens Polen, die über eine deutsche Verordnung gelacht hatten, so furchtbar belehrt worden waren, daß man nicht zu lachen hat über einen Polizisten! «Da haben die nicht mehr gelacht», faßt er zusammen, im Innersten beruhigt, daß die Weltordnung ein solches Lachen über ihn nicht ungesühnt gelassen hat. Im übrigen habe er viel getan für die Polen; er hat immer wieder dafür gesorgt und darum auch mit Lörracher Ämtern gekämpft, daß «die gutes Schuhwerk hatten»! Auch immer «ordentliche Kleidung», denn die liefen ja frei herum im Dorf; bis abends um neun, wenn sie eingeschlossen wurden oder sich auf ihren Zimmern bei den Bauern aufzuhalten hatten, sollten sie «ordentlich» aussehen . . .

Wir stehen zu dritt auf dem Hof seiner Söhne. Jetzt aber rennt laut rufend eine rote, runde Frau herbei, sie schreit fast und schon von weitem: «Hier wird nicht spijeniert bei unsn Opa!» Es ist die Schwiegertochter, die uns vom Stall aus gesehen; und die «bis obenhin satt hat, dauernd mit diesen alten Schweinereien» wieder behelligt zu werden. «Das war damals schlimm genug!» Ich sage, sie sei doch viel zu jung, um davon etwas wissen zu können – sie lacht: so jung nun auch wieder nicht, was ich denn dächte, wie jung sie sei! Ihren Mann – den kranken Sohn – habe das damals unheilbar gemacht, daß der Opa jahrelang von den Franzosen eingesperrt worden war. Und wozu überhaupt heute «diese Geschichte aufwärmen – ich meine, der hat ja gewußt, was ihm blüht, warum hat der sich denn eingelassen mit der Frau, also die Frau war ja noch schlimmer als er, weil die älter war!»

Doch diese alte Geschichte – «wofür soll denn das gut sein, die aufzuwärmen, guck doch mal lieber, was alles heute passiert mit den Terroristen, die gehörten einen Kopp kürzer gemacht und aufgehängt . . .»

Mein Schwager gibt zu bedenken, aufhängen werde schwierig, wenn der Kopf schon ab sei. Doch der Volksmund ist da nicht kleinlich. Stackmann wehrt die Heftigkeit seiner Schwiegertochter ab, denn längst führt er das Gespräch mit uns nicht mehr ohne gedächtnisselige Genugtuung. Ist es doch eine Erinnerung an seine große Zeit! An Jahre, da viele stramm standen, wenn sie ihn kommen sahen, und den Arm hochrissen. Obgleich das mit der Geschichte des Polen nichts zu tun hat, erwähnt er oft, daß er keineswegs nur der führende Polizist der Gemeinde war, sondern auch ihr führender SA-Chef . . .

Das Problem: Junge Männer, die zehn Stunden und länger arbeiten im Dunstkreis von Frauen, deren Männer man zur Armee zwangsrekrutiert hat, in den Häusern dieser Frauen jahrelang mit denen einzuschließen – doch sie aufzuhängen, wenn sie diese Frauen anfassen oder angefaßt werden von denen: sieht Stackmann durchaus, wenn man es ihm heute vorhält. Sagt auch, sicher ehrlich, daß keiner die Natur mit der Mistgabel austreiben kann – und doch käme ihm, wäre er selber auch gänzlich unbeteiligt gewesen an diesem Staat und nicht einer seiner strikten Durchführer auf der Basis, niemals der Gedanke, das Unrecht sei bei diesem Staat – nicht: bei den Eingesperrten gewesen! Denn schließlich hat ja der Staat «denen vorher gesprochen, was ihnen passiert, wenn die sich drüber wegsetzen über so 'ne Verordnung». Da die Erhängung angedroht war – war sie auch gesetzlich. Wie aber könnte etwas Unrecht sein, wenn es gesetzlich ist? Daß damals die Gesetze *von* Verbrechern, nicht gegen Verbrecher gemacht wurden: das könnte dieser sein Leben lang zum Beamten Abgerichtete nicht einmal *nach*denken, wenn man es ihm *vor*spräche . . .

Auch die Schwiegertochter wird ruhiger, als sie hört, der Altbürgermeister und Ortsgruppenleiter habe uns geraten, zu Stackmann zu gehen, weil Stackmann, wie ich gleich versichere, ja *nicht* – im Gegensatz zu Zinngruber – verwickelt gewesen sei in die Erhängung Zasadas. «Das muß aber auch gesprochen werden, wenn sie das in der Zeitung schreiben, daß unse Opa gar nichts damit zu tun hatte; der hat doch nur müssen absperren am Steinbruch –»

Er dementiert entschieden: «Das habe ich nicht, ich hatte an dem Tag Wichtigeres zu tun, ich mußte von allerwärts –»

Und wieder erzählte er, alle Polen von weit und breit, auch Franzosen, die als Gefangene in der Umgebung saßen, seien frühmorgens nach Brombach marschiert, um dann von ihm an dem Gehängten vorbeigeführt zu werden.

Ich sage, als sei damit auch moralisch gerechtfertigt, daß Hunderte von Schaulustigen ringsum auf den Hängen und Rainen standen: «Abzusperren war das ja gar nicht, man sieht doch von allen vier Seiten hinein in den Steinbruch.» Das besänftigt, als hätte ich irgendeine entscheidende, entschuldigende Aussage vorgebracht. Die Stunde der Hinrichtung, morgens gegen elf, war Tage vorher oder am Vortage – das fand ich nicht heraus – im Ort bekanntgemacht worden. Die Frau, unsere Putzfrau, die mir zuerst erzählt hat davon, sagte, Zasada habe zuletzt «Mutter!» gerufen. Stackmann will davon nichts gehört haben, auch damals nicht. Doch andere Frauen bestätigen mir diese Aussage. «Frauen», beharrt Stackmann, «waren da gar nicht dabei.»

Wenn er das weiß, dann war er dabei.

Warum ich denn ausgerechnet nach Brombach komme, fragt nun auch er: «Solche Geschichten sind doch allerwärts passiert, in Grenzach auch und in Wehrethal . . .» Ich gebe zu, davon gehört zu haben: daß dort eine Munitionsfabrik war, in der Russen und Polen gearbeitet – und zuweilen mit einer Deutschen geschlafen hätten und aufgehängt worden seien . . .

Wir danken, als hätten wir einen Korb Kirschen gekauft. Und wie er da steht, als wir wieder zu unserer Vespa gehen – sehe ich unvermittelt, wie ich mich umdrehe und auf ihn zurückblicke, seine große Ähnlichkeit mit dem Polizisten, der vor fast vierzig Jahren den Polen angedroht hat: wer wegsähe, wer sich etwa erdreiste, nicht hinzuschauen auf den gehängten Kameraden – der werde daneben gehängt!

11
Zwei Piloten, zwei Marschälle

«Generaloberst Kluck . . . glaubte . . . der Warnung nicht, daß sich französische Truppen vor seiner Flanke sammelten . . . Da er annahm, daß die deutschen Armeen allseitig im siegreichen Vorgehen seien – die Deutschen hatten die Gewohnheit, ihren eigenen Kommuniques Glauben zu schenken –, kam ihm gar nicht der Gedanke, daß der Feind noch Kräfte freihaben könne, um seine Flanke zu bedrohen.»

Barbara W. Tuchman: «August 1914»

Hitlers Krieg war noch keinen Monat alt, doch britische Blenheim-Bomber flogen nachts schon vereinzelt nach Deutschland – da wurde der erst fünfundzwanzigjährige Staffelkapitän einer Nachtjagdstaffel ins Berliner Luftfahrtministerium beordert, um an einer Besprechung über die Verbesserung der Nachtjagd teilzunehmen. Dieser Johannes Steinhoff (später in Bonn einer der Chefs der Nachkriegs-Bundeswehr) hat 1969, pensioniert als hochdekorierter und schwer verwundet gewesener General, berichtet, wie Hitlers Luftwaffen-Chef Göring diese Besprechung geleitet hat. Steinhoff war deren jüngster Teilnehmer, eingeladen nur deshalb, weil er als einziger in diesem Kreis neue Fronterfahrungen mitbrachte, während die anderen wenigen Anwesenden, außer den Stenografen ausnahmslos Generale oder Generalstäbler, nicht mehr im Zweiten, sondern allenfalls im Ersten Weltkrieg gekämpft hatten. «Das Konferenzzimmer . . . legte Zeugnis ab von der Vorliebe des Marschalls für Eichenholz, deftiges Leder und imposante Dimensionen des Mobiliars», schreibt Steinhoff. «Die helle Holztäfelung reichte bis zur Decke, von der ein gewaltiger Lüster in Form eines Wagenrads herabhing. Die eichene Tafel war von Stühlen umstanden, deren Sitz und Lehne mit hellem Rindleder gepolstert waren, und am Kopfende des Tisches ragte eine besondere Spezies von einem Stuhl heraus, der wahrhaft germanische Ausmaße hatte. Das war der Platz Görings. Ein Paneel der Holztäfelung öffnete sich, und er trat ein. Er trug eine weiße Uniform, und während er sich in dem riesigen Armstuhl zurechtsetzte, zündete er sich eine von den langen Virginia-Zigarren an, wie sie in Österreich geraucht werden. Dann begann er zu reden. Er sprach . . . über das Versagen der Nachtjäger und der Flak. Damals gab es noch keine Funkmeßgeräte, weder für uns noch für die Flak . . . Es sei blamabel, daß die Blenheims ungehindert über dem Reich spazierenflögen, meinte er. Er redete sich richtig in Zorn hinein, und plötzlich war er bei den Luftkämpfen in Flandern (1917) und der großen Zeit . . . unter dem Freiherrn von Richthofen. Er hob die Hände und zeigte die Taktik des Angriffs von unten . . . Seine Sprache war plastisch . . . Aber allmählich kam in mir ein Gefühl bitterer Enttäuschung auf . . . Dieser Mann hat keine Vorstellung vom heutigen Luftkrieg, ging es mir durch den Kopf. Er lebt in der Vergangenheit und kennt seine Luftwaffe nicht.»

Vielleicht, da Göring selber noch nicht alt, sondern erst 46 war, vermutlich auch, weil er sich einbildete, nach Berlin deshalb als sehr junger Mann beordert worden zu sein, weil er hier im Kreise der einzige war, der im Zweiten Weltkrieg gekämpft hatte, dachte Steinhoff, ein Wort der Korrektur, der Ernüchterung anbringen zu sollen. Das war seine letzte Illusion. Er berichtet: «Der Drang, ihn zu unterbrechen und etwas aus der Praxis zu erzählen, wurde übermächtig. Als er kurz pausierte, um die Virginia wieder anzuzünden, hob ich den Finger. Im gleichen Augenblick aber erschrak ich, denn die Gesichter der Generale, die sich mir wie auf Kommando zuwandten, drückten deutlich Kritik ob meiner Keckheit aus . . . Göring hob die Virginia gegen mich, was eine Worterteilung bedeutete. Ich stand auf und begann zu sprechen . . . wie schwierig es sei, den Feind aufzuspüren, der mit guten Navigationsmitteln bei schlechtem Wetter und in großen Höhen einflog . . . Wir aber hätten keine Möglichkeit zur Navigation im Wetter und könnten damit unsere Aufgabe nicht erfüllen. Was wir brauchten, seien bessere Navigationsmittel in unseren Flugzeugen und neue Methoden, den Gegner bei Dunkelheit zunächst einmal zu orten. Ich sprach knapp und, wie ich meinte, überzeugend. Es war ja auch ganz klar, und wenn jemand wußte, wie die Nachtjagd damals gemacht werden mußte, war schließlich ich es.

Als Göring die Virginia aus dem Mund nahm, um den wohlgesetzten Fluß meiner Rede zu unterbrechen, standen in seinem Gesicht keine Zeichen des Zornes, eher der Belustigung. ‹Setzen Sie sich›, sagte er wie zu einem Primaner, ‹setzen Sie sich auf Ihren kleinen Popo, junger Mann. Sie müssen noch viel Erfahrung sammeln, ehe Sie hier mitreden können.›

Damit wandte er sich an einen General seines Führungsstabes und beachtete mich nicht mehr.»

Das ist eine ebenso traurige wie deutsche Geschichte, die belegt, wie schon 1939 jene Gruppe deutscher Staatsbürger, der die Hauptschuld an der Massakrierung Europas durch Hitler zufällt, die Generale, sich entsetzte, wenn ein Frontoffizier ein Wort der Kritik vorbrachte gegen einen jener Obernazis – Göring –, denen diese Generale nach Hitlers verlorenem Krieg alle Schuld sogar auf militärischem Sektor zuzuschieben versuchten. Und sogar Udet hatte dem jungen Steinhoff zugehört! Udet trug den hochdekorativen Titel eines Generalluftzeugmeisters und hat sich alsbald erschossen wegen seiner Fehlplanungen deutscher Flugzeuge, zum Beispiel dem Mangel an Bombern . . .

Marias Mann, der Flugzeugführer, hat, bevor ihn dann eine Spitfire herunterholte, noch zweimal an der Kanalküste den Reichsmarschall Hermann Göring gesehen. Beim letztenmal sagte er zu einem Kameraden: «Der Dicke kommt gar nicht nach Frankreich, um die Front zu besuchen, sondern –» Der noch aggressivere Kamerad unterbrach ihn: «Die Front? – die Front ist ja auch nicht in Frankreich! Göring besucht höchstens uns Rückkehrer von der Front, solange unsereiner noch zurückkehrt –»

Marias Mann beendete seinen Satz: «– der kommt, um

Gemälde und Antiquitäten zu stehlen. Unglaublich, aber ich weiß genau, daß es eigens dafür jetzt einen sogenannten ‹Einsatzstab Göring› gibt!»

Beide hatten nötig, Wut abzulassen, ehe sie einschlafen konnten an diesem frühen Herbstabend 1940, an dem zum erstenmal nahezu fünfzig deutsche Maschinen nicht aus London heimgekehrt waren, sogar nur vom ersten, vom Spätnachmittag-Einsatz.

Wie viele genau fehlten, das war selbst von den Flugzeugbesatzungen nicht auszukundschaften, denn die Einsätze wurden von verschiedenen Horsten gestartet . . . Marias Mann fügte hinzu mit Blick auf Göring, der hundert Meter entfernt bei Sperrle stand; einglasverzerrt schrie ihm der etwas ins Ohr, denn noch immer landeten dröhnend und jaulend nachzüglernde Maschinen: «Muß denn der Dicke, um Gemälde auszusuchen, zu blauen Breecheshosen bordeauxrote Stiefel und goldene Anschnallsporen tragen?»

Der Freund sagte kein bißchen amüsiert: «Nun gönn ihm doch die goldenen Sporen! Er hat ja noch keinen einzigen Orden, den er an seinen Stiefeln befestigen könnte.» Marias Mann lachte, aber gequält: «Sporen eines Luftmarschalls: das Pferd möcht ich nicht sein, das *den* schleppen muß!»

Im Wegschlendern, der Unterkunft zu – ihr Weggehen hatte wenigstens für sie etwas Demonstratives; die meisten blieben, um den hohen Herren zuzuschauen, die ja nicht oft so nahe zu sehen waren –, sagte der Kamerad: «Wir sind aber zweie von den Pferden, die ihn schleppen müssen oder seine Equipage ziehen: bis zur Siegesparade am Trafalgar Square!»

«Und du siehst genauso aus, als würdest du glauben, was du sagst!» schloß Marias Mann, ohne die Spur eines Lächelns. Er ging rascher und fügte noch an: «Ich muß jetzt duschen – meinen Angstschweiß wegduschen und schlafen.»

Nur notgedrungen reflektierte er; nur dann, wenn er nichts tun konnte, als seine Erschöpfung wahrnehmen, ohne schon wahrzunehmen, daß ihr Ent-Täuschung mehr als die körperliche Anstrengung zugrunde lag: was sollten diese Angriffe, denen sie aufgeopfert wurden, ohne daß die am Kriegsverlauf – so viel war ihm und jedem klar, der mit rüberflog – etwas ändern konnten! Gewiß, England hat eine erschreckende Flotte, Skandinavien hatte überhaupt keine gehabt – und dennoch: was würde es genutzt haben, Kopenhagen und Oslo zu bomben? Man mußte landen dort, um die Länder zu kriegen, und wenn man nicht landen konnte in England, und danach begann es auszusehen: dann mußte man sich etwas anderes einfallen lassen, aber doch nicht das, was sie da dreimal täglich-nächtlich versuchten: Bomben in ein Häusermeer zu schmeißen, das zweieinhalbmal so viele Bewohner hatte wie Berlin! Was sollte das?

Auch wenn Not und Angst ihn zwangen, nachzudenken, konnte er Gedanken nur an Einzelheiten heften, die direkt sein Leben bestimmten. Denn vom Allgemeinen wußte er nicht nur nichts, er lehnte auch ab, sich darauf einzulassen, weil er ein zu solider, sachbezogener Handwerker war, um sich nur quatschend zu beschäftigen mit Dingen, von denen er nichts verstand. Das konnte er sich aber nur leisten, solange er denen vertraute, die für ihn dachten. Doch jetzt: was dachten die zwei Dicken da am Rande der Piste, Göring und Sperrle? Wie sie zu ihnen redeten, wenn sie Ansprachen hielten, Tagesbefehle herausposaunten, das ließ darauf schließen, daß ihr Zweckoptimismus nicht auf Unkenntnis, sondern auf Wegsehen gegründet war . . . Sind diese zwei sogenannte «Männer, die Geschichte machen»? Oder nur solche, mit denen man sie macht? dachte er hilflos. Er hatte nie seit seinen Volksschülertagen ein Buch gelesen, das Geschichte auch nur berührt hätte. Und da er aus einer Eisenbahner-Familie stammte, beide Großväter waren Lokführer gewesen, so konnte er plötzlich den unaussprechlich ketzerischen Gedanken nicht länger unterdrücken: Lokführer müssen gelernt haben, was sie arbeiten; auch ich mußte als Schlosser lernen, womit ich mein Brot verdienen sollte in Friedenszeiten: wo lernt eigentlich ein Politiker, ein Stratege? Die zwei mit den lächerlichen Marschallstäben da an der Piste, der eine war Jagdflieger vor zwanzig Jahren, der andere Heeresoffizier: woher könnten die wissen, wie man eine Acht- bis Zehn-Millionen-Einwohner-Stadt zur Kapitulation zwingt? Wo erlernen überhaupt Politiker die Fachgebiete, denen sie als Minister vorstehen? Minister – ist der einzige Job, zu dem man keine Vorbildung braucht; doch würde das einer laut sagen, er würde geköpft! Ich weiß doch, ungefähr jedenfalls, wie hoch der Schwund an Maschinen und wie gering der Nachschub ist – zwar nicht an Flugzeugen, doch an ausgebildeten Besatzungen. Und schon allein deshalb weiß ich, unsere Offensive gegen London *kann* zum Ziel nicht führen! Und da ich das weiß wie jeder, der mitfliegt, so weiß das natürlich längst auch Göring; und *der* würde doch nicht erschossen, wenn er dem Führer das sagte! Aber würde denn jeder erschossen – zum Beispiel Sperrle –, der Göring fragen würde, warum er das Hitler nicht sagt? Bestimmt nicht . . . Sperrle riskierte also buchstäblich nichts, wenn er empfehlen würde, eine Schlacht abzubrechen, die nicht gewonnen werden kann?

Er starrte zur Decke; dann suchte er gewaltsam an seine Freundin in Antwerpen zu denken, um schlafen zu können – er *mußte* jetzt einschlafen, denn in sechs Stunden sollte er ja wieder nach London!

Der arme Soldat: zwei Tage später fraßen bereits Fische im Kanal an seiner halbverkohlten Leiche . . . Er war glücklicherweise aber gefallen, bevor er die Absurdität seines Hingeopfertwerdens völlig durchschaut hatte. Immerhin: eine Ahnung davon hatte ihn bereits angekrankt! Natürlich hatte er nie den Namen Hegel gehört: das wenigstens war ihm erspart geblieben, beschwerte doch dieser staatsgetreue «Philosoph» – Freund der Weisheit heißt das, doch Hegel war nur ein Freund der Macht – die Namenlosen mit der sie entwürdigenden Einsicht, daß erst die führenden Repräsentanten einer Epoche ihren Untertanen und Mitläufern verdeutlichen, was die Zeit will und was deshalb auch die Zeitgenossen zu wollen haben. Und was die sogar – und das ist so entsetzlich – dann auch wirklich wollen in ihrer mitreißenden, weil mitgerissenen Mehrheit! Und daß sie ihre Gehorsamlust genießen, als täten sie aus freiem Willen, was sie nur, ohne das zu ahnen, einem anderen zu willen tun, der sie dabei umbringen wird! Sich das vorzustellen, da es leider ja nicht zu leugnen ist: daß Millionen deutscher Soldaten, die dann umkamen, nur deshalb irgendwo hinwollten, weil Hitler dorthin wollte! Und daß sehr viele dieser Soldaten ohne Hitlers Willen, den er auf sie übertrug, selber keinen gehabt hätten; und daß er seinen Willen keineswegs im Zwangsverfahren auf die weitaus meisten – auf manche schon, auf einzelne – übertrug, sondern durch Appelle an ihre Gehorsamslust! Sehr böse, doch wahr, hat Hegel formuliert: «Wer das *denkt*, was die anderen nur *sind*, ist ihre Macht.»

Nun hoffe keiner, Gebildete, sogar historisch Erfahrene seien weniger anfällig für die Orgasmen politischer Veitstänze: sie unterscheiden sich von hirnlosen Mitschreiern nur durch ihr Bedürfnis, sich intellektuell zu begründen, warum sie mitmachen! Hegel und Beethoven im Taumel des Enthusiasmus für Bonaparte sind eindrucksvolle Zeugen, daß Mitläuferschaft an keine Klasse, an keinen Bildungsgrad gebunden ist . . . Hölderlin hat sich nicht geniert, Napoleon schriftlich den «Herrlichsten» zu nennen!

Was hätte es ihm geholfen, hätte Marias Mann auch noch begriffen, für wessen Wahnsinn er auf London gehetzt wurde, um daran zu sterben, nachdem er Londoner – wer weiß, wie viele – durch seine Bomben umgebracht hatte! Ja, daß bereits seit vollen vier Wochen, seit dem 17. 9., als Hitler seine Landungsträume beerdigt hatte, die Deutschen nur deshalb in Flügen nach Großbritannien noch hingeopfert wurden, um den Abzug der Wehrmacht aus Frankreich nach Osten zu tarnen, ihre Umgruppierung zur Vorbereitung der Invasion Rußlands! Und was wußte dieser Flugzeugführer von Göring, dessen fürchterliche Popularität noch 1943 sogar die ironischen Berliner dazu aufstachelte, ihm kumpelhaft zuzujubeln, als er sich zum letztenmal getraute, im offenen Wagen durch die von ihm verschuldeten Trümmer zerbombter Straßen zu fahren? Manche riefen auch «Meyer!», ohne daß einer sie aufgriff oder das auch nur als Beleidigung empfand – nein: es war die Solidarität mit dem geschlagenen Gangster auch noch in diesem Zuruf; bekanntlich hat Göring bei Kriegsbeginn angegeben, er lasse sich Meyer taufen, wenn auch nur ein einziges feindliches Bomberflugzeug es fertigbringe, eine deutsche Stadt anzugreifen. Warum jubeln Menschen selbst jenen zu, die längst aus jeder Familie eines Volkes – von den Familien sogenannter «feindlicher» Nachbarvölker gar nicht zu reden – einen oder mehrere abkommandiert haben in den Tod? «Wenn ich mir die Geschichte der europäischen Völker vergegenwärtige, so finde ich kein Beispiel, daß eine ehrliche und hingebende Pflege des friedlichen Gedeihens der Völker für das Gefühl der letzteren eine stärkere Anziehungskraft gehabt hätte als kriegerischer Ruhm, gewonnene Schlachten und Eroberungen selbst widerstrebender Landstriche», schrieb einer, der selber drei Kriege geführt und zwei davon verschuldet hat, Bismarck. Und fügte fast verächtlich, jedenfalls staunend hinzu: «Karl XII. hat seine Schweden eigensinnig dem Niedergange ihrer Machtstellung entgegengeführt, und dennoch findet man sein Bild in den schwedischen Bauernhäusern als Symbol des schwedischen Ruhmes häufiger als das Gustav Adolfs . . . Ludwig XIV. und Napoleon, deren Kriege die Nation ruinierten und mit wenig Erfolg abschlossen, sind der Stolz der Franzosen geblieben.»

Was Bismarck mit Widerwillen feststellte, hat Hegel bejaht, obgleich er natürlich wußte, daß «seit dem Jahre 1793 (bis 1812) mehr als drei Millionen Franzosen unter die Fahnen gerufen und die Mehrzahl davon im Kriege umgekommen» war; und daß zuletzt die zwangsrekrutierten Franzosen so lange in Ketten aneinandergefesselt hatten marschieren müssen, bis sie vom französischen Boden entfernt waren: dann «durften» sie entkettet aufs Hackbrett, aufs Schlachtfeld, einfach deshalb, weil im Ausland diese Unglücklichen derart verhaßt waren, allein aufgrund ihrer französischen Staatsbürgerschaft, daß niemand ihnen bei Fahnenflucht Unterschlupf gewährt hätte! Hegel schwärmte in einem Brief 1806, also immerhin noch in Unkenntnis, daß sechs Jahre später Napoleon «seine» Große Armee in russischem Schnee im Stich und zugrunde gehen ließ: «Den Kaiser, dieser Weltseele, sah ich durch die Stadt zum Rekognoszieren hinausreiten; es ist in der Tat eine wunderbare Empfindung, ein solches Individuum zu sehen, das hier auf einen Punkt konzentriert, auf einem Pferde sitzend, über die Welt übergreift und sie beherrscht.»

Was einem «Philosophen», nur da es wirklich so war, auch schon «vernünftig» erschien! Dazu paßt, daß dieser Mann, der selber natürlich nie eine Kugel pfeifen hörte, wenn er Volk schrieb, weil das Wort Menschen-Material noch nicht erfunden war, dieses Wort verächtlich in Anführungsstriche setzte: «Das ‹Volk› ist der Teil des Staates, der nicht weiß, was er will.»

So dachte auch Hitler und ging mit ihm um, mit diesem Teil, als habe er bei Hegel studiert, was man damit machen dürfe. Da ist es fast noch trostreich, wenn ein Zwangsrekrutierter, der Gefreite Dr. Felix Hartlaub, seinem Vater schrieb – das irrtümlich *bedauernd*: «Niemand weiß und begreift weniger von der eigenen Zeit als die Zeitgenossen. Mir selbst geht es wenigstens so, man bleibt in einer so beschämenden Weise in den eigenen Umriß gebannt. Man müßte viel aufschreiben, denn andere als private persönliche Quellen werden später kaum vorhanden sein und gelten.» Der historisch so bewanderte Gefreite – vermißt seit den letzten Kämpfen um Berlin – rechnet sich hier allzu bescheiden selber zu denen, die nicht wissen, was «man» mit ihnen anstellt.

Wenn es der kluge, unbekannte Hartlaub als «beschämend» empfand, in den eigenen Umriß gebannt und so ahnungslos als Zeitgenosse zu sein: der hochgestellte Göring, der sich eine ganze Schwemme auch ausländischer Informationen hätte zunutze machen können, hat das nicht einmal geahnt! Während er sich, Frankreich als Piste gegen Großbritannien benutzend, am Vorabend des Sieges wähnte, tanzte er längst nur mehr nach der Pfeife seines Gegenspielers im feindlichen Lager.

Die kaum artikulierte Befürchtung von Marias Mann, Göring habe keine Ahnung, wie England zu besiegen sei, da er das «nirgends gelernt hatte», wie der sichere handwerkliche Instinkt diesem Schlosser einflüsterte: sie drängt die Frage wieder nach vorn, wieso Göring überhaupt dahin gelangt war, Schicksal für Millionen spielen, Befehle an Hunderttausende ausgeben zu dürfen, deren Opfer Ungezählte wurden! Fünf Jahre, nachdem die Jäger der Royal Air Force aus diesem pompösen, nur 47jährigen Ballon an der Seite Hitlers die Luft herausgeschossen hatten, vereint mit der List und der Hartnackigkeit Winston Churchills, dessen Reden 1940 – im Sinne Hegels – für die Londoner artikuliert hatten, was die zu wollen hätten und was sie daher auch tatsächlich wollten und was mit ihnen die ganze Welt außerhalb des faschistischen Zuchthauses wollte, nämlich Widerstand um jeden Preis gegen Hitler –, fünf Jahre später besuchten, getrennt voneinander, zwei amerikanische Psychiater den Angeklagten Göring in seiner Nürnberger Zelle. Sie besuchten ihn oft, monatelang. Und stellten ihm beide die Frage, warum er 1922 in Hitlers Partei, anstatt in eine andere, eingetreten sei. Die Antwort war verblüffend simpel. Die Banalität noch nicht einmal des Bösen, sondern nur der Karriere-Sucht, zu der jedermann das Recht hat, war Görings einziger Wegweiser gewesen! Bevor er sich Hitler zugesellte, war Göring einer der sehr wenigen überlebenden Jagdflieger des Ersten Weltkrieges, die des Kaisers höchsten Orden, den Pour le Mérite, erlangt hatten; Göring war berühmt als letzter Kommandeur des legendären Jagdgeschwaders Richthofen. Das brachte ihm in der Republik nur eine sehr kümmerliche Rente ein; es gab ja auch keinen Grund, einem Fünfundzwanzigjährigen die Pflicht abzunehmen, sein Brot selber zu verdienen, was jedoch in diesen Jahren bei großer Arbeitslosigkeit schwierig war für einen aus der Armee Entlassenen, der nichts außer Soldatsein gelernt hatte. So hat Überzeugungskraft, was Göring in der Zelle dem amerikanischen Arzt Dr. Kelley, der ihn übrigens für den intelligen testen der inhaftierten Ausrottungs-Komplicen hielt, als Grund für seine Anhängerschaft an Hitler angab: «Ich wollte dazu beitragen, daß die Republik vernichtet wurde, und hoffte dabei, vielleicht der Herrscher des neuen Reiches zu werden. Hören Sie, die Sache spielte sich folgendermaßen ab. Um diese Zeit gab es fünfzig Organisationen von Frontkämpfern – nennen Sie die Parteien – in Deutschland. Sie liebten die Regierung nicht. Sie liebten den Friedensvertrag von Versailles nicht. Sie liebten den Frieden nicht – einen Frieden, in dem es für sie keine Arbeit, kein Essen, keine Schuhe gab. Ich wußte, daß der Sturz der Regierung durch diese unzufriedenen Männer bewerkstelligt werden würde. Ich schaute mir daher ihre Parteien an, um festzustellen, welche von ihnen Erfolg versprach. Nachdem ich jede geprüft hatte, entschloß ich mich, der nationalsozialistischen Partei beizutreten. Sie war klein – und das bedeutete, daß ich dort bald ein großer Mann sein konnte.» Und dem Psychiater Gilbert erzählte Göring, auch schon in der Zelle, einem wie lächerlichen Zufall: nämlich einem Rendezvous – es zuzuschreiben sei, daß er 1919 seinen Vorsatz, der Freimaurerloge beizutreten, nicht habe verwirklichen können: «Dann säße ich heute nicht hier!» sagte der Verurteilte zu Recht; denn niemand, der je Freimaurer war, wurde in Hitlers Partei aufgenommen . . . Und doch wurde Göring neben Hitler der meistschuldige der Massenmörder des Dritten Reiches, denn Göring ist es gewesen, der am 31. 7. 41 an Heydrich den Befehl zur «Endlösung» gab, die in die Wege geleitet wurde durch die Deportation aller Juden auch Mittel- und Westeuropas nach geheimzuhaltenden «Zielen» im Osten; denn die begonnene und dann wegen des Protestes der Kirchen und der Bevölkerung abgebrochene Tötung der Geisteskranken hatte die Nazis belehrt, daß im dichtbesiedelten Westeuropa die Mordmaschine nicht geheim arbeiten könne; und daß sie überhaupt geheim nur arbeiten könne, wenn die Familien und Gemeinden als ganzes ins Nichts abtransportiert würden – ohne jeden zurückbleibenden Angehörigen, der Nachforschungen anstellen würde . . . Die Tötung der in Rußland geborenen Juden hatte bereits einen Monat zuvor begonnen, durch jene Einsatzgruppen der SS und Polizei, die den deutschen Heeresgruppen beigegeben waren als eigens dazu geschaffene Mordkommandos.

Die entsetzliche *Beiläufigkeit*, mit der Göring an Hitler geriet und so zahlreiche «Sachgebiete erledigte», weil er sie nicht beherrschte und nichts konnte als das, was er im Ersten Weltkrieg als Jagdflieger hervorragend geleistet hatte, ist charakteristisch auch für diesen furchtbarsten seiner Befehle. Denn Göring war kein Antisemit! Seine Mutter – was er wußte – war viele Jahre die Geliebte eines Juden gewesen und noch 1934 konnte Göring im Berliner Schauspielhaus einer Jüdin, deren Erscheinen auf der Bühne vom Pöbel – weil sie Jüdin war – mit Pfeifen «begrüßt» wurde, derart demonstrativ aus seiner Loge Beifall spenden, daß Wedekinds Witwe, die dem zusah, schrieb: «Göring war damals noch kein Antisemit!» Nein, nur war er der Bedenkenloseste neben Hitler.

Doch Hitler – eine Festellung, keine Entschuldigung – war ein Kranker. Er hatte, im Gegensatz zu Göring, «Motive», wenn auch irrsinnige, für seinen Haß auf Juden. Göring jedoch, der die Juden töten ließ, um seinem Führer zu gehorchen – und zweifellos hat Hitler diesen Befehl an Heydrich deshalb durch Göring erteilen lassen, *weil* er wußte, Göring sei kein Antisemit –, hatte keinen Haß auf Juden, sondern nur die Lust, erstens Hitler zu imponieren durch hundertprozentige Verwendbarkeit, zweitens möglichst viele Kunstwerke aus jüdischem Besitz in seinen persönlichen hinüber zu «arisieren». Göring empfand nicht einmal jenen Haß aus verschmähter Liebe gegen bestimmte Juden, den Goebbels gegen jüdische Redakteure verspürte, die seine eingesandten Manuskripte ungedruckt zurückgeschickt hatten, so daß Goebbels später die jüdischen Pressehäuser «Rotationssynagogen» schimpfte . . .

Da Göring neben Goebbels der eitelste aller Nazis war, so hat er nicht einmal das Format gehabt, wenigstens seinem Besucher Joseph Goebbels einzugestehen, daß er die Battle of Britain verloren habe, obgleich wir unterstellen, daß am 20. Oktober – vier Wochen, nachdem Hitler bereits Konsequenzen aus dem Verlust dieser Schlacht angeordnet hatte – sogar Göring gemerkt haben muß, er habe sie verloren . . . Sicher, freilich, ist nicht, daß er fähig war, das wenigstens sich selber einzugestehen. Belegt dagegen ist, daß er es Goebbels nicht andeutete, als er ihn am 20. 10. als Gast in Sperrles Hauptquartier mitnahm. Ausgeprägter noch als ihre Lust, zu lügen, sogar dort, wo sie unter sich waren, war ihre Großschnauzigkeit, die pausenlose Angeberei, weil sie selber die ersten Opfer ihres Siegerwahns gewesen sind. *Daß* jedoch Joseph Goebbels noch am 20. Oktober ahnungslos zu Göring flog, ist wiederum ein fast unglaublicher Beleg für seine Fähigkeit, nur das zu sehen, was er sehen *wollte* – und in sich selber zuerst und am radikalsten jeden Zweifel auszumerzen. Denn Goebbels war informiert worden! Sein Tagebuch ist der Beweis, daß er bereits zwei Wochen zuvor, am 4. 10., durch seinen Verbindungsoffizier in der Luftwaffe die ganze brutale Wahrheit ins Gesicht gesagt bekam – die aber Goebbels, noch immer siegesbesoffen, gar nicht in ihrem Ernst, ihrer Endgültigkeit durchschaute, obwohl dieser Oberst Wodarg sogar London mit Verdun, der Soldaten-Hölle des Ersten Weltkrieges, verglich: «Wodarg berichtete mir von einem . . . Kraftverfall in der gegen London eingesetzten Luftwaffe. Sie kommt sich vor, als kämpfe sie gegen Verdun. Die Leute sind allzu stark in Anspruch genommen. Sie kommen kaum zur Ruhe. Zwar fügen sie dem Feind furchtbare Schäden zu, aber wir kommen auch nicht ganz heil davon. Man muß etwas für diese Jungens tuen. Die Stimmung im Lande ist uneinheitlich. Man hofft immer noch auf eine baldige Beendigung des Krieges. Es ist schwer, das Publikum vom Gegenteil zu überzeugen . . .»

Wir kommen auch nicht ganz heil davon: derart verharmlosender Wendungen schämt Goebbels sich nicht, obwohl ihm Wodarg, der damals sogenannte «I c des Luftwaffenführungsstabes», da er sogar den Mut hat, vor Goebbels London mit Verdun zu vergleichen, zweifellos auch berichtete, daß Görings Luftwaffe niederschmetternde Verluste hat. Doch Goebbels will nur hören, was ihn stärkt in seiner «blinden Gläubigkeit» gegenüber dem obersten der Kriminellen in der Reichskanzlei, den er in diesen Tagen täglich für viele Stunden besucht. Der feige Höfling Goebbels würde niemals wagen, seinen Hitler auf das neue Verdun anzusprechen. Und als habe Wodarg gar nicht mit ihm geredet, notiert Goebbels zwei Wochen später, nachdem er sogar Gelegenheit hatte, selbst Piloten zu befragen, die Göring – in voller Kenntnis der verlorenen Schlacht – noch immer nach Großbritannien trieb: «20. Oktober . . . Gestern: mit Göring gegessen . . . Flug nach Deauville. Drüben die englische Küste. Ein herrliches Wetter. Jäger und Zerstörer brausen über uns weg. Sperrle erwartet uns. Großer Vortrag über die Lage im Luftkrieg. Ein ganz kompliziertes Uhrwerk, aber mit deutscher Gründlichkeit durchgearbeitet. Man kann nur Respekt davor haben. Göring hat seinen Laden in Schuß. Sperrle ist ein Mordskerl. Und seine Leute, na, fabelhaft. Nach 3stündigem Besuch Heimflug Paris. Abschied von Göring. Er ist ganz besonders nett. Wir scheiden als Freunde . . . Abends in einem kleinen Lokal, wo französische Chansons gesungen werden. Sehr nett und charmant. Diese Stadt ist eine große Gefahr, besonders für unpolitische Deutsche.»

Keine Silbe von dem, woran Goebbels angeblich sich später «erinnerte», als er im Juli 44 gegenüber seinem Referenten Wilfred von Oven den Reichsmarschall Göring zum Hauptsündenbock für den Verlust des Krieges ernannte: «Ich flog damals zu den Horsten unserer Kampfflieger in Frankreich. Ich saß mit den Kommandeuren und Flugzeugführern bei langen Gesprächen in ihren Kasinos . . . Das Kaminfeuer flackerte und zuckte über Gesichter, die man in ihrem Ernst und ihrer Reife nicht für die von Zwanzigjährigen gehalten hätte. Niemand sprach hier in dem naßforschen Ton des Herrn Sperrle . . . Jeder dachte an die gefallenen Kameraden, die vielleicht gestern und vorgestern noch hier zwischen ihnen gesessen hatten . . . Eine Art Hölderlin-Stimmung lag über ihnen. Sie sprachen vom Opfer für das Vaterland und grübelten über den Sinn des Heldentodes . . . Ich flog zurück nach Berlin, voller Sorgen und Bedenken.»

Diese ergreifende Geschichte, die er sich und seinem Referenten 1944 auftischt, ist bezeichnend, weil sie kein wahres Wort enthält: Goebbels machte nie diesen zweiten Besuch an der Battle of Britain-Front! Und sie ist noch bezeichnender deshalb, weil offenbar Goebbels diese Geschichte sich selbst geglaubt hat: wieder ein Beleg, daß Stimmungen faktenverändernde Kraft in unserem Gedächtnis haben. Zeugen (diese Folgerung muß man daraus ziehen) sind noch unverläßlicher als – allzu leicht herstellbare – Zeugnisse! Und was die Hoffnung, Vergangenes berichten oder gar aufhellen zu können, vollends als eitel entlarvt, das ist die unleugbare subjektive *Ehrlichkeit* der Zeugen-Aussagen: nicht nur Goebbels glaubte, was er hier darstellte, in dem Augenblick des Darstellens! Die vier Jahre lange Enttäuschung des Ministers über Görings Luftwaffe hatte in ihm die Gewißheit aufkommen lassen, bereits vor vier Jahren gesehen und gesagt zu haben, was er 1944 annahm: daß Luftmarschall Sperrle und Göring geräuschvolle Angeber seien, die durch persönliches Versagen die Battle of Britain verloren hätten. 1944 «erinnert» sich Goebbels: «Sperrle hatte sich in dem vornehmsten Palast des internationalen Modebades niedergelassen und sich mit allem Luxus umgeben . . . Ich kam mit den denkbar schlechtesten Eindrücken von diesem Besuch in Deauville nach Berlin zurück. Das Gift des Wohllebens und der Überheblichkeit hatte sich schon tief in den Körper unserer Luftwaffe eingefressen . . . In diesen Tagen kam Oberst Wodarg . . . zu mir. Sein Gesicht lag in besorgten Falten. Er hatte nichts mehr von der sonstigen unbekümmerten Keßheit unserer Luftwaffenoffiziere. ‹Herr Reichsminister›, sagte er, ‹London wird unser Verdun in der Luft.›»

Interessant, wie sich im Gedächtnis des Ministers zunächst der Warnruf des Obersten Wodarg *hinter* den Besuch bei der Luftflotte Sperrle schiebt – während doch das Tagebuch belegt, daß Goebbels bereits vierzehn Tage *vor* seiner Reise zu Sperrle durch Wodarg vom «Verdun in der Luft» gehört hat, jedoch begeisterungslustig, wie er meist war, unkritisch hingerissen, die Warnung des Obersten völlig über dem Siegesgequatsche Görings und Sperrles vergaß, weil er sie vergessen *wollte*! Denn Goebbels war bis wenige Tage bevor er seine sechs Kinder mit vergiftetem Pudding und Spritzen umbrachte, um dann seine Frau und sich von der SS erschießen zu lassen, der am leichtesten zu Berauschende aller Deutschen: er glaubte, was er glauben wollte, allerdings nur solange er es redete, in einem Unmaß, das es fast verbietet, ihn einen Lügner zu nennen – obgleich er der geschickteste der Schwindler neben Hitler war . . . so geschickt, daß diese Geschicklichkeit auch seinen eigenen Verstand vollkommen übertölpelt hatte.

12
Nachtgespräch

«Angriffe gegen den Führer und führende Persönlichkeiten erfolgen in so vorsichtiger Form, daß man nie zupacken kann. Ich selbst habe von meinem Schlafzimmer aus folgende Äußerungen Vorübergehender gehört: ‹. . . wie kann aber auch ein Gefreiter eine Millionenarmee führen.› Der Stimme nach war es ein mir bekannter Intellektueller, aber ich konnte bei der Dunkelheit nicht sehen und auch nicht nachgehen, weil ich schon ausgezogen im Bett lag. Ferner hörte ich an einem anderen Abend: ‹Jetzt haben wirs wieder, er hält alles, was er versprochen hat, Arbeit und Brot.› Das war nach Verkündigung der Fleischherabsetzung. Auch diese Stimme kam mir als die eines ehemaligen Rotfront-Funktionärs bekannt vor.»

Aus: «Weltanschaulicher Bericht des Schulungsleiters der Ortsgruppe Feucht, Kreis Nürnberg», 11. 6. 1943

«Herbert war eben wach!» flüsterte Pauline – fast setzte Stasieks Herz aus vor Schreck. Denn erst als er sie hörte, sah er sie; trotz ihres hellen Nachthemds und des Mondes, der ein verdrücktes Gesicht hatte, wie zerbleut, hob ihre Gestalt im nachtschwarzen Hof sich kaum ab vom weißen Türpfosten, an dem sie fröstelnd und fast noch schlafend ihn abfing, damit er nicht eintrete: sie hatte sonst ihm nie geöffnet, sondern einfach die Türe zum Höfchen nicht abgeschlossen, und nie hatte sie gehört, daß er kam; und so lange dauerte es stets, zwar nicht, bis er sie wachgeküßt hatte, aber doch bis sie «da» war, daß er sie einmal belustigt fragte: schlafen denn alle Frauen so tief wie Bären im Winter?

«Der Bär bist du!» hatte sie gemurmelt, als sie endlich murmeln konnte. «Genauso große Tatzen hast du und so leise bist du auch und auch so rasch und jäh, wenn du zupackst. Und so schwer bist du auch wie ein Bär!»

Erschreckt hatte er geflüstert: «Ich bin dir zu schwer?» Und sie hatte ihn schon mit allen vieren festhalten müssen, daß er auf ihr liegenblieb, was sie sehr liebte. Denn er war von ängstlicher Rücksichtnahme: er konnte ihr nie etwas schenken; er wußte, daß er ihr fast nicht helfen konnte, die Skrupel niederzuhalten, daß sie ihren Mann betrog – jede Woche kam ein Paket; und diese Pakete waren ihr Streitpunkt: sie fand nichts dabei, fand es vielmehr selbstverständlich, ihm zu essen anzubieten auch von dem, was ihr Mann aus Holland heimschickte und was so viel schmackhafter wär als alles, das es hier zu kaufen gab – er aber nahm das nicht. Schroff verletzt sagte sie – und ihre ungewohnte Ironie machte ihn lange stumm: «Jaa, die Frau kann man ja nehmen von ihm, aber nicht drei Bissen Delfter Honigkuchen!»

Jetzt hockte er vor ihr und zog ihr seine Schuhe an, denn sie war barfuß. Doch eine Jacke, sie zu wärmen, konnte er ihr nicht geben, trug er doch, wenn er zu ihr schlich, nie mehr als Hemd und Hose und Schuhe – aber sie brauchte auch die Jacke nicht, sie fröstelte nicht, weil es nebelnaß war, nachts um eins, sondern weil sie fast noch schlief. «Das Kind muß geträumt haben, ich wurde wach, weil es weinte», erklärte sie flüsternd, «aber er war gleich wieder weg!» Also hätten sie ins Bett gehen können wie sonst – und doch spürte er, daß es ihr widerstrebte, zurückzugehen ins Haus. Sie sagte, als werfe sie sich vor, daran schuld zu sein, und wer wußte, ob sie's nicht war: «Was hat der Junge geträumt, daß er so aufweinte?» Stasiek erwiderte und zuckte lachend mit den Schultern: «Ich hab als Kind im Schlaf Pferde mehr gefürchtet als Märchenhexen. Ich weiß genau, daß mein Vater einmal an mein Bett kommte, weil mich im Traum Pferde panikten. Und nun bin ich Kohlenkutscher! Komm –» Er hatte, während sie redeten, mit seinen mächtigen Armen, ihn zu wärmen, fast ihren ganzen Rücken bedeckt, doch war sie noch immer bettheiß. Und nun hob er sie in den Kniekehlen auf, ihre Schulter sank in seinen rechten Arm und er trug sie die sieben Schritte, die schon ausreichten, das ganze Höfchen zu überqueren, unter den einzigen Baum, der dort stand, einen dürftigen, vom Zementboden des Hofes eingeengten Birnenbaum, und er setzte sich mit ihr auf einen Gartenstuhl und massierte ihre Waden, weil die kalt wurden und weil sie so handlich waren.

«Es geht nicht mehr, Stani», sagte sie schwach und sehr leise, lag aber so mit geöffnetem Mund an seinem kurzen, starken Hals, als wolle sie endgültig da bleiben. Er schwieg, er wußte ja, was jetzt kam – und das war kein Streitgrund zwischen ihnen, bedrückte ihn jedoch, sooft er an sie dachte: sie ließ ihn spüren, daß sie nicht wollte, daß er kam! Daß sie nur zu schwach war, nein zu sagen, weil er in seinem Alleinsein und seiner Triebqual ihr leid tat. Frei von dieser Bedrückung war er nur in den vierzig oder sechzig Minuten, in denen geschah, weshalb er kam – denn das geschah so, daß er sich nicht vorwerfen mußte, sie gebe sich ihm aus Mitleid, aus Mütterlichkeit! In dieser Stunde war problematisch nur, daß Wände Ohren haben: die mickerige Nachbarin mit den knopfrunden Augen, die hart und schwarz wie Pistolenläufe waren, und deren Mann bei der Luftwaffe und auch weg war, wohnte nicht Haus an Haus, sondern Wohnung an Wohnung mit Pauline! Und Pauline, die so langsam wach wurde – wurde laut in der Lust. Und hörte natürlich die eigenen Schreie nicht. Und trotz des Kissens, in das er sie hineinschreien ließ, wenn sie ihren Jubel nicht in seinen Brusthaaren verbiß, war das schließlich nichts weniger als lebensgefährlich! Und war doch die zentrale Beglük-kung auch für ihn, diese Gewißheit, daß sie ihn genauso wild genoß, wie er sie . . . daß er keineswegs der Junge war, der ihr Sohn sein könnte, dem sie sich gab! Doch bedrückt heute wie bisher nie, flüsterte jetzt Pauline: «Nebenan die – die war gestern abend im Laden, dabei hatte sie schon morgens alles geholt, was sie brauchte; hat doch nur wollen schnüffeln . . .» Stani sagte: «Ja, ich hab sie gesehen.» Pauline erwiderte ungeduldig: «Sag ich doch: die kam nur deshalb gegen sechse, weil sie *dich* sehen wollte bei mir. Und wie die *dich* ansah, mit Phosphor uff der Pupille: die ginge sofort mit dir ins Bett, die *lechzt* nach Mann. Und du bist ja auch so stark – die spürt das genau.» Pauline, wie sie das sagte, hielt ihn fest, als wolle sie ihn zurückreißen vor der Nachbarin.

«Darf sie doch! – darf mich doch sehen, ist doch erlaubt, daß ich dir die Kisten schleppe. Wie könntest du denn Kartoffelsäcke tragen und . . .»

Pauline sagte: «Sie hat aber auch gesprochen, das ist ja schön, daß Sie s'abends nicht alleine sind, kann der Pole denn gut deutsch? Ich hab barsch gesagt, der Pole wird ja um neune bei Melchiors eingeschlossen! Aber sie hat's nicht können lassen, dann noch zu sprechen: Soo – wußte gar nicht, daß die Melchiors so strenge sind mit ihren zwei Polen. Ich hab gesprochen, die sind nicht streng, das ist nur Vorschrift. Du mußt aber gar nicht dran zweifeln, daß die uns gehört hat!» Er schwieg, angesteckt von ihrer Angst. Dann meinte er: «Polnisch hab ich nie gesprochen, ich –»

Pauline lächelte schwach: «Was weißt du, was wissen wir – was wir reden dabei!»

Nun lächelte auch er und sagte, selber wenig überzeugt: «Vielleicht hat sie . . . dich gehört mit einem Mann, sicher, ja. Aber sie weiß nicht, daß ich der bin!»

«Wer sonst, wer denn sonst!» sagte sie. «Hier ist doch weit und breit kein Mannsbild, mit dem unsereins im Bett gehört werden könnte . . . ich bin jetzt ruhiger als im Zimmer, weil nun zwischen uns und diesem gefährlichen Biest auch noch die Hausmauer ist, trotzdem dürfen wir nur flüstern.»

Er hatte sie noch immer auf den Oberschenkeln sitzen, jetzt fragte er: «Frierst du?» und sie sagte: «Noch nicht –» und er hob sie hoch und setzte sie auf den Stuhl und ging barfuß, bis sie ihn nicht mehr sah, absichernd im Höfchen herum, ging auch zurück an die Mauer, die er zu überklettern hatte, wenn er von Melchiors Hof herüberstieg; er war nun überzeugt, daß niemand hinter dieser Mauer stand, hatte das auch gar nicht befürchtet. Als er wieder zu ihr kam, hatte sie seine Schuhe aus – aber ihre Füße hochgezogen auf den Stuhl, ihre Arme umschlossen ihre Knie, sie fror. Während er Hemd und Hose auszog und ein Kissen daraus machte, sagte er: «Steh mal auf» – und legte es auf den Stuhl, und er schob ihr auch noch seine wärmenden Tatzen, die groß wie Bauernbrotscheiben waren, unter den Hintern, der jetzt so kalt war wie vorher ihre

Waden, die nun, als er vor ihr kniete und sie mit dem Mund nahm, über seinen Schultern hingen. Sie hatte nur seinen Haarschopf, um ihre Hände zu beschäftigen, die nach seinem ganzen wunderbaren jungen Körper Verlangen hatten – weil sie seinen ganzen Körper vor allem auch als die große Decke brauchte, die Schutz gab wenigstens vor den immer stärker werdenden Versuchungen, zurückzuflüchten in die liebelose, aber stallsichere Gesetzlichkeit. Seine durch Dankbarkeit für das, was sie ihm gab und damit riskierte zur Liebe gewordene Gier riß sie mit – aber immer erst dann, wenn er sie schon da hatte, wo die «Vernunft auf der Weide graste», wie er das einmal genannt hatte.

Doch heute glückte ihm das überhaupt nicht. Ja, sein Zungenspiel steigerte nur ihre Nervosität zu einem nie dagewesenen Gereiztsein. Zentnerschwer lag ihr Angst auf – ungeduldig herrschte sie ihn leise an: «Laß – ich kann heut nicht! Ich kann nicht, Stani. Steh auf! Ich hab dir doch das Schlimmste noch gar nicht gesagt!» Und sie wiederholte: «Steh auf!» Und stand selber auch auf, und er setzte sich auf den Stuhl und nahm sie auf seine Knie, und sie sagte ihm fast ins Ohr: «Als du rübergingst, Abendbrot essen – merkte ich schon, die Elsbeth will noch was reden mit mir, was gegen dich! So was merkt man doch, sie hat nur gewartet, bis daß du fort warst!»

Stani unterbrach: «Heute war das?»

Pauline: «Ja doch – sie war doch schon gekommen, bevor du weg bist. Und dann sagte sie, ich müßte sofort, am besten nächsten Sonntag schon, meinen Mann besuchen! Ich sagte dir ja, der ist jetzt nach Deutschland versetzt, der ist in Bayern und bewacht da – ich weiß nicht, eine Flugzeugfabrik, glaub ich, wo auch Gefangene arbeiten. Aber dann kam's, die Elsbeth sah mich an, als hätt ich *ihr* Haus angesteckt, und sagte: ‹Mach, daß du bei deinen Mann kommst, damit das Dorf hier wieder merkt, daß du nicht mit dem Stani verheiratet bist – denn das spricht 'n jeder!›

Und da hab ich's ihr zugegeben. Und das war natürlich furchtbar idiotisch!»

Sie schwieg, er schwieg.

Endlich sagte sie kläglich: «Verraten tut die uns nie; hätte ich gelogen, das hätte ihr nur mehr Wut gemacht gegen mich!»

Er fragte: «Wut? – Was geht die das an, wieso: Wut?»

Sie lachte, aber so, als werde ihr schmerzlich ein Verband abgerissen: «Frauen, das verstehst du nicht, so sind Frauen: weil sie selber das nicht hat . . . Stani, und noch was: es tut mir leid, dir das sprechen zu müssen – ich bin zwar sicher, daß heut nichts mehr passieren kann, aber gar nicht sicher, daß es nicht vor vierzehn Tagen passiert ist! Wahrscheinlich ist es mein ganz großes Glück, daß ich jetzt meinen Mann besuchen kann. Ich führe vor Angst am liebsten schon morgen! Doch so weit ist es noch nicht, daß ich einfach zu ihm fahren darf und das Geschäft und . . .»

Er drückte ihr Gesicht an seinen Hals, er flüsterte: «Du mußt vor einem Kind nicht Angst haben, ich bin ganz sicher, daß nichts ist.»

Und nun redeten sie wieder, was sie seit drei Nächten schon oft erörtert hatten, er so ruhig, sie wieder ebenso gereizt, wie sie schon gestern nacht seine Beschwichtigungen zurückgewiesen hatte: «Du hast gut reden, du könntest noch abhauen, aber ich: wo sollt ich hinlaufen von zwei Kindern weg, weil ich ein drittes aufgeschnappt habe! Neulich im Laden, als ich sogar eine Kundin hatte, sah ich am hellen Tage zum Greifen deutlich die Rosi Lindner an ihrem Dachbalken vor mir hängen – ich war plötzlich fertig, verstehst du das nicht!»

Er sagte: «Ich versteh dich gut! Aber daß du heut

wieder wie gestern so nervös bist ohne Grund, hast du gestern selber mir gesagt, ist auch ein Zeichen, für daß – daß jetzt deine Periode kommt. Du hast doch gesagt, daß immer du dann so – so aggressorisch bist!»

Sie wiederholte: «Wie sagst du: ‹ohne Grund›? – hab ich dir nicht eben gesagt, daß nun die Elsbeth mein Geständnis hat! Ich hab ihr gesagt, nur zweimal wär's passiert und vor Wochen – und alles lange vorbei, aber sie hat mir kein Wort geglaubt, ich war auch so – so: ich weiß gar nicht! Ich sah's doch kommen, dies Gespräch, aber dann – dann, verstehst du: saß ich plötzlich sozusagen mit einem ganz nackerten Gesicht vor ihr, ich wußte bisher überhaupt nicht, daß es das gibt – das Gefühl, ein nacktes Gesicht zu haben, einfach wehrlos! Wie kommst du darauf, hab ich erst fragen wollen . . . das konnt ich schon gar nicht mehr fragen. Ich war so geschlagen von ihrer Behauptung, im ganzen Dorfe würde davon getuschelt –»

Stani sagte: «Das sicher ist unwahr! Wenn Dorf redet – wieso dann nicht absperrt Melchior meine Tür? Zieht nicht raus Schlüssel von Haustür nachts? Und wieso nicht sie, die Frau Chefin, spricht dann mich an auf dich! Arme Pauline» – er sagte «arme», um verbergen zu können, daß er meinte: blöde, dumme –. «Die Elsbeth hat nur Verdacht be . . . besessen, sonst nichts. Und hat einfach versucht, nur einfach versucht, zu finden, ob was ist. Und du – oh, warum: bist du ihr in die Fallen – gefallen? Nur *versucht* hat sie! Nicht gewußt!» Und erbittert dachte er: wie dumm sie ist!

Sie spürte, was sie ihm angetan hatte; bisher hatte sie nur gewußt, wie es jetzt um *sie* stand. Sie streichelte ihn und küßte, was sie am liebsten küßte: den Hals, dort, wo er überging in die Schultern. Als wolle sie ihn ablenken, scherzte sie milde: «Sitzt man mit einem Mann, nimmt der auch die rechte Hand, wie jetzt du, um zu streicheln.

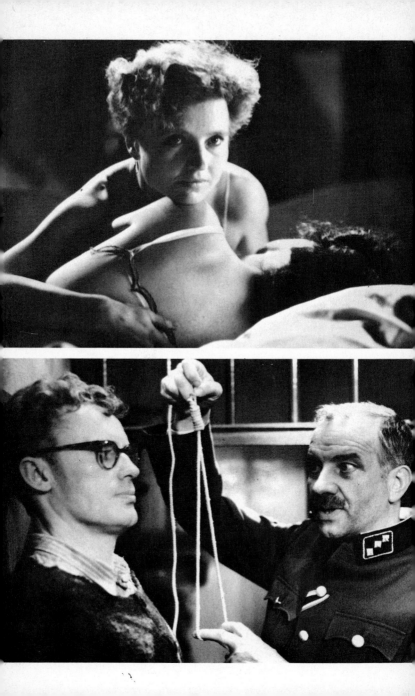

Im Liegen nie – nie. Wie kommt das?» Sie lachte leise, er verstand sie noch nicht. So wiederholte sie – und dann lächelte auch er, fragend, zustimmend, ohne das erklären zu können: «Wie kommt's, daß alle Männer links liegen und links lieben, immer mit der Linken?»

Sie lachten, auch er wollte sie ablenken, er fragte, hatte das schon früher einmal gefragt: «Brüste – das Wort kenne ich. Doch sonst, warum du nie Worte hast für – hier und hier . . . bei mir und –»

Sie fragte: «Tut denn ihr das in Polen? – wir nicht, weil die so roh sind, im Deutschen, die Worte dafür, macht man damit keine Worte, jedenfalls Frauen tun das nicht, die Männer schon.» Sie lächelte, dann sagte sie ihm ins Ohr: «Man muß nicht alles mit – *Worten* in den Mund nehmen! An*fassen* ist besser als ansprechen!» Und sie tat seine Hand hin und dann ihre. Und bald glitt sie an ihm herunter, ihr Mund strich über ihn, sie wollte ihn trösten, um auch selber wenigstens für Minuten zu verdrängen, was sie ihm und sich angetan hatte mit ihrem idiotischen Geständnis, das ja in Wahrheit ganz furchtbar war, ein noch unübersehbares Verhängnis; gegen das – wenn überhaupt – nur eines half: nie mehr zusammenzukommen, immer zu wissen, daß sie fortan keine Minute mehr sicher sein konnten! Und dieser Rückweg war ihnen verwehrt – er *konnte* nicht begangen werden! Denn jetzt begann Pauline wie zuvor er das Spiel begonnen hatte, jetzt waren seine Hände in ihrem Haar, bis er die vor ihm Hockende in den Achseln faßte und aufhob. Und wie sie flüsterte: «Das brauchst du heute nicht – das einzige, wovor wir *heute* noch sicher sind», da er sich ein Präservativ hatte nehmen wollen, wußten sie beide, daß sie es nie mehr fertigbrächten, beieinander zu hausen, ohne sich wie bisher auch zu haben. Und schon wie auf der Flucht einer ins Dunkle springt, weil er springen muß – so verzweifelt nahm sie ihn jetzt und hob, wie sie sich pfählte, ihr Hemd über die Brüste hoch und drückte ihm die rechte in den Mund. «Langsam, ganz langsam», war alles, was sie noch sagen konnte, aber die Angst hatte jetzt die Wirkung, sie schlagschnell in die Wildheit zu versetzen, die vielleicht durch Todesfurcht gesteigert war. Und er brauchte die ganze Kraft seiner Arme, sie, die sich zurückbäumen wollte, im Rücken, im Genick zu fassen, um ihr Gesicht, ihren Mund auf seinen Hals zu drücken und ihre Schreie abzufangen – fast hätte er das versäumt. Denn die Gewißheit, sie heute wenigstens nicht mehr schwängern zu können, hatte auch ihn heftiger berauscht, als er sonst war; und wer weiß, ob nicht auch ihn schon Verfolgungs-Angst blinder zu ihr drängte, um nicht in sein Bewußtsein eindringen zu lassen, daß es genau dieser Drang war, der ihn umbringen *müßte* . . . Sie jagte so schnell und so oft durch das Ziel, daß er noch nicht ejakuliert hatte, als er die Erschöpfte kaum noch auf sich festhalten konnte – es war, als sei sie abgestürzt in brunnentiefe Entrückung, ja schon in Schlaf, als er sie ins Haus tragen mußte, weil übergangslos Morgengrauen-Kälte kam.

Die Tür war so schmal und niedrig, daß er Pauline auf die Füße stellen mußte; zu zweit wären sie nicht hindurchgekommen – «Guck nach Herbert!» flüsterte er, doch ging er selber, denn sie fiel wie erschlagen, und blieb da liegen, auf die Küchencouch. Ohne im Finstern anzuecken, sah er im Schlafzimmer, daß beide Kinder schliefen – und er nahm Paulines Bettdecke, und als er zu ihr zurückkehrte, sagte er: «Ich kann dich noch wärmen, du wirst schneller ohne Hemd warm.» Er hatte Schwierigkeiten, es der in sich Zusammengekauerten auszuziehen, dann deckte er sie doppelt zu, erst mit sich, von Stirn an Stirn bis Zehen an Zehen, dann mit ihrer Decke, die für sie beide zu kurz war. Heftig begehrte er sie jetzt, die schon mehr schlafend als noch zu ihm drängend, völlig ausgekältet, vor allem mit winterkaltem Hintern, den er in den Händen hielt, unter seiner wie immer warmen, nie abkühlenden Haut halbtot lag – um sich dann sanft an ihr wiederzubeleben . . .

«Klappstulle» hatte sie das einmal genannt, ein Ausdruck ihres Mannes; «Löffelstellung», wenn sie – wie Löffel im Besteckkasten – mit dem Rücken an seiner Brust lag, um sich wärmen zu lassen, was bei ihr wie bei allen Frauen am langsamsten warm wurde, die Backen, die sie auch jetzt, da sie die Einschlafstellung bezog, in seine wieder erhitzten Lenden drängte. Plötzlich fuhr sie auf, jäh von der Angst – einer sehr berechtigten – erbeutet: «Du schläfst doch nicht auch ein – ich schlafe schon!» Und sie sank wieder hin, und er bat flüsternd: «Nicht gleich!», und obwohl sie doch schon fast weg war – half sie ihm jetzt, der hinter ihr liegen blieb, hinein – zuerst ohne Lust, nur um seinetwillen, denn wieder ergriff sie die Angst, daß er überhaupt noch geblieben war. Doch seine Freude, sein Atem in ihrem Nacken, seine Hände um ihre Brüste, wie er hinter ihr lag, waren so ansteckend, wie die stromruhige Stetigkeit seiner beherrschten, hinauszögernden und immer weiter und länger hinauszögernden Stöße, daß sie erneut und wieder rascher als er verrückt wurde vor Spannung erst – dann in der Entspannung.

Und dann war er doch unverzeihlicher-, tölpelhafterweise sofort nach ihr eingeschlafen, und es war schon hell genug, um gesehen zu werden, wenn überhaupt auf die Hofseite jemand geblickt hätte: eine Warnung, dieses grade noch glückliche Aufwachen um halb vier! Nur anderthalb Stunden später, und es wäre unmöglich gewesen, noch heimzukommen, ohne von einem der Melchiors oder von beiden gesehen zu werden.

13
Krankenblatt II:
Heinrich Müllers Schnellbrief

«Auslieferung asozialer Elemente aus dem Straf-
vollzug an den Reichsführer SS zur Vernichtung
durch Arbeit. Es werden restlos ausgeliefert die
Sicherungsverwahrten, Juden, Zigeuner, Russen
und Ukrainer, Polen über 3 Jahre Strafe, Tsche-
chen oder Deutsche über 8 Jahre Strafe . . . Der
von mir geplanten Regelung der vom Führer an-
geordneten Prügelstrafe stimmt Reichsführer SS
in vollem Umfange zu.»

Notiz des Justizministers Dr. Thierack über
eine Besprechung mit Himmler am 18. 9. 1942.

Bei langausgestrecktem rechten Arm – «aufgehobene Rechte», spottete Werner Finck – die Leute, die amtlich Volksgenossen genannt wurden, mit «Heil Hitler» zu «begrüßen», das war, solange Hitler regierte, den Deutschen zur «Ehrenpflicht» gemacht. Und hieß: der deutsche Gruß. Als im Kriege den berühmtesten Münchner Irrenarzt, Geheimrat Bumke, sein Sohn einmal ironisch so ansprach: «Heil Hitler» – sagte der Vater resigniert: «Das denkst du dir so einfach, mein Junge!»

Bumke schrieb, Hitler sei viel zu schlau gewesen, jemals einen Psychiater in seiner Nähe zu dulden. Und Bumkes Kollege, der Tübinger Konstitutionstypologe Ernst Kretschmer, meinte: «Es ist eine eigene Sache mit den Psychopathen: in normalen Zeiten behandeln wir sie, in politisch aufgeregten regieren sie uns.» Sie regieren – muß man diese weitere Folgerung nicht ziehen? – bis die Zeiten, die nie normal sind, sondern jeweils nur auf andere Weise irre, gottlob sehr oft auf harmlose, «politisch aufgeregte» geworden sind; zuletzt dann mörderische werden . . .

Ob nicht die Zeitalter sich allein darin unterscheiden, daß ihr Geist, der nie zu haben sein wird, ohne die ihm zugehörige Geistes-*Krankheit*, in moralisch und gedanklich unterschiedlichen «Herren» behirnt ist? (Diese Herrscher können natürlich auch Damen sein wie Cleopatra, Jeanne d'Arc, Katharina, die Frauen Perón, Mao, Gandhi.)

Was die mit sehr, sehr wenigen ihrer Komplicen denken, sei es «von Natur», sei es, weil einige Bücher, die so obskur sein können wie Fibeln des Antisemitismus, doch auch so bedeutsam wie das Kommunistische Manifest, es ihnen vorgedacht haben, das wird unabhängig von seiner Qualität zum Kollektiv-«Denken» einfach deshalb, weil es von denen gedacht wird, die auch die Macht haben zu seiner Verbreitung; und zur Austilgung des Denkens anderer. Ein moderner Diktator muß ja nicht das Parlament abschaffen, wie noch der ziemlich altmodische Hitler es für nötig hielt – es genügt heute, das Parlament zu zwingen, Zeitungen zu lesen. Denn natürlich wird er zuerst die Besitzer der Zeitungen in seinen Besitz bringen und die Fernseh-Tagesschauen. Die Staatsrechtler besoldet er ja ohnehin und gewinnt sie vollends für sich, wenn er den namhaftesten sagt, sie seien Philosophen.

Daß dank ihres Macht-Instruments der «Geist der Herren» zum Geist des Zeitalters wird, hat zu dem Fehlschluß geführt, nicht nur dieses Gedachte würde, wie es leider tatsächlich der Fall ist, im Volk zum «Anliegen», zum Ziel, zum Wunsch der meisten – sondern das Denken selber sei auch die Beschäftigung der Mehrzahl, der Gesellschaft. Im Glück, solange es bergauf geht, schmeichelt diese Auffassung der Menge – und am schnellsten gewinnt sie der, der sie glauben machen kann, er denke und wolle nichts anderes als alle jene, die ihn wählen sollen. Doch im Unglück, auf den Trümmern des Vaterlands oder des ganzen Erdteils, wird diese Auffassung enthüllt als die bösartigste Verleumdung der Mehrheit, die doch gar nicht gefragt worden ist, ob sie mitanrichten wollte, was sie tatsächlich mitangerichtet hat auf dem Marsch in den Abgrund! Bezweifelt das einer, er müßte behaupten, der Gangster-Clan auf der Nürnberger Anklagebank sei nicht schuldiger gewesen als die Millionen, die für ihn marschieren mußten unter der Androhung, sonst erschossen zu werden. (Daß freiwillig zweifellos viel *mehr* für Hitler marschiert sind als unter Zwang, belegt nur die seuchenhafte Ansteckungskraft, die im Denken derer steckt, die allein auch die Macht haben, *ihr* Denken zu verbreiten; denn Macht, sofern sie auch Erfolg hat, genügt schon an sich als Sexappeal, um hörig zu machen –

und zwar den einzelnen ebenso wie die Menge. Auch sollte ja jeder, der verächtlich von «Masse» redet, nie vergessen, daß immer einer mehr zu ihr gehört als jeder glaubt!)

Vermutlich – doch wer könnte das messen – sind alle Zeitalter *quantitativ* im gleichen Maß irrwitzig. Nur gibt es *qualitativ* weltenweite Unterschiede! So mörderischen Geisteskrankheiten wie Faschismus und Gegenreformation, die beide die Inquisition praktizierten, den Mord an Andersdenkenden oder Andersrassigen – können vergleichsweise völlig harmlose Geisteskrankheiten folgen, die dann ein Zeitalter bewegen und beherrschen. Zum Beispiel dreißig Jahre nach Hitlers Tod der Wahn, es erhöhe die «Lebensqualität», wenn ein Gesunder mit sechzig oder fünfundfünfzig pensioniert werde, während er zumeist – wie jeder Arzt weiß – daran stirbt. Oder der Wahn, man stoße – und das habe außer der Arbeitsplatz-Beschaffung, die anders billiger zu haben wäre, noch einen einzigen weiteren guten Zweck – mit Raketen in den Weltraum vor; während man ja nur den Raum unseres Sonnensystems erreicht und völlig sinnloserweise Planeten, auf denen nichts wachsen kann, weil da kein Sauerstoff ist!

Das *moralische* Problem, das aus dieser bedrückenden Einsicht erwächst, Faschismus und «Weltraum»-Fahrt – so wie vor hundert Jahren Kolonialismus und «Seegeltung-Weltgeltungs»-Wahnparolen, oder vor fünfzig Jahren das kriegstreibende «Volk ohne Raum»-Geschwätz – seien epochebestimmende Geisteskrankheiten von epidemischer Weitwirkung, ist nicht lösbar. Nimmt man sie aber an, diese Einsicht, daß Ideen, die ganze Zeitalter aufmarschieren ließen, zuerst zu Versammlungen, dann zu Paraden, dann in den Tod, Geistes-*Krankheiten* sind: wieso sind dann die Mitläufer solcher Ideen-Trompeter nicht auch nur Kranke – sondern Schuldige? Sind sie es? Oder führt diese Einsicht nicht notwendig zur weitestgehenden Freisprechung des Individuums von Mitschuld dort, wo schon die folgende Generation durchschaut, daß dieses Individuum nicht gesund war zum Zeitpunkt seiner Mittäterschaft; sondern miterkrankt war an der herrschenden Geisteskrankheit seiner Epoche und entmündigt durch diese Seuche, wie die Mehrzahl seiner Zeitgenossen? «Du sollst der Menge nicht folgen zum Bösen», ist der aktuellste Rat der Bibel an Menschen des 20. Jahrhunderts, die wir ohne Ausnahme Medien-Geschädigte sind, – wie aber, wenn die Menge wie wir Einzelnen in ihr gar nicht mehr unterscheiden können, wo das Böse anfängt, was es ist?

Ärzte, Juristen, Rathaus-Insassen, Polizisten aus Brombach bei Lörrach, Waldarbeiter, die einen Galgen für einen GV-«Schuldigen» erbauen: hätten die acht Jahre nach Beginn der Überflutung ihrer Herzen und Hirne durch Hitlers Gesetze sich noch jene Einsichten in das, was gut, was böse sei, erhalten können, die ihnen einst Eltern, Schule, Kirche oder einfach die Natur eingepflanzt hatten? Und würden sie dem Zeitgeist widerstanden haben – wie hätten sie leben, ihre Familien ernähren können, da doch Verweigerung des Rechtes, den Beruf auszuüben, noch das harmloseste gewesen wäre, was man ihnen bei Widerspruch angetan hätte; ja, da sie doch vermutlich eingesperrt, vielleicht hingerichtet worden wären! Wie überhaupt sollte damals einer leben, ohne Komplice jener Verbrecher zu werden, mit denen der Staat identisch war? Und deren Haftung für das Unglück, das ein Zeitalter in die Tiefe riß, nicht geringer wird, wenn wir diesen Verbrechern zugestehen, daß sie nicht nur die wegweisenden Bazillenträger der Epoche waren, sondern selber die zuerst und am schwersten an diesen

166

Bazillen Erkrankten! Mit einem Wort: daß auch sie irrsinnig gewesen sind, konkret gesprochen: ideenblind, ideenblöd – so wie die mitreißenden Täter früherer Jahrhunderte nicht normal waren, wenn sie ihre Zeitgenossen glauben machten – weil sie zweifellos es selber auch glaubten –, «Hexen»-Verfolgung sei nötig; oder Kinderarbeit in Bergwerken sei natürlich . . .

Am 5. Juli 1941 ließ Heinrich Himmler, der Reichsführer der SS und Deutschen Polizei im Reichsministerium des Inneren, durch seinen obersten Chef der Geheimen Staatspolizei, Heinrich Müller, den «Schnellbrief S IV D 2 c 4883/40 g – 196 aussenden, der zum erstenmal sogar einem Polen die Chance eröffnete, zu überleben, wenn er dabei entdeckt worden war, daß er eine Deutsche liebte. Müller ordnete an: «Betrifft Sonderbehandlung der im Reich eingesetzten polnischen Zivilarbeiter und Kriegsgefangenen.» (Sonderbehandlung, wie gesagt, hieß stets: Tötung; es wurden demnach nicht nur Kriegsgefangene, sondern auch Zivilisten aus dem Ausland, die zur Arbeit ins Reich gekommen waren, erhängt, wenn sie mit Deutschen schliefen.) Müller schrieb jetzt: «In zahlreichen Fällen wurde festgestellt, daß polnische Zivilarbeiter, die wegen unerlaubten Geschlechtsverkehrs zur Sonderbehandlung vorgeschlagen worden sind, nordischen Rasseneinschlag aufweisen, gut aussehen und charakterlich sehr günstig beurteilt werden. Derartige Personen eignen sich unter Umständen für eine Eindeutschung. Reichsführer SS hat daher zugleich in seiner Eigenschaft als Reichskommissar für die Festigung deutschen Volkstums angeordnet, daß polnische Zivilarbeiter und Kriegsgefangene, die Geschlechtsverkehr mit deutschen Frauen und Mädchen unterhalten oder sonstige unsittliche Handlungen an ihnen begangen haben, in Zukunft vor Einreichung des Sonderbehandlungs-Vorschlages auf ih-

re Eindeutschungsfähigkeit hin zu überprüfen sind . . .
Um eine gleichmäßige Behandlung zu gewährleisten,
werden in Zukunft rassische Beurteilungen in Fällen, die
evtl. zu einer Sonderbehandlung führen können, grundsätzlich von den Führern im Rasse- und Siedlungswesen
bei den Höheren SS- und Polizeiführern bzw. den Referenten des Rasse- und Siedlungshauptamtes-SS bei den
Ergänzungsstellen der Waffen-SS durchgeführt. Amts-
ärztliche rassische Gutachten sind daher in der Regel
nicht mehr einzuholen (Ausnahme s. folgenden Absatz).
Vielmehr leiten die Staatspolizei-Leitstellen nach Abschluß der Ermittlungen die Vorgänge mit allen erforderlichen Unterlagen (Lichtbilder, und zwar Kopfbild von
vorn, Kopfbild von der Seite, Bild in ganzer Größe sowie
charakterliche Beurteilung) beschleunigt dem Höheren
SS- und Polizei-Führer zu, der in seiner Eigenschaft als
Beauftragter des Reichskommissars für die Festigung
deutschen Volkstums die Vornahme der rassischen Untersuchung und die Prüfung auf Eindeutschungsfähigkeit
veranlaßt.

Bei längerer Abwesenheit des RuS-Führers bzw. des
Referenten bei der Ergänzungsstelle der Waffen-SS tritt,
um größere Verzögerungen in der Bearbeitung der Vorgänge zu vermeiden, folgendes Verfahren in Kraft: der
Höhere SS- und Polizeiführer unterrichtet sämtliche
Staatspolizei-Leitstellen seines Bereiches, daß für die Zeit
der Abwesenheit des Rasseprüfers in Sonderbehandlungsfällen – entsprechend dem bisherigen Verfahren –
rassische Beurteilungen des zuständigen Amtsarztes einzuholen sind. Die amtsärztlichen Gutachten müssen enthalten:

1. Rassenbestimmung
2. Angaben über Körperhöhe (ohne Schuhe)
3. Angaben über Körperbau-Typ

4. Beschreibung der hervorstechendsten Merkmale

5. Angaben über Haut-, Augen- und Haarfarbe.

Die amtsärztlichen rassischen Beurteilungen sind von den Stapostellen mit den übrigen Unterlagen unverzüglich dem Höheren SS- und Polizeiführer zuzuleiten. Dieser holt unter Beifügung des rassischen Gutachtens und der Lichtbilder die Schlußentscheidung des RuS-Hauptamtes ein.

Wird die Eindeutschungsfähigkeit anerkannt, berichtet die Staatspolizeistelle unter Beifügung der üblichen Unterlagen – außer den Lichtbildern des Exekutionsortes – dem Reichssicherheitshauptamt, das über die weitere Behandlung entscheidet. In den meisten Fällen wird die Einweisung in ein KZ-Lager-Stufe I – für kürzere Zeit als ausreichende Sühne anzusehen sein.

Kommt eine Eindeutschung nicht in Betracht, so ist wie üblich Sonderbehandlungsvorschlag unter Beifügung der vorgesehenen Unterlagen einschließlich des vom RuS-Führer gefertigten rassischen Gutachtens vorzulegen.

Bei Bearbeitung von Sonderbehandlungsfällen ist seitens der Stapostellen außerdem folgendes zu beachten:

1. In den Sonderbehandlungsvorschlägen ist stets zum Ausdruck zu bringen, ob und ggf. wann der betreffende Pole *amtlich* darüber belehrt worden ist, daß polnischen Zivilarbeitern der Geschlechtsverkehr mit deutschen Frauen und Mädchen unter *Androhung der Todesstrafe* verboten ist.

2. Reichsführer-SS hat sich auch in Fällen von Geschlechtsverkehr oder unsittlichem Verhalten polnischer Zivilarbeiter gegenüber deutschen Frauen und Mädchen, die voraussichtlich nicht zu einer Sonderbehandlung führen werden (nicht belehrte Polen, Personen, deren Volkszugehörigkeit zweifelhaft ist, Polen

unter 18 Jahren, die mit erheblich älteren deutschen Frauen verkehrt haben und von diesen offensichtlich verführt worden sind), die endgültige Entscheidung vorbehalten.

Auch in diesen Fällen ist daher die Stellungnahme des Höheren SS- und Polizeiführers einzuholen und sind die üblichen Unterlagen vorzulegen.

3. Lichtbilder der beteiligten deutschen Frauen sind in jedem Falle, d. h. auch dann, wenn diese ein Verschulden nicht trifft (Notzucht), einzureichen.

4. Die unverzüglich nach erfolgter Exekution durch FS. zu erstattende Vollzugsmeldung (s. Runderlaß vom 10. 12. 40 – S IV D 2 a – 3382/40 – zu 3 f der Durchführungsbestimmungen), die unmittelbar dem Reichsführer-SS vorgelegt wird, hat in Zukunft folgende Angaben zu enthalten:

a) Name, Geburtsort und -datum des Delinquenten

b) Datum und Ort der Exekution

c) Vollziehung durch polnische Zivilarbeiter oder in Schutzhaft befindliche Polen

d) Angabe über die Vorbeiführung der in der Umgebung eingesetzten Zivilpolen an der Richtstätte

e) Vermerk über die Aufnahme der Exekution durch die Bevölkerung

(Angaben zu Ziffern d) und e) nur bei Exekutionen außerhalb des Lagers).

5. Von exekutierten Polen hinterlassene Gegenstände, Kleidungsstücke und dergl. sind arbeitsmäßig bewährten polnischen Zivilarbeitern ohne Angabe der Herkunft zu überlassen, Geldbeträge und Wertgegenstände jedoch der NSV. oder dem DRK. zu überweisen.

Abschließend weise ich nochmals darauf hin, daß alle

Ermittlungen in Sonderbehandlungsangelegenheiten mit möglichster Beschleunigung durchzuführen sind.

Im Auftrage: gez. Müller

Beglaubigt: Bambowsky. Kanzleiangestellte.»

Gestapo-Chef Heinrich Müller, der übrigens niemals gefunden wurde; «sein» Grab, mit einem Marmorstein gekennzeichnet, den Kinder und Enkel «unserem lieben Vati und Opa» auf einem Westberliner Friedhof hingestellt hatten, war leer, als man es endlich öffnete – Müller konnte seinen Brief nur schreiben, weil der Rassenwahn die Nation in corpore als Geisteskrankheit bereits erfaßt hatte. Und zwar die «Wissenschaftler», Juristen also und Ärzte nicht anders – ja, die sogar viel früher und nachhaltiger, stinkt doch, wie gesagt, am Kopf der Fisch zuerst – als den Kohlenträger und Kutscher, die sich zwar nicht verhehlen konnten, die gleiche Arbeit verrichten zu müssen wie der Pole Stasiek Zasada; die sich aber immerhin sagen durften (und es sich von Amts wegen sagen *mußten*), daß sie diese Arbeit doch als Deutsche tun dürften, nicht nur wie der Pole als Angehöriger einer «minderen Rasse» . . .

Plötzlich jedoch wurde dieser Pole durch Müllers Brief vom 5. 7. 41 mit der Chance ausgerüstet, ebenbürtiger deutscher Bürger werden zu dürfen, weil er verbotenerweise mit einer Deutschen geschlafen hatte; während er bis zum 4. Juli 41 in *jedem* Fall für genau das, was allein ihm nun diese Chance, Deutscher werden zu dürfen, einräumte, nämlich Beischlaf bei einer Deutschen, – gehängt worden wäre! Nichts anderes konnte ein Pole tun, um Deutscher zu werden; er konnte nicht etwa einen Einbürgerungsantrag stellen; er konnte allein das dafür tun, was soeben noch unbedingt und ab 5. Juli zumeist, aber nicht mehr ausnahmslos mit Erhängen gestraft wurde, wenn er «aufsteigen» wollte ins Volk der Herrenrasse! Und ob er das durfte – oder ob er gehängt wurde: darüber entschieden künftig Ärzte. Nicht ganz allein entschieden das die Ärzte, aber grundlegend; was mitentschied, war die Frage, ob der Pole vor dem 5. Juli 41 – und das allein wurde für den blonden «arischen» Zasada die Todesursache – amtlich darüber belehrt worden war, daß man ihn hängen werde, wenn er mit einer Deutschen schlafe; und wenn er – Ordnung, Ordnung über alles – unterschrieben hatte, darüber amtlich belehrt worden zu sein: dann half ein noch so nordisch-arisches Aussehen und Wohlverhalten ihm nichts, dann wurde das größte Geschenk, das nach eigenem Maßstab der Führer Deutschlands einem gestern noch als Untermensch und Slawe verachteten Polen machen konnte, die «Eindeutschung» – umgewandelt in die Schmach, öffentlich erwürgt zu werden, wozu auch hohe Heeresoffiziere noch Beihilfe leisteten; sie mußten nämlich einen Kriegsgefangenen, damit er gehängt werden könne, erst aus dem Militär «entlassen», das heißt: aus dem Lager – und ihn «überstellen» an die Gestapo . . .

Nun: dieses von Amts wegen verordnete Vorgehen, das von Zehn-, im Laufe des Krieges vermutlich von Hunderttausenden deutscher Ärzte, Offiziere, Juristen, Standesbeamten, Rathaus-Leerläufern, Sekretärinnen, Arzthelferinnen, Parteibonzen, Polizisten praktiziert wurde, deren keiner im klinischen Sinne seinen Volksgenossen als unnormal erschien, wurde deshalb nicht durchschaut als Geisteskrankheit, weil es nicht von einem oder einzelnen, sondern von personenreichen Bevölkerungsgruppen durchge-«führt» wurde: allein deshalb erschien es allen Beteiligten als ein Vorgang der Normalität. Hätte ein einzelner sich angeschickt, zu verlangen, daß man dergleichen tue: man hätte ihn ausgelacht oder eingelocht als den Irrsinnigen, der er ja war – es sei denn: er wäre der Führer gewesen und hätte das verlangt. Und der hat das ja verlangt! Grundsätzlich *er*. Im Detail auch noch sein Himmler, sein Heydrich und sehr, sehr wenige andere Einzelne.

Was ein unkontrolliert machtvoller Kranker oder drei, deren «Geistes»-Verwandtschaft sie zu den intimsten Mitkomplicen dieses einen gemacht hat, sich einfallen läßt: das muß nur als Befehl einem großen Personenkreis aufgenötigt werden, dann wird es erstens nicht diskutiert; wird zweitens – nach einiger Zeit – als gesund, als vernünftig, ja als nützlich empfunden und von diesem Personenkreis wiederum an unüberschaubar zahllose Unterlinge weiterbefohlen und von denen auch ausgeführt. Woraus zu folgern ist, daß vielleicht nicht Psychopathen die stärksten Persönlichkeiten sind, doch sind sie *die* wohl zumeist *auch*; daß sie aber in politischen Krisen die alle überragende Fähigkeit haben, zur Macht zu gelangen . . . woraus alles weitere schon folgt . . . aufhaltsam nur noch durch Mord. (Berühmt, ja gesellschaftsfähig wurde im 19. Jahrhundert Graf Münsters Definition des Zarentums: «Absolutismus, gemildert durch Mord.»)

Es sind also nur zwei Voraussetzungen erforderlich, um Irrsinn als Norm erscheinen zu lassen: erstens, daß ihn das Kollektiv praktiziert – nicht nur der einzelne, der ihn anordnete. Zweitens, daß er amtlich verordnet wurde und seine Durchführer sogar – für seine Durchführung – pensionsberechtigt macht. Dann «denken» alle ihn, diesen Irrsinn: sobald er gesetzlich als Norm verankert wurde, ist er ein Kollektiv-Phänomen – zuweilen auch umgekehrt: weil er das bereits ist, wird er gesetzlich noch verankert.

Heinrich Müllers «Schnellbrief» belegt abermals die Genauigkeit der These Nietzsches, von der wir ausgingen und zu der wir notgedrängt dauernd wieder zurückkehren: daß Irrsinn bei einzelnen selten, doch in Völkern und Zeitaltern die Regel ist. Und da Gegner Eigenschaften austauschen, da Kriege sie – wenn auch in Grenzen – einander ähnlich machen, zum Beispiel schon in der Wahl der Waffen, denn anders wäre eine Verteidigung gar nicht denkbar: so hat die Geisteskrankheit, die Hitlers Krieg so unvergleichlich grausamer ausarten ließ als noch den ersten der Weltkriege, auch logischerweise übergegriffen ins Lager seines Gegners. In London äußerte sie sich nicht in Rassenwahn, sondern in dem Wahn, «in diesem Kriege würden große Truppenmassen gar nicht in Erscheinung treten», wie Churchill am 10. Januar 1941 zu Harry Hopkins sagte, Roosevelts bedeutendstem Emissär. Würde England, fügte der Premierminister hinzu, mit amerikanischer Hilfe «die Luftüberlegenheit erringen, dann wäre Deutschland mit all seinen Armeen erledigt».

Unfaßbar, daß ein Genie, dessen eigene «große Truppenmassen» wenige Jahre später vom Rande der Vernichtung in Nordafrika bis zur Elbe marschieren sollten, diesen Unfug im Winter seiner tiefsten Verzweiflung tatsächlich sich selber einzureden vermochte – weil dieser Glaube sein einziges Kraftreservoir war in den Monaten, als England ohne Verbündete dastand und Hitlers riesigen Landheeren nichts entgegenzustellen wußte als die Hoffnung auf eine große Bomberwaffe! Deren Oberbefehlshaber hatte am 9. Juli 41 von Generalmajor Bottomley einen Befehl erhalten, der ein gleiches Ausmaß von Geisteskrankheit signalisiert wie der zwei Tage zuvor von Heinrich Müller versandte Schnellbrief: «Ich bin beauftragt, Ihnen mitzuteilen, daß eine eingehende Untersuchung der gegenwärtigen politischen, wirtschaftlichen und militärischen Lage des Feindes gezeigt hat, daß der

Kampfgeist der Zivilbevölkerung und das Verkehrsnetz die anfälligsten Punkte in seiner Rüstung sind.»

Das hatte Professor Lindemann, der spätere Lord Cherwell, dem Premierminister eingeredet. Lindemann hatte, indem er «wissenschaftliche» Gutachten erstellte, die Churchills letzte Hoffnung zu diesem Zeitpunkt *bestärkten*: erstens erreicht, daß Churchill nur noch Lindemann als wissenschaftlichen Berater der Regierung anhörte, während er «Gegner des Flächenbombardements aus dem Zimmer wies»; und so hochbedeutende und um Englands Rettung und Luftverteidigung 1940 verdiente Männer wie Henry Tiszard als wissenschaftliche Berater entließ, weil sie gegen Lindemanns Zivilistenbombardierungs-Wahn einzuschreiten versucht hatten. Das überliefert der Chronist C. P. Snow aus intimster Kenntnis Whitehalls; Snow berichtet, wie der «schwache, aber gerade noch wahrnehmbare Geruch einer Hexenjagd» eine Atmosphäre in Whitehall und in der britischen Presse schuf, die «hysterischer war, als es sonst im offiziellen Leben Englands üblich ist». Und Lindemann hatte Churchill weiszumachen vermocht, daß binnen achtzehn Monaten – vom März 42 bis Mitte 43 – ein Drittel sämtlicher Deutscher obdachlos und damit kapitulationsbereit zu bomben seien, vorausgesetzt, ihre Innenstädte, nicht aber deutsche Industrie seien das Angriffsziel! Ergebnis: 56000 britische, über 40000 amerikanische Bombersoldaten zahlten diese «Strategie», die nichts war als ein Irrglaube, mit dem Leben. Zwar brachten sie siebenhunderttausend deutsche Zivilisten um, vermutlich sogar achthundertfünfzigtausend, wie man erst weiß, seit David Irving den Tagesbefehl 47 des Dresdner Befehlshabers der Ordnungspolizei, Oberst Grosse, fand, der eine Viertelmillion Tote nach den vier Angriffen vom 13. und 14. und 15. Februar 45 aufzählt. Damals war Churchill,

den Endsieg schon im Griff, auf Hitlers Niveau herunter-
gekommen, denn er forderte, als das Elend der deutschen
Ostflüchtlinge in London bekanntgeworden war, diesen
«Deutschen beim Rückzug aus Breslau das Fell zu ger-
ben»; und sein Privatsekretär beobachtete, daß die
Schreckensnachrichten vom Dresdner Feuersturm den
Premierminister ganz ungerührt ließen . . . Doch daß
vier Jahre zuvor Lindemann und durch ihn Churchill sich
überhaupt zu dem Wahn hatten hinreißen lassen, Bombardierung demoralisiere jene Zivilisten, die sie nicht
tötete; während doch Hitlers Angriffe auf England den
beiden Männern soeben vor Augen geführt hatten, daß
im Gegenteil Terrorangriffe erst den Zivilisten fanatisier-
ten: bleibt irrational. Abgesehen davon, daß natürlich
kein einziger deutscher Zivilist hätte mitentscheiden können, ob Hitler seinen Krieg weiterführe. Churchills wie
Hitlers Terrorangriffe führten zu nichts als einer bedeutenden Verlängerung des Krieges, weil höchstspeziali-
sierte Elitetruppen, die Bomberbesatzungen, nicht an
den Fronten eingesetzt wurden, sondern ganz vorwiegend
dort, wo sie den Verlauf der Schlachten nicht beein-
flußten.

14
Elisabethenkrankenhaus Lörrach

Geheime Staatspolizei
Staatspolizeileitstelle Stettin
B.-Nr. II E 1 – 3015/41

Stettin, den 16. Januar 1942

An den Herrn Polizeipräsidenten
in Stettin

Betrifft: Exekution des Polen Stanislaus
Krawczyk, geb am 25. 7. 1921 in Posen.

Vorgang: Ohne.   Anlagen: Keine.

Auf Befehl des Reichsführers SS und Chefs
der Deutschen Polizei ist der Pole Stanislaus Krawczyk wegen Geschlechtsverkehrs mit der RD. Arbeiterin Käte Linkzu
erhängen. Die Exekution findet am Montag, den 19. 1. 1942, um 8.30 Uhr, im
Schießstand des Bredower Schießparks in
Stettin (jetzt Polenlager), statt. Ich gebe
davon Kenntnis.

i. V. Dr. Nedwed

Das Telefon läutete in der Kohlenhandlung Melchior. Der vielbeschäftigte Hausherr, glücklicherweise grade schon zu alt, um noch militärpflichtig zu sein, doch das konnte noch kommen, rief seiner Frau zu: «Nimm ab!»

Er war nicht nur als Landwirt, der zudem den Totenwagen der Gemeinde kutschierte, und als Kohlen- und Brennholz-Händler überfordert, weil er mit seinen Gespannen nicht nur die Kohlen vom Bahnhof auf seinen Hof, sondern auch noch Holz aus dem Wald herunterzubringen hatte ins Dorf; er hatte außerdem das Pech, daß einer seiner zwei polnischen Arbeiter seit fast vierzehn Tagen im Lörracher Krankenhaus bettlägerte, und zwar ausgerechnet Zasada, der Deutsch konnte; denn Popilarczek, der zweite seiner Polen, sprach kein Deutsch – sprach fast überhaupt nichts mehr, seit vor Monaten seine Mutter aus Lublin ihm geschrieben hatte, seine Frau schlafe daheim mit einem deutschen Besatzer . . . Daß aber ausgerechnet Zasada mit der eitrigen Angina ins Krankenhaus eingeliefert worden war, weil Frau Melchior die Kammer, die er sich mit Popilarczek teilte, nicht heizen konnte, es gab keinen Ofen da oben – war deshalb so nachteilig, weil Zasada, wenn er den Brombachern Kohlen vors Haus fuhr und in den Keller trug, nicht nur gleich kassieren, sondern auch die Bezugsscheine mit heimbringen konnte ins Geschäft; seit diesem zweiten Kriegswinter gab es zum erstenmal auch für Kohlen, sogar für Brennholz Bezugsscheine, so wie es seit Kriegsbeginn Lebensmittelmarken gab. Und Zasada, weil er Deutsch sprach, wußte genau, was er den Leuten von ihren Bezugsscheinen abzuschneiden hatte für die halben oder ganzen Zentner Kohlen oder auch mehr, wenn er Läden, Büros und Handwerker belieferte . . . Wo hatte der sich nur diese schwere Erkältung mit Fieber geholt: warm angezogen war er doch, sooft er auf dem Kutschbock saß oder auch im Wald arbeitete? Melchior, während er am Tisch mit ausgebreiteten alten Zeitungen saß, auf die er – wie die Vorschrift verlangte – die von den Bezugsscheinen abgeschnittenen Marken für Kohlen aufklebte, eine ihm verhaßte Beschäftigung, die nichts einbrachte, die er zumeist auch von der Frau und von Zasada erledigen ließ, hörte, wie am Telefon seine Frau sagte: «Das müssen Sie dem Chef schon selber sprechen, Herr Dokter! Moment, bitte, ich hol 'nen! Komm –» sagte sie so heftig zu ihrem Mann, daß der erschrocken aufstand. Sie hielt ihm den Hörer hin und sah verängstigt aus, als sie murmelte: «Der Dokter Griesbrecht, großes Geschwätze da im Krankenhaus!» Melchior sagte: «Melchior, hier – Heil Hitler, Herr Dokter!»

Der antwortete, ohne guten Tag zu sagen oder wenigstens vorschriftsmäßig den Führer zu grüßen, barsch und rasch: «Da haben Sie mit Ihrem Polen mir eine schöne Laus in'en Pelz gesetzt, Herr Melchior!» Der versuchte zu fragen, wie es Zasada gehe, doch der Chefarzt fuhr fort und ihn an: «Wie's ihm geht, wie's ihm geht! Fragen Sie lieber, wie's mir ergehen wird, wenn sich erst außerhalb des Krankenhauses auch noch rumspricht, was in meinem Haus schon jeder weiß: daß der Polacke, den ich ja gar nicht in'nen gleichen Krankensaal mit deutschen Volksgenossen hätte legen dürfen, weisungsgemäß, dafür kann ich vor den Volksgerichtshof gestellt werden – daß der Kerl da besucht wird von einer deutschen Frau, die ihn vor versammelter Belegschaft abküßt! – Was? Woher soll ich wissen, was das für ein Frauenzimmer war – jedenfalls ist sie noch kaum draußen gewesen, übrigens mit einem Koffer, den sie in der Pförtnerstube gelassen hatte: da erzählten zwei Patienten der Schwester, sie hätten zusehen müssen, wie diese Frau mit unserem Polen da im Nebenbett rumgeknutscht hätte: wo gibt's denn so was! Und die Schwester meldet das natürlich sofort der Oberschwester – die dem Unterarzt und der meiner Oberärztin und die mir! – Und nun sagen Sie mir bitte: wer war diese Frau? Wie! – Wissen Sie nicht? Wie? Ach was: der Pole sagt das doch nicht, der sagt, er weiß nicht, wie die Frau heißt! Er hätte mal Kohlen zu ihr hingekutschert, was weiß ich! Ich habe Ihnen das jetzt jedenfalls gemeldet, amtlich gemeldet, Sie haben als der Arbeitgeber des Polen die Aufsichtspflicht, Melchior. Nehmen Sie das nicht auf die leichte Schulter – was reden Sie da! Der Mann könnte nichts dazu, wenn ihn jemand im Spital besucht? – Es geht nicht um den Besuch, obgleich, wie Ihnen bekannt sein dürfte, überhaupt deutsche Volksgenossen mit Gefangenen und mit Zivilarbeitern außerdienstlichen Umgang nicht pflegen dürfen, wie Ihnen: wiederhole ich, bekannt sein dürfte . . . Geht doch gar nicht um einen Krankenbesuch! Ich bin kein Unmensch, habe auch gar kein Personal übrig, das ich abstellen könnte, damit es Wache an Betten von Ausländern hält, ich bitte Sie! Aber die zweie da hätten geküßt wie im Schlafzimmer – jaja, haha, zugegeben, ein Schlafzimmer ist das ja auch, aber Melchior, wir kommen doch beide in Deibels Küche, gar nicht zu reden von dem Polen, der ja sonst ein propper Junge ist! Meine Nonnen hier, ich habe meist braune Schwestern, habe aber auch einige Nonnen – die lieben ihn ja alle, weil er einen Rosenkranz überm Bett hat, jedenfalls ist das ihre amtliche Begründung für die sehr simple Tatsache, daß da endlich mal wieder ein junger Mann mit nicht kaputtgeschossenen Gliedern im Bett liegt, er ist so beliebt, wie alles, was verboten ist! Aber genau deshalb ist ja jetzt die Aufregung so groß: weil noch die Eifersucht dazukommt! Von den Nonnen hat doch jede sich einreden können, der Polacke sei wie droben der Herr *ihr* heimlicher Bräutigam! Doch jetzt kommt da mit Koffer und Geschenken eine resolute Person an, als sei sie die Legitime: das macht schon Ärger. Und ich will keinen Ärger . . . ist ja auch Ostern wieder gesund, der Mann, aber ich habe es Ihnen gemeldet unter Zeugen, ist mir egal, was Sie daraus machen, wie? Ja – will ich ja gar nicht so genau wissen, ob Sie den Mann nachts einschließen, er könnte ja auch am Tage so mancher ausgehungerten Kriegerfrau, wenn er ihr sowieso schon ins Haus kommt, dieser stramme Sackträger, mit Eierbriketts, auch die eigenen Eier mal hinhalten, wer will denn das nachprüfen! Doch so verrückt zu sein, daß sie den Mann in einem Schlafsaal mit elf Betten vornimmt, vor den Augen von anderen Männern, von denen ja keineswegs jeder von einer Frau besucht wird . . . nun, Herr Melchior, die Pflicht ruft, leben Sie wohl, Heil Hitler, und bitte knöppen Sie sich den Mann vor und stellen Sie ihn hart zur Rede, ich kann das hier im Saal vor zwanzig Ohren schlecht machen, ich bin ja auch keineswegs seine Aufsichtsperson, die sind Sie, sein Arbeitgeber, also Heil Hitler!»

Melchior sah seine Frau an, sie war informiert durch das Vorgespräch, mehr noch durch seine wenigen Zwischenreden, der Arzt hatte ohne Komma und Atem geschwätzt. Jetzt sagte er nur: «Eine Sache, was! – mit Koffer eine, eine Frau mit Koffer wär's gewesen, hat er gesprochen.»

Frau Melchior, erschrocken, sagte ohne eine Sekunde im Zweifel zu sein und zeigte zu Paulines Laden hin: «Dann war's drüben die, die ist ja heute weg, mit Koffer, die ist doch nach Bayern, um ihren Mann zu besuchen – so? Sieh da: geküßt hat die ihn, das hätte ich von der nicht gedacht, wo die so einen guten Mann hat!»

Melchior tat das ab, nahm es jetzt leichter: «Ein Abschiedskuß – finde es eigentlich richtig, daß die mal nach ihm sieht im Krankenhaus, hätten wir auch können tun!»

Seine Frau fuhr ihn an: «Soll ich hingehen und ihn auch küssen!» Er sagte, wieder abwertend: «Küssen? – wird so doll mit der Küsserei nicht gewesen sein, wenn er 'ne eitrige Halsentzündung hat . . .»

Seine Frau war härter in ihren Anschauungen, nicht was den Polen, doch was ihre Nachbarin betraf: «Wenn die ihn schon da im Krankensaal vor den Leuten küßt: was wird sie dann erst mit ihm machen, wenn sie ihn drüben allein abends hat?»

Nun war er verärgert und ließ es an ihr aus: «Quatsch doch nicht: ‹allein› – die ist ja ihr Lebtag nicht allein mit ihm, bis daß der's abends hier zum Essen kommt, ist erstens die Schnittgens bei ihr, die ihr die Bücher führt, und sind zweitens ihre Kinder wach, der Junge läuft schon umher – soll der den zweien die Lampe halten?» Seine Frau sah ihn an, als wolle sie sagen: du warst auch schon heller – und einfallsreicher, als du hinter mir her warst! Laut sagte sie, aber erst, als er schon wieder mit dem schlechten braunen, riechenden Leim, den es jetzt zu kaufen gab, die Abschnitte der Kohlen-Bezugsscheine auf die Zeitung klebte und dann addierte: «Wieso hast du eigentlich gesprochen zum Dr. Griesbrecht, du tät'st den Stani 's nachts einschließen? Wir schließen die Haustür ab, ja. Aber hast du jemals den Schlüssel abgezogen – oder Stanis Zimmer abgeschlossen?»

Er drehte sich grantig herum auf seinem Stuhl und fragte: «Sein Zimmer abgeschlossen? Wie käme ich denn dazu! Sollen die zweie da oben gegen die Wand pinkeln, wenn sie nachts raus müssen? Hör jetzt uff, Frau, ich hab genug davon, der Mann ist Eins A als Arbeiter und mit den Pferden erst recht, meinst du, ich will den verlieren durch irgendein dummes Geschwätz? Seh ja schon jetzt, wie er uns fehlt – und fehlt erst zehn Tage!»

Sie schenkte ihm wie nur selten um diese Zeit einen Steinhäger ein zu dem Fettkriemenbrot, das sie ihm geschmiert hatte, und sagte versöhnlich: «Du tust so, als wollte ich, daß wir ihn verlieren – ich meine ja nur. Und gefährlich genug ist das auch: muß die ihn denn da vor allen Leuten küssen, die ist ja verrückt geworden, die Frau!»

Er hob die Hand, wieder abwertend: «Wenn's wahr ist, ja.» Doch das war eine so dumme Bemerkung, daß er sich genierte und hinzusetzte: «Natürlich ist es wahr – die können ja nicht da im Spitalsaal das einfach erfinden, daß unsre Nachbarin hinkommt mit einem Koffer, wenn du sagst, die ist heute weg zu ihrem Mann mit Koffer: dann war das die! Ich spreche mit meiner Schwester, die soll sich die Schnittgens mal vorknöppen, ob die was gehört hat.»

Nicht ohne Bosheit sagte Frau Melchior: «Gehört? – zum Hören wohnt ja die zu weit weg. Da frag ich mal lieber die Maria Buschel – ob die nichts gehört hat. Jedenfalls soll der sich in acht nehmen, der Stani – das kann ein teurer Spaß werden, wenn erst die Leute reden! Und für uns auch. Du hast, spricht der Griesbrecht, die Aufsichtspflicht!»

Der Mann sagte schulterzuckend, doch keineswegs unbeeindruckt: «Aufsichtspflicht – bei Nacht? Soll ich einen anbinden, der von 's morgens um halb sechse bis abends um sieben schuftet? Bei Nacht soll die Partei mich am Arsch lecken. Ich bin ringegangen in die Partei» – er sagte Bachdei –, «damit daß sie mich in Frieden läßt. Aber nicht, daß ich den Spitzel meiner Leute mache!»

15
Wen Gott verderben will...

«Der Führer sagt: ‹Und haben wir gesiegt,
wer fragt uns nach der Methode. Wir haben sowieso so viel auf dem Kerbholz, daß
wir siegen müssen, weil sonst unser ganzes
Volk, wir an der Spitze mit allem, was
uns lieb ist, ausradiert werden. Also ans
Werk!›»

Goebbels: Tagebuch, am 16. Juni 1941

Der Heißhunger der Kleinbürgerin Maria – doch soziologisch war sie im Wortsinn eine Proletarierin: eine Person, die nichts besitzt – nach dem von ihrer Nachbarin gepachteten Gemüseladen, signalisiert auf der untersten Gesellschaftsstufe die Vorbildkraft jener Annexionsgier, die auf oberster Sprosse den Führer des Deutschen Reiches nach der unerwartet raschen Niederlage Frankreichs so hirnleer gemacht hat wie im Märchen vom Fischer un sine Fru die Erfüllung ihres ersten Wunsches des Fischers Weib . . .

Hitler hatte im ersten der Weltkriege vier Jahre als Frontsoldat erlebt, daß Frankreich unbesiegbar war; als er selber ein Vierteljahrhundert später sich zur Offensive entschloß, rechnete er damit, eine Million Soldaten zu verlieren, sagte jedoch, was Weizsäcker hörte: «Aber die anderen auch. Und die können sich das nicht leisten.»

Nun hatte er in dem sechs Wochen kurzen Feldzug nur fünf Prozent der einkalkulierten Verluste (27074 Gefallene, 18384 Vermißte). Er sagte im geheimhaltenden Mitarbeiter-Kreis, er werde den Franzosen nicht einmal Burgund wiedergeben, auch Belgien und Holland beschloß er für ewig einzudeutschen. Goebbels notierte am 7. Juli 40 in sein Journal: «Der Führer hat erlaubt, daß die französische Flotte bewaffnet bleibt. Wenn wir wollten, könnten wir die Franzosen jetzt ganz gewinnen. Aber wir wollen nicht. Wir wollen und müssen sie beerben.» Goebbels, das hörigste aller Parteimitglieder, gab hier nicht seine Meinung wieder, sondern die seines Führers. Teilte auch dessen Angst, England zeige sich kompromißbereit, bevor es «beerbt» worden sei, denn schon am 23. 6. hatte er notiert: «Churchill wird hoffentlich nicht noch im letzten Augenblick nachgeben.» Kein halbes Jahr sollte vergehen, bis er samt seinem Hitler nichts so sehnsüchtig – und vergebens! – herbeiwünschte wie die Nachgiebigkeit

Churchills . . . der die Entscheidungsschlacht schon gewonnen hatte, die Battle of Britain.

Und Hitlers Maß-Losigkeit im Sommer 40 drückte sich konsequenterweise auch in der hervorragendsten seiner Eigenschaften aus, in seiner Grausamkeit. Vier Wochen nach seinem – scheinbar – triumphalsten Tag, dem der Rückkehr aus Paris nach Berlin, ordnete er an, was am 5. August 40 im «Schnellbrief B Nr. 3642/40 g – IV A 1c» der «Chef der Sicherheitspolizei und des SD», Reinhard Heydrich, an zehn verschiedene *Sorten* von Polizei- und SS- und SD-Dienst-Stellen weitergeben mußte: «Insbesondere weise ich darauf hin, daß gemäß Befehl des Führers kriegsgefangene Franzosen, Engländer und Belgier bei Geschlechtsverkehr mit deutschen Frauen und Mädchen genauso mit dem Tode zu bestrafen sind wie die polnischen Kriegsgefangenen.»

Daß Hitler nunmehr seine Verfolgungs-Sucht wegen «GV» auch auf Gefangene aus Westeuropa übertrug, obgleich er immer wieder – und sicher aufrichtig – beteuerte, als wie tragisch er seinen Krieg gegen die «rassisch gleichwertigen» britischen sogenannten «Brüder» empfinde: das legt die Vermutung nahe, daß der Kranke tatsächlich «aus dem wahnsinnigen Zwang eines rachsüchtigen Impotenten heraus» gehandelt hat, wie Carl J. Burckhardt, der Autor des «Richelieu» und letzte Völkerbundkommissar von Danzig, der Hitler persönlich beobachten konnte, in seinem Göring-Streiflicht schrieb. Hitlers Haß auf das Geschlechtliche drückte sich auch aus in seiner Anweisung, homosexuelle SS-Männer nicht mehr ins Konzentrationslager zu bringen, sondern hinzurichten. Daß Hitler, wenn er stillhielt, um sich fotografieren zu lassen, fast immer seine Hände über der Pudenda faltete, als müsse er die verdecken, gab dem Volksmund – speziell den darob beunruhigten Frauen – den lebensgefährlichen Witz ein: «Unser geliebter Führer verdeckt den einzigen Arbeitslosen!» Wie dem auch sei: für kein anderes «Verbrechen», doch ausgerechnet für Geschlechtsverkehr, wollte Hitler bereits 1940 sogar Engländer, Belgier und Franzosen gehängt wissen – während für die von ihm sogenannten slawischen Untermenschen die Todesstrafe fast die übliche von Anbeginn war, für zahllose «Delikte». Und es war sein Siegesrausch allein, der diesen Verfolger-Trieb, mochte der auch als sein Ur-Verlangen längst in ihm geschlummert haben, nunmehr freisetzte. Die Tagebücher seines Propagandaministers belegen – Goebbels schrieb sie bis zum 8. Juli 1941 mit eigener Hand, faßte sich also kürzer; dann diktierte er sie, zuweilen dreißig Maschinenseiten pro Tag –, daß Hitler erst mit seinem Einzug in Paris die letzten Hemmungen abgestreift hat.

Realitätsblinde Mordsucht – dieser Urtrieb im Braunauer und in der Handvoll seiner intimsten Helfershelfer war zu verwirklichen nur, weil die Verachtung von Geist und Vernunft, die Schmähung der Intellektuellen in Deutschland eine so lange Tradition hat. Zwar haben die Deutschen niemals einen Krieg verloren, den Intellektuelle führten: Friedrich von Preußen und alle entscheidenden Persönlichkeiten des Befreiungskrieges außer Blücher waren ebenso brillante Intellektuelle wie Bismarck und Moltke – doch Ludendorff und Hindenburg, die Verlierer des Ersten Weltkrieges, waren keine mehr, sondern bedeutende, doch auf das Militärische beschränkte Strategen, ebenso wie jene Generale, die Hitler um sich ertrug: man lese seines Jodls brutale und dumme Empfehlungen, durch Terrorisierung der Londoner mit Görings Fliegern Churchill kapitulationsbereit zu stimmen... Dagegen hat Hitler einen bedeutenden Intellektuellen in der Generalität, Manstein, nie länger als wenige Stunden in seiner Nähe geduldet; außer dem Architekten Speer hat er von allen Intellektuellen allein Goebbels um sich ertragen – und vermutlich nur deshalb, weil dieser Intellektuelle jener seiner Parteigenossen war, der vor allen der absolut rückgratlose gewesen ist: auf Zehntausenden von Tagebuch-Seiten gibt es nicht *einen* Beleg, daß dieses wahrhaft niedrige Lebewesen an Hitlers Seite ihm *einmal* hart widersprochen habe, sooft er auch anderer, wesentlich gemäßigterer und klügerer Meinung war...

Die deprimierende Reduzierung eines Intellektuellen zum Propagandisten alles dessen, was er für falsch, lächerlich, gefährlich, unsinnig hielt – zum Beispiel Hitlers Antisemitismus oder seinen Zweifrontenkrieg oder den Krieg überhaupt –, ist vermutlich an keinem vorübergehend hochgestellten Menschen der Geschichte so ablesbar wie an der Dienerseele des Journalschreibers Goebbels. Der hat in seinem frühesten Tagebuch wie in seinem letzten, in seinem Roman, im Gespräch, in seinen unzähligen Artikeln immer wieder mit einem solchen Haß vom Intellekt und von Intellektuellen gesprochen, wie nur Selbsthaß ihn produzieren kann; so wie ja die wahrhaft mörderischen Antisemiten jene waren, die sich – zu Recht oder nicht – verdächtigt glaubten, jüdisches Blut zu haben: Hitler und Heydrich, auch der Polenfrank. Und es ist belegt, daß Adolf Eichmann in der SS zuweilen seines sogenannten «jüdischen» Aussehens wegen verspottet wurde. Hat man – wie Goebbels – keinen Grund zu dieser Selbstverdächtigung, so muß die *Dankbarkeit*, die einer jemandem schuldet, dazu herhalten, den Haß auf ihn zum Siedepunkt zu treiben: das Ehepaar Goebbels hat Juden mehr zu danken gehabt als jedem anderen, außer seinem Führer. (Frau Goebbels wurde durch einen Juden Friedländer, der ihre Mutter geheiratet und Magda, die nicht von ihm stammte, adoptiert hat, davor bewahrt, als uneheliche Tochter eines Dienstmädchens heranzuwachsen; Friedländer, ein begüterter Kaufmann, ließ ihr eine prinzessinnenhafte Erziehung angedeihen. Ein Jude hat Goebbels finanziell geholfen, als er studierte; sein Doktorvater war ein Aristokrat jüdischer Herkunft; der Jude Gundolf der von ihm meistverehrte Lehrer; bis zum Vorabend seiner Abreise nach Berlin, wohin er von Hitler als Gauleiter berufen war, ist Goebbels jahrelang mit einer Halbjüdin verlobt gewesen, die ihm auch finanziell stets beistand.) Doch in sich selber konnte Goebbels nicht die Juden hassen, sondern den Intellekt: weil der ihn so oft daran gehindert hatte, seinem von der Kirche schon dem Meßdiener eingedrillten Verlangen nach «blinder Gläubigkeit» nachzugeben! Sein Verstand sagte ihm, der Krieg sei ein furchtbares Risiko, und wie gern lebte doch Goebbels als Freund schöner Schauspielerinnen und Landschlösser-sammelnder Minister! Doch Hitler befahl zu marschieren: also propagierte Goebbels den Krieg. Sein Verstand warnte ihn, die deportierten Juden auch noch zu vergasen, doch da Hitler das anordnete (und sich das in zwei Gesprächen von Goebbels auch nicht ausreden ließ) – so redete der sich ein, unter vier Ohren mit Göring, der auch Angst davor hatte, am 2. März 43: «Vor allem in der Judenfrage sind wir ja derart festgelegt, daß es für uns gar kein Entrinnen mehr gibt. Und das ist auch gut so. Eine Bewegung, ein Volk, die die Brücken hinter sich abgebrochen haben, kämpfen erfahrungsgemäß viel vorbehaltloser als die, die noch eine Rückzugsmöglichkeit besitzen.» Sein Verstand warnte ihn vor dem Zweifrontenkrieg: dankbar notierte er mehrfach, der Führer sage, zum Glück brauche er keinen zu führen; doch als Hitler aus Angst vor nassen Füßen abließ von Plänen, in England zu landen – hielt auch Goebbels es für gut, über die Sowjet-Union herzufallen und kaufte geräuschvoll rote

Fahnen ein, um die Vorbereitungen zu tarnen und der Welt weiszumachen, Berlin rüste zu einem Staatsbesuch Stalins . . .

Dahin kommt, wer den Verstand denunziert. Goebbels schrieb: «In mir empört sich alles gegen die Intelligenz.» Oder: «In der deutschen Seele liegt eine tiefe Sehnsucht nach Erlösung vom Geiste.» Oder: «Der Intellekt ist eine Gefahr für die Bildung des Charakters.» Oder: «Wir Deutschen denken zu viel; das hat uns den Instinkt für die Politik genommen. Der Intellekt hat unser Volk vergiftet.»

Erst von dem Augenblick an, als Goebbels Jude gleichzusetzen begann mit Intellektueller: war sein Haß auf die Juden mordbereit geworden! Daß er, der in der Pubertät seinen Anschluß an den christlichen Glauben eingebüßt hatte – und daher ablehnte, Priester zu werden –, aus der fürchterlichen geistigen und materiellen Isolation in seinem Eltern-Reihenhäuschen, worin er bettelarm und jahrelang erwerbslos nach dem Studium untergekrochen war: endlich wieder Anschluß, Halt, Gehalt, Geltung fände, dem galt verständlicherweise sein stärkster Trieb! Doch sein Intellekt drohte, ihn daran zu hindern, Anschluß zu suchen und zu finden bei einer Meute von vorwiegend kinnlastigen Mikrozephalen, bei den Nazis, die Geist schlechthin mit «jüdischem Geist» gleichsetzten in *dem* Maß, in dem er ihnen selber abging. Seine helle Stirn, seine Formulierungskraft – sie haben Goebbels, und daher sein Haß darauf, in den Augen der Hitlerleute schlimmer verkrüppelt als sein Klumpfuß. Und sein Geist und die Gemeinheit des Schicksals, ihn zum einzigen unter aber Millionen von Hinterhermarschierern zu machen, der nicht wie alle anderen Stiefel dazu anziehen konnte, diese parteiwidrige Mitgift: sie hat Goebbels sich selber erst mühsam verzeihen können in *dem* Augenblick, als Hitler ihn rehabilitierte durch seinen Lobspruch, Goebbels sei der einzige seiner Redner, dem er zuhören könne ohne einzuschlafen . . .

Wie alt in der deutschen Geistesgeschichte ist dieser Haß auf den Geist!

Erst die Nazis mußten die blamabelste Katastrophe nicht nur der deutschen Geschichte herbei-«führen», um die (möglicherweise schon wieder vergessene) Belehrung zu hinterlassen, daß sogar Kriege verliert, wer den Geist verschmäht. Bedrückend für jeden Deutschen, die Landesüblichkeit dieses Hasses auf die Vernunft, die selbst einen linken Geistträger wie den alten Mehring, den namhaftesten Intellektuellen der SPD, noch 1917 schreiben ließ: seine Vernunft habe Lessing – wie zuvor schon Voltaire – daran gehindert, ein Dichter zu sein, so wie ihre Leidenschaft für das Politische Zola und Gutzkow daran gehindert habe . . . Erst als sich praktisch, berechenbar, auf dem Schlachtfeld die Folgen einstellten – zum Beispiel der Tatsache, daß die Erbauer der Atombombe, die vor 1933 zumeist in Berlin und Göttingen gewohnt hatten, aus Haß auf den Geist ins Lager der Gegner vertrieben worden waren: drängte sogar in Deutschland der Verdacht obenauf, man solle Leute nicht schon deshalb vergasen, weil sie mehr Gehirn haben als die Polizei erlaubt . . . In der Bundesrepublik ist das Mißverhältnis der Parteien zu den Autoren von allen Äußerungen der Parteien wieder ihre deutscheste . . . Wie Dr. Goebbels 1941 die Juden «Flöhe» nannte, so nennt 1978 Dr. h. c. Franz J. Strauß Redakteure und einen Autor, die sich einer gerichtlichen Klage durch den baden-württembergischen Ministerpräsidenten Filbinger erwehren, «Ratten und Schmeißfliegen».

Realitäts-Verachtung dort, wo die Wirklichkeit ihrem Machtwahn Schranken vorsetzte, das war jedoch *jene*

Verhaltensweise der Naziführer, von der alle anderen beherrscht wurden oder abgeleitet waren. Da sie zu Kriegsanfang durch spektakuläre Siege Recht behielten, sogar gegen eigene Zweifel; da sie außenstehende Zweifler sowieso köpfen ließen als «Defaitisten»: so löste ihr Siegerwahn Annexionsgelüste aus noch im simpelsten Volksgenossen, der Knecht auf einem Bauernhof nur noch war in der festen Zuversicht, nach Kriegsende vom Führer einen riesigen Erbhof in der Ukraine geschenkt zu bekommen; so wie Kellner sich schon als reiche Kantinenwirte in einer deutschen Kaserne zwischen Narvik und Kairo sahen . . . Der Fisch stank an den Flossen nunmehr ebenso widerlich wie am Kopf.

Die in zahllosen Wochenschauen erhaltenen Dokumente der chauvinistischen Orgasmen, die Hitler auslöste, wo immer er sich «seinem» Volk zeigte, sind unübersehbare Belege dafür, daß die Hitleritis zu einer Geisteskrankheit ausgewachsen war, die nahezu keinen verschonte.

Hitlers Annexions-Appetit wuchs ins vollends Lächerliche unmittelbar vor Ausbruch seiner folgenreichsten Unternehmungen außer der Vergasung der Juden: vor den und während der ersten Wochen seiner Feldzüge gegen Polen, Skandinavien, Frankreich, Jugoslawien und Rußland. Goebbels war der alles mitschreibende Hampelmann, ein nur noch mitleiderregender, der seine angeborene Klugheit selber beseitigt hatte, um nicht widersprechen zu müssen, zu Füßen seines Herrn und Nachbarn in der Reichskanzlei, den er jetzt täglich sprach, da Hitler jede dieser geschichte-machenden Lawinen von Berlin aus lostrat. Bezeichnender, weil verallgemeinernd, als viele sehr ähnliche Goebbels-Notizen ist diese vom 9. 7. 40: «Der Führer hat große Pläne mit Norwegen. Neben Drontheim eine große deutsche Stadt, wahrscheinlich

Nordstern . . . Von dort Autobahn bis Klagenfurt durch. Eine Verbindung quer durch das germanische Reich. Dabei haben die Könige nichts mehr zu suchen. Der norwegische König, die holländische Königin, und auch der belgische König werden ihre Throne nicht wieder zurückbekommen . . . Der Führer ordnet an, daß Franks Bereich Polen nun nur noch schlicht und einfach ‹Generalgouvernement› genannt wird. Wir müssen für jeden abhängigen oder einverleibten Staat einen neuen Begriff oder einen neuen Namen prägen. Die Freiheit, sich im Namen zu unterscheiden, wollen wir den kleinen Völkern lassen. Das wird ein germanisches Reich ohne Grenzen . . . In Frankreich wurstelt man an einem autoritären Regime herum . . . Dieses Land ist als Großmacht offenbar zum Untergang bestimmt. Und das ist gut so. Wir müssen Platz haben . . .»

Wenige Wochen zuvor hatte er noch notiert: «Heute früh um 5 Uhr 15 werden Norwegen und Dänemark . . . besetzt . . . Verhalten die Könige sich honett, können sie bleiben. Aber die beiden Länder geben wir nie wieder heraus.»

Am nächsten Tag, da der Überfall geglückt und die zu spät aufgewachte britische Home Fleet, die blödsinnigerweise Hitlers Kriegsmarine ungeschoren an sich hatte vorüberdampfen lassen, total übertölpelt ist, notiert Goebbels einmal – *einmal* und nie wieder: «Mir grauet vor der Götter Neide.»

Dann jedoch, als auch Frankreich niederzerpanzert ist, fürchtet Goebbels selbst die Götter nicht mehr – was seine völlige Erblindung zur Folge hat: alle seine Bedenken überlebten nie ein Gespräch mit Hitler, der sie ihm ausredete. Nie hat sein Verstand seinen Glauben an Hitler kontrolliert – sondern umgekehrt hat Goebbels den Intellekt wie die Intellektuellen gehaßt, *weil* sie den Glauben durch Zweifel schwächten! Nur konsequent, daß er Menschen köpfen ließ, die zweifelten am Siege Hitlers – so wie ja seine maßgebende Lehrerin, die «allein seligmachende» Kirche, wie sie sich selber nennt, Zweifler als Ketzer verbrannt hat, solange sie die Macht dazu hatte. So klug er von Natur gewesen ist, er war kein Intellektueller, sondern ein Gläubiger: einer, der nicht glaubte, was er dachte – sondern dachte, was er glauben wollte. Er hat unzählige Male sich auch dazu bekannt: «Wir haben gelernt», sagte er und polemisierte ohne Scham damit gegen Bismarcks vernünftige Maxime, «daß Politik nicht mehr die Kunst des Möglichen ist, wir glauben an das Wunder, an das Unmögliche und Unerreichbare. Für uns ist die Politik das Wunder des Unmöglichen. Uns kümmert die Kunst der gegebenen Möglichkeiten einen Dreck!»

Frohlockte Goebbels noch einige Monate zuvor – im Tagebuch –, daß sein Führer nicht wie einst der Kaiser einen Zweifrontenkrieg zu führen habe, da Stalin ein so gehorsamer Rohstofflieferant sei: als er dann weiß, Hitler wird, gegen jedes frühere Kalkül, doch herfallen über die Russen, ist auch Goebbels dank dessen Planen und Reden sofort hirnlos vor Begeisterung und wüstesten Expansions-Orgasmen: ein wahnwitziges Rumpelstilzchen, das in Hochstimmung schreiend um das Feuer hinkt, das der Braunauer in seiner Vorstellung nun auch in Rußland entfachen wird! Das ist die Zeit, da Goebbels sogar einmal – einmal und nie wieder! – eine andere Meinung ausspricht als sein Führer. Denn da Hitler prophezeit, Rußland werde dem deutschen Angriff vier Monate widerstehen, widerspricht ihm Goebbels: nein, nur acht Wochen werde Rußland standhalten! Noch fünf Tage, bevor die Wehrmacht aufbricht, sagte Hitler zu Goebbels: «Moskau will sich aus dem Kriege heraushalten, bis Europa ermüdet und ausgeblutet ist. Dann möchte Stalin handeln.» (Sobald Hitler sieht, im Winter, daß er den Krieg verlieren wird, propagiert er dann die Behauptung, dem Überfall Stalins nur zuvorgekommen zu sein . . .) Doch am 16. Juni sagt er zu Goebbels: «Unsere Aktion ist so vorbereitet . . . daß ein Mißlingen glatt ausgeschlossen ist.» Hitler sagt auch an diesem Tag, die Russen «haben etwa 180–200 Divisionen zur Verfügung, vielleicht auch etwas weniger, jedenfalls ungefähr soviel wie wir». Goebbels setzt in seinem Journal hinzu: «Ich schätze die Kampfkraft der Russen sehr niedrig ein, noch niedriger als der Führer. Wenn eine Aktion sicher war und ist, dann diese. Wir müssen auch Rußland angreifen, um Menschen freizubekommen. Ein ungeschlagenes Rußland zwingt uns dauernd 150 Divisionen auf, deren Menschen wir dringend für unsere Kriegswirtschaft brauchen . . .»

Er spricht, vermutlich zu Recht, vom «größten Aufmarsch der Weltgeschichte . . . 160 komplette Divisionen, 3000 km lange Front». Und setzt hinzu, doch wohl nicht ganz zu Recht: «Der Bolschewismus wird wie ein Kartenhaus zusammenbrechen. Wir stehen vor einem Siegeszug ohnegleichen.»

Goebbels hatte sich in den Monaten und Wochen zuvor immer wieder mit Hitler darüber lustig gemacht, daß Stalin sich pausenlos bemühte, Berlin seiner Loyalität zu versichern: Goebbels zeigt im Tagebuch Stalin als tragische Figur, die nichts so sehr ersehnt wie die Beibehaltung des Friedens mit dem seit seinem Frankreichfeldzug von aller Welt für unschlagbar gehaltenen Hitler! Doch da half nichts: in der Nacht, in der er in Rußland einfallen wird, sagt Hitler zu Goebbels: «Seit Juli vorigen Jahres» habe er «daran gearbeitet» – eine Bemerkung, die noch heute aktuell ist, da immer wieder Hitlers Überfall von jenen, die ihn rechtfertigen wollen, erklärt wird aus einem

Zwang, Stalin zuvorkommen zu müssen! Zahllos sind die Belege, die auch Goebbels liefert, daß diese These absurd ist: Hitler hat niemals daran geglaubt, von Stalin überfallen zu werden, sondern hat mit dieser angeblichen Sorge erst operiert, als er sah, daß er verloren war und seinen wahnwitzigen Schritt «rechtfertigen» müsse . . . Ja, er hatte bedauernd gesagt, Stalin sei leider strategisch zu schlau, ihm je den Gefallen zu tun, offensiv zu werden gegen das Reich! Noch am 16. Juli haben Hitler und Goebbels ihren Spaß bei dem Gedanken, wie jede Verlautbarung des Kremls «eine Ausgeburt der Angst» sei: «Stalin zittert vor den kommenden Dingen.»

Das dürfte auch erklären, warum Stalin immer wieder und aufs schroffste alle Warnungen der Briten zurückwies, obgleich Churchill ihm *dreimal* den Tag des deutschen Überfalls exakt voraussagte! Churchill nennt rückblickend die Russen «die meistüberlisteten Stümper» des Krieges, was ihr Verhalten im Frühjahr 41 betreffe: wegblicken, um nicht Hitler kommen sehen zu müssen! Und noch als der Krieg schon mehrere Stunden im Gange ist, am Sonntag, den 21. 6. 41, notiert Goebbels ironisch, was ihm Hitler am Vortag erzählt hatte: «Molotow hat um einen Besuch in Berlin gebeten, ist aber abgeblitzt worden. Naive Zumutung.»

Und dann hält er fest in seinem Journal, wie die Nacht der Entscheidung zu Ende gegangen war: «Es ist $^1/_2$ 3 Uhr nachts. Der Führer ist sehr ernst. Er will noch ein paar Stunden schlafen. Das ist auch das Beste, was er jetzt tuen kann.» (Goebbels schreibt stets: tuen.) «Ich gehe ins Amt hinüber . . . Meine Mitarbeiter ins Bild gesetzt. Maßlose Verblüffung auf der ganzen Linie»; – die Angst vor einem Überfall durch die Russen kann also bei den Berliner Herren nicht so groß gewesen sein, wie sie nach dem Kriege vorgaben! Ihr Minister fährt fort: «3.30 Uhr.

Nun donnern die Geschütze. Gott segne unsere Waffen! Draußen auf dem Wilhelmsplatz ist alles still und leer. Berlin schläft, das Reich schläft...» Doch Goebbels kann nicht schlafen, so notiert er. Und notiert auch *einen* Satz, den man ganz ähnlich im Herodot schon gelesen hat, als einem König orakelt wird, er werde, wenn er die Griechen überfalle, ein großes Reich zerstören, aber der verblendete Xerxes begreift nicht, daß damit gesagt war: dein eigenes! Goebbels schreibt: «Ich gehe ruhelos im Zimmer auf und ab. Der Atem der Geschichte ist hörbar, wunderbare Zeit, in der ein neues Reich geboren wird.»

Er ahnt nicht, daß sein Tagebuch der negative Kommentar zu den ältesten Parabeln der Weltliteratur ist, zum Herodot, zum Alten Testament, zu den griechischen Tragikern. Da Gott ihn verderben wollte, war Goebbels blind dafür, daß seine richtige Eingebung: mit dieser Stunde werde «ein neues Reich geboren», so gemeint war wie der Orakelspruch, den König Xerxes vor seinem Überfall auf Griechenland empfangen hatte. Denn alle Mahnrufe an den Menschen, die zuerst ausgesprochen sind in diesen frühesten Gesetzesbüchern der Gesittung: daß Sturm erntet, wer Wind sät; und daß der Herr mit Blindheit schlägt, wen er verderben will; und daß niemand sich vor seinem Tode glücklich preisen dürfe; und daß der Tag deines Sieges «schon dein Ende zeugt» (König Oedipus) – sie alle wurden von Joseph Goebbels speziell am Vorabend der Überfälle Deutschlands auf seine Nachbarstaaten in einer derart hohnlachend dummen, Gott und Mensch verachtenden Weise in den Wind geschlagen mit beinahe jeder einzelnen Eintragung in sein Journal: daß die entsetzliche Todesstunde des Verfassers mit seinen sechs unschuldigen Kindern (und seiner sehr mitschuldigen Frau) einen fast religiös stimmt – so furchtbar folgerichtig ist sie!

16
Lörrach,
Gestapo-Gefängnis

«Im Zuge der Judenevakuierung ging am 29.
Nov. ein Sonderzug mit 1001 Juden und neun
Kindern nach Riga ab. Vermutlich aus Furcht
vor der bevorstehenden Evakuierung haben
drei Jüdinnen Selbstmord verübt . . .
In der Nacht vom 15. auf den 16. November
wurde vor dem Rathaus in Windsbach, Landkreis Ansbach, zum Protest gegen die einzige
im Landkreis noch vorhandene jüdische Person, die Ehefrau des Uhrmachers Reuter, ein
Galgen mit der Aufschrift: ‹Für die Jüdin› auf-
gestellt.»

Monatsbericht des Regierungspräsidenten
von Ober- und Mittelfranken, vom 7. 12. 1941

Länger als vorgesehen sollte es dauern, bis man Pauline aus dem Lörracher Gestapo-Gefängnis ins Frauen-Konzentrationslager Ravensbrück «überstellte»: erstens mußte ein Transport per Bahn und mit Begleitpersonal so viele Frauen «erfassen», daß er lohnte. Zweitens stand noch nicht fest, für wie lange Pauline ins KZ komme und auf welche «Stufe» im Lager – der härteste Strafbereich zielte auf «Vernichtung durch Arbeit». Pauline würde mit Sicherheit der leichtesten Art der «Sühneleistung» zugeführt werden, also dem Straßenbau. Ihr Fall war ja so eindeutig und unkompliziert, daß sie einem Richter gar nicht vorgeführt worden war, selbstverständlich auch keinen Anwalt brauchte. Daß man sie nicht längst abgeschoben hatte nach Ravensbrück, verdankte sie der Tatsache – wenn man «verdanken» sagen kann, denn je später sie deportiert wurde, je später käme sie zurück –, daß neuerdings, genau gesagt: seit dem 5. 7. 41 für den Polen Zasada mit Gestapo-Chef Heinrich Müllers Schnellbrief S IV D 2 c 4883/40 g – 196 eine Chance gegeben war, nicht aufgehängt zu werden, sondern «eingedeutscht». Würde aber Zasada eingedeutscht, so käme er selber nur für ein halbes Jahr in ein KZ, leichteste Sühne-Leistungs-Stufe, und Pauline würde gar nicht ins KZ gebracht, sondern für nur ein halbes Jahr ins Gefängnis . . .

Zwar bezog sich Himmlers Geheimerlaß, den Müller «ausgefertigt» und unterschrieben hatte, auf polnische Zivilarbeiter, während ja Paulines Geliebter Kriegsgefangener gewesen war; da jedoch mit der gänzlichen Auflösung des polnischen Staates durch Hitler auch alle polnischen gefangenen Soldaten in Zivilarbeiter «umgestuft» worden waren, so rechnete sich Herr Karl Mayer für Zasada eine solide Chance aus, «unter diesen Erlaß zu fallen», wie er als Beamter sagte; und was ins Deutsche übersetzt heißen sollte: gerettet zu werden! Mayer war gradezu vergnügt, Pauline und Zasada diese seine eigene Hoffnung vermitteln zu dürfen. Denn wenn er auch den Befehl, einen «GV-Schuldigen» zu hängen, nicht einmal mit sich selber diskutierte – so war es ihm doch ausgesprochen ekelhaft, eine solche Hinrichtung – wie befohlen – öffentlich durchführen zu lassen; schätzte er doch deren «Popularitätsgrad» instinktsicher sehr niedrig ein . . .

Weil Mayer nicht einmal davor sicher war, beim nächsten Krach in seiner Wohnküche sogar von der eigenen Familie als «Henker» angesehen zu werden, wenn er hier in der Heimat einen Rassenschänder zum Galgen führe, so war sein Wunsch, dem zu entgehen, derart mächtig, daß er nicht eine Sekunde daran zweifelte, schon das «arische» Aussehen und die charakterlichen Merkmale könnten diesen Blonden deshalb retten, weil Zasada zudem mit der schwer überprüfbaren und kaum zu widerlegenden Behauptung um sein Leben kämpfte, seine Mutter in Lodz, das jetzt Lietzmannstadt hieß, stamme von Deutschen ab . . .

Mayer hatte sich also beeilt, den Polen nackt und angekleidet von vorn, von hinten und von beiden Seiten fotografieren zu lassen und diese Fotos mit einem hervorragenden Führungszeugnis, das auch die große Zufriedenheit der Familie Melchior mit ihrem Kutscher und Kohlenträger Zasada zum Ausdruck brachte, nach Freiburg zu senden; er wußte, daß nunmehr der Reichsführer Himmler persönlich und einige Ärzte über Weiterleben oder Erhängtwerden Zasadas entschieden.

Mayer sagte das auch zu Pauline, die er – sie tat ihm leid – nach Lektüre des Erlasses auf dem Gefängnishof davon unterrichtet hatte; und er hatte eine weitere gute Nachricht für sie: daß nämlich ihr Ehemann, der sofort nach ihrer Verhaftung Sonderurlaub erhalten und ihre

Kinder von Paulines Eltern abgeholt und zu seiner Schwester nach Lörrach in Pflege gegeben hatte, Briefe und Eingaben schrieb, die keinen anderen Zweck verfolgten als Paulines Freilassung . . .

Mayer konnte noch nicht voraussehen, daß zwei Jahre später in Berliner SD-Berichten «zur Inlandlage», so in jenem vom 15. 11. 43, den Ehemännern insgesamt eine geradezu staatsgefährdende Toleranz bescheinigt werden mußte: «Kennzeichnend . . . ist es schließlich noch, daß die *Ehemänner* der angeklagten oder verurteilten Frauen meist energisch *für ihre Frauen eintreten*. Sie verzeihen ihnen den geschlechtlichen Umgang, der nur eine unvermeidbare Folge der langen Abwesenheit der Männer sei. Sie hätten mit ihren Frauen glücklich zusammengelebt und würden dies später auch wieder tun. Außerdem könne der Hof, die Werkstatt, der Laden und die Kinder die Frau und Mutter nicht entbehren. Die Ehemänner werden deshalb regelmäßig bei Stapo, Staatsanwaltschaft, Gericht, Fürsorgeoffizier und anderen Stellen vorstellig und bitten, von einer Bestrafung der Frau abzusehen oder ihr einen Gnadenerweis zu erteilen. Dies geschieht in diesen Fällen auch in großzügiger Weise durch das Justizministerium.»

«Daß Sie entlassen werden, das ist natürlich unmöglich», sagte Mayer zu Pauline. «Selbstredend kommen Sie in ein Konzentrationslager, um zu sühnen; oder wenn Zasada eingedeutscht wird, kommen Sie ins Gefängnis. Doch die sehr günstige Beurteilung durch Ihren Mann und die Tatsache, daß er Ihnen sofort verziehen hat und das immer wieder beteuert, teilweise in Briefen an alle möglichen Leute, zu denen er kaum befugt ist, – das alles wird dazu beitragen, daß Sie in zwei oder vier Jahren so oder so wieder draußen sind . . . vielleicht früher!»

Pauline, mit Tränen in den Augen, wollte beantragen, ihre Kinder zu ihren Eltern zu geben: «Meine Schwägerin haßt mich, wie soll sie meine Kinder lieben?» fragte sie Mayer. Der empfahl, sich zurückzuhalten. Er überlegte. Und sagte dann: «Ihr Mann hat das Gesuch eingereicht, Sie besuchen zu dürfen. Sprechen Sie mit ihm, wenn er kommt! Daß der, nicht Sie, beantragt, die Kinder von seiner Schwester wegzuholen und zu Ihren Eltern zu bringen. Die haben doch einen Bauernhof? Aus Gründen, soll er schreiben, einer gesünderen Erziehung . . . noch besser», fügte er an: «. . . einer gesünderen und volkspolitisch vorbildlichen Erziehung auf einem deutschen Erbbauernhof.»

Er hatte eine dieser Formeln, die damals zum Stil gehörten wie bei Männern der zündholzkurze Haarschnitt – und jede Epoche bevorzugt solche Formeln und Fimmel, die schon die nächste nicht mehr versteht –, auswendig hergesagt, gutmeinend; hatte aber auch entdeckt, daß Pauline sich dieses Wörtergespann schon deshalb nicht merken konnte, weil es ihr fremd war. So fügte er hinzu: «Sagen Sie Ihrem Mann, er soll zu mir ins Büro kommen, wenn er das Gesuch aufsetzt, ich helfe ihm, den amtlichen Ton zu finden, und vielleicht befürworte ich es noch durch einen Zusatz . . .» Mayer hatte Pauline im Gefängnishof aufgesucht, während sie mit anderen weiblichen Inhaftierten den täglichen «Bärentanz» abkreiste. Denn der ängstliche Gesetzestreue wollte vermeiden, daß jemals Untergebene ihm nachsagen könnten, mit einer jungen Frau in deren Zelle gewesen zu sein: «Damit ich gedeckt bin», sagte sich Mayer, wieder mit einer dieser vorgefügten, vorgefundenen Formeln, auf die seine ganze Existenz als Gestapo-Beamter, aber auch als Familienvater sich abziehen ließ. Denn ihm war bekannt, daß irgendwo im Osten ein Kollege zu einem Strafbataillon der Wehrmacht eingezogen worden war – und das hieß bei 80 von 100 Soldaten: Abkommandierung in den Tod –, weil er sich eine Untersuchungsgefangene gefügig gemacht hatte. Daß Mayer überhaupt beim Anblick Paulines an diesen verschollenen Eingezogenen dachte, das hatte zwei Ursachen: erstens fürchtete er nichts so sehr, und er dachte deshalb immer daran, wie seine «Abstellung» von der Gestapo in die Armee oder die Waffen-SS; denn so sehr er den Führer liebte: diese Liebe basierte nicht zuletzt auf der Tatsache, daß er ihr verdankte, nicht wie jene seiner Jahrgänger, die keine hervorragenden Nazis waren, zum Dienst mit der Waffe eingezogen worden zu sein; in Lörrach war Mayer sicher, daß immer dann, wenn er zur Waffe griff, sein Gegenüber ein Unbewaffneter war, anders als an der Front; besser einen Menschen wie diese Pauline verhaften – als feindliche Soldaten aus einem Haus «herausräuchern» müssen! Zweitens aber dachte Mayer beim Blick auf Pauline deshalb so oft an den «straffällig» gewordenen Gestapo-Kumpanen, weil diese Gemüsehändlerin von sechsunddreißig Jahren ihm in Gedanken bis unter die Bettdecke kam: so mächtig war ihre erotisierende Ausstrahlung, ein Sog, daß selbst dieser sackartige Gefängniskittel, der ihre Figur mehr vereinheitlichen sollte als verdeutlichen, der Frau nichts nehmen konnte von dem, was Mayer mit kleinbürgerlicher Verwegenheit als «eine Sünde wert sein» umschrieb. Nie hätte Mayer artikulieren können, warum Pauline ihm derartig einheizte, daß er überdrüssig wurde, wenn er abends in sein Schlafzimmer kam. Seine Sympathie mit dieser «Ehrvergessenen», die gegen das «gesunde Volksempfinden verstoßen» hatte, wie das amtlich lautete, schwächte ihn im Dienst – ja mehr: er übertrug sie, paradox, sogar auf den vorläufig zum Tode Verurteilten, der das «gekriegt» oder sich genommen hatte, was sein Hinrichter sich nur erträumte. Seit aus Berlin der Schnellbrief da war, der einen Ausweg zeigte, zwar keine Slawen, aber doch germanisch Aussehende aus nichtrussischen Ländern nach GV mit einer Reichsdeutschen vor dem Strang zu bewahren – auf Russen traf der Erlaß nicht zu –: kam ihm Paulines Ehrvergessenheit fast so entschuldbar vor wie Ehebruch mit einem deutschen Staatsbürger. «Eine Tracht Prügel von ihrem Mann tät's auch», sagte Mayer sogar einmal zu seiner Frau, als er räsonierte – weil er dabei an sich selber dachte, obgleich er sich leider nichts vorzuwerfen hatte –, GV mit Fremdvölkischen werde zu brutal bestraft. Im Amt hätte er das nie gesagt. Er sagte auch sich selbst nicht, daß der Anblick des schönen Polen, der bis zu Mayers Lektüre des Schnellbriefes ihm nur «verdammt männlich» vorgekommen war, doch nunmehr «schon beinahe wie ein Deutscher» – ihn seelisch so verwüstete, daß er diesen Gefangenen beneidete um die Dreistigkeit, mit der sich der nachts – die Todesstrafe vor Augen – zur Geliebten geschlichen hatte.

Mayer sprach öfter als ein Anlaß dazu war mit Pauline; er suchte sie so sehr, daß er sich mehrfach eingestand: «Gut, wenn die endlich im KZ verschwindet!» Von dem Sichtbaren, was Mayer benennen konnte, wäre er allein nicht so beeindruckt gewesen; andere Frauen im Badischen, Bergbauern-Töchter wie Pauline, brachten ja von Natur die gleiche Mitgift herunter ins Wiesenthal: schwarzbraune Haselnußfarben, wie es im Liede hieß, vor allem aber «Stattlichkeit», die dem halslos-untersetzten Mayer, dem seine Kameraden zuweilen mit respektvoller Ironie eine große Ähnlichkeit mit des Führers Sekretär, Reichsleiter Martin Bormann, nachsagten, besonders imponierte, seit er sogar dienstlich zu spüren bekam, daß sie ihm selber abging, da er nicht eindrucksvoller gebaut war als ein Bürostempel! Das war sein Kummer; immerhin schützte ihn das jetzt auch vor der Einberufung in die Waffen-SS, die körperlich so rassischen Verschnitt wie Mayer nicht einmal beim Troß anstellte! Paulines Bewegungen, ihre bäuerlich starken Flanken und breiten Schultern, deren Männlichkeit ausgeglichen wurde durch Brüste, die selbst ein Zuchthauskittel nicht um ihre harte Greifbarkeit betrügen konnte; ihre Schwerarbeit gewohnten runden, tabakbraunen Arme und Beine – natürlich trug sie ihre Beine so nackt wie ihren starken Nacken –, ja noch (oder zuerst) ihr Geruch, denn die Gefangenen durften nur zweimal in der Woche duschen, vorschriftsgemäß sogar nur einmal, doch Mayer war für gehobene Hygiene und hatte unwidersprochen diesen seinen vorsätzlichen Verstoß gegen eine amtliche Anordnung seiner vorgesetzten Dienststelle auch schriftlich begründet, eine Zivilcourage, auf die er stolz war: Paulines Körper setzte ihm schon genug zu; mehr aber noch die Tragik, die sie jetzt verschönte, sensibilisierte. Und für die Mayer keine Worte gefunden hätte, würde er Worte dafür gesucht haben: was er jedoch als «überspannt» sich selbst «untersagte». Daß sie oft weinte in ihrer Zelle, wenn sie an Zasada dachte, hatte ihre Augen nicht entzünden, ihrer Haut nichts anhaben können. Eindrucksvoll teilte sich dem Gestapobullen auch Paulines Schweigen mit, das sie ängstlich einhielt, sobald er den Polen vor ihr erwähnte: sie wollte vor Mayer nicht losheulen – und das wäre geschehen, hätte sie sich ein Wort über Zasada gestattet! Denn ihr Selbstvorwurf, den Jungen «auf dem Gewissen zu haben» – das sagte sie sich täglich, vor allem nächtlich –, mordete sie fast; zwar hatte Mayer ihr versprochen – und wie alle Gefangenen konnte Pauline sich Hoffnungen einreden auch da, wo es nichts oder wenig zu hoffen gab –, vorerst werde dem Polen nichts geschehen. Dienstlich ausgedrückt: «Meine Eingabe läuft» – nämlich das Gesuch, den Blonden einzudeutschen, statt hinzurichten . . .

So traf es auch Mayer wie ein Tritt in den Bauch, als er auf anderthalb Zeilen, ganz unvorbereitet, per Post die «Begründung» bekam, warum er Zasada zum nächstmöglichen Termin – das hieß: morgen – zu hängen habe: weil Zasada «belehrt» worden sei, GV werde mit dem Strang «geahndet» . . .

Mayer las die dürren Worte dreimal – dann sprang er auf, daß beinahe sein Stuhl umkippte, und lief, was er fast niemals tat, mit dem Befehl zum obersten seiner Unterlinge. «Nun guck dir diesen Blödsinn an, Gustl!» sagte er so aufgebracht, daß er nicht einmal schreien konnte; denn schreien ohne wütend zu sein – einfach der langen Gänge, des weiten Hofes, des hohen Treppenhauses wegen – war bei ihm amtsüblich. Die Nachricht brachte derart seinen ausgeprägtesten, den Ordnungssinn, zum Einsturz, daß er fast philosophisch wurde darüber: «Was hat denn die ganze Eindeutschungs-Aktion für einen Sinn, wenn wir überhaupt keinen einzigen Polen haben, der *nicht* über die Folgen von GV belehrt worden ist, willst du mir das einmal sprechen, Gustl?»

Tatsächlich war *jeder* Pole und hatte das unterschreiben müssen, «amtlich darüber belehrt worden», was ihm geschähe bei aufgedecktem GV. «Dieser Befehl, das sage ich dir, der läßt mich allmählich überhaupt daran zweifeln, daß die noch wissen da oben, was sie anordnen!»

Das war ein furchtbares Wort der Kritik. Mayer erschrak sehr, als es ihm entwischt war. Er sah sich, Gustls Bürotüre hatte er in der Aufregung offengelassen, nach dem Flur um, doch sie waren allein. «Himmler hat ja recht, der Pole ist belehrt worden – aber er hatte auch recht, als er sagte, wer so eindeutschungsfähig ist, der sollte einer nützlichen Arbeit zugeführt werden statt gehängt!»

Gustl sagte: «Wenn du das genau nimmst – dann hängen wir den Mann nicht mehr deshalb, weil er GV gemacht hat, sondern weil er die Belehrung übertrat.» Er grinste: «Wie soll aber einer GV machen, ohne die Belehrung zu übertreten?» Und er setzte hinzu, denn Mayer schwieg, weil er schon daran dachte, daß ihm nicht erspart bleibe, eine Hinrichtung anzuordnen: «Das heißt: ehemalige Kriegsgefangene werden nach wie vor ohne Ausnahme nach GV gehängt – denn unter denen ist keiner *nicht* belehrt worden! Davonkommen können also nur Zivilarbeiter, die erst so kürzlich hergekommen sind ins Reich, daß sie noch gar nicht belehrt wurden. Du mußt in Berlin hinweisen auf diesen Salat, Karl!»

Mayer sagte aufgebracht: «Du willst mich hier wohl loswerden, daß du mir einen solchen Ratschlag gibst, wie? *Ich* bin doch nicht verrückt und melde, daß unsere zwei Heinriche da oben, Müller und Himmler, nicht mehr wissen, was sie wollen! Aber *verrückt* ist das wahrhaftig: Polen also, die seit zwei Jahren schon da sind, als Kriegsgefangene, *die* müssen an den Galgen, obgleich sie wie unserer hier seit zwei vollen Jahren prima ihre Pflicht bei uns tun. Wer aber gestern kam – der darf heute als Pole nicht nur eine Deutsche umlegen, sondern kriegt dafür noch einen deutschen Paß! . . . also ich sage dir, Gustl, wenn *das* nicht Wahnsinn ist!»

Gustl schwieg, weil er weniger aufgeregt war als Mayer und daher besser denken – nämlich auch die letzte Schlußfolgerung dieser Auslegung des Himmlerschen Gnaden-Erlasses noch ziehen konnte: «Sogar noch verrückter ist das, Karl: nicht nur wird ein Pole, der seit Jahren hier schafft, gehängt – und ein anderer, weil er erst gestern kam und auch eine Deutsche beschlief: statt gehängt – noch beschenkt, haha, das reimt sich sogar! Beschenkt mit einem Paß. Sondern: *nur wenn der neue Pole tut,* was den alten an den Galgen bringt, GV – *nur* dann wird er beschenkt mit der Eindeutschung. Das ist ja noch schlimmer als eine Verrücktheit. Das ist eine Unordnung!»

Daß der machtvolle Geisteskranke, der Reichsführer SS und Chef der Deutschen Polizei als ehemaliger Lehrer – die Übertretung einer Belehrung mit dem Strang bestrafte, jedoch das Delikt selber, vor dem die Belehrung hatte warnen sollen, *belohnte*, als die einzige Voraussetzung für Polen, einen deutschen Paß zu erhalten, schien sogar diesen zweien im Rahmen der Normalität, als die sie ihren Dienst ansahen, derart abnorm, daß sie sich am hellen Vormittag aus der Amtsflasche einen Korn genehmigten.

17
Drei Zigaretten

«Die Erhängung ist durch Schutzhäftlinge,
bei fremdvölkischen Arbeitern durch Angehörige möglichst der gleichen Volksgruppe,
zu vollziehen. Die Schutzhäftlinge erhalten
für den Vollzug je 3 Zigaretten.»

Der Reichsführer SS
und Chef der Deutschen Polizei –
S IV D 2 – 450/42 g – 81 – v. 6. 1. 1943

Herr Karl Mayer, der stellvertretende Chef der Geheimen Staatspolizei in Lörrach, ließ sich die Zelle des Polen Victorowicz aufschließen. Der hatte zugegeben, er trage die Schuhe, die einem entflohenen Landsmann elf Tage vor dessen Flucht vom Bürgermeisteramt in Steinen zugeteilt und noch nicht einmal gänzlich durch Ratenzahlungen abverdient worden waren. Mayer hatte vor fünf Wochen Victorowicz vom Acker weg, auf dem er Mist verteilte, verhaftet, um ihm die Mitwisserschaft an den Fluchtplänen des Polen nachzuweisen. Doch war Victorowicz nicht zu «überführen» gewesen; er hatte nur zugegeben, sein Arbeitskamerad, mit dem er beim gleichen Bauern gearbeitet und das Zimmer geteilt hatte, habe einmal droben im Inzlinger Wald beim Holzabfahren die Grenze zur Schweiz genauer angesehen, um festzustellen, sie sei von beiden Seiten unüberwindlich bewacht. Der Entflohene, so war die Aussage des Victorowicz, sei vermutlich nach Polen aufgebrochen, trübsinnig vor Heimweh; oder gar bei Weil in den Rhein gegangen: warum sonst sollte er diese Schuhe, seine einzigen brauchbaren, zurückgelassen haben? Victorowicz sprach ängstlich bis begriffsstutzig, fragte zu oft, als habe er nicht genau verstanden – und das alles gab Mayer das Gefühl, der Pole sei informierter und intelligenter als er zeige . . . Die Schuhe waren aus jüdischem in den Besitz des Staates übergegangen, bevor sie dem Polen verkauft worden waren. Mayer konnte sie beschlagnahmen, mußte aber Victorowicz laufenlassen, denn eine strafbare Handlung war ihm nicht nachzuweisen.

Aus Berlin war mehrfach gemahnt worden, nicht zu vergessen, daß die Polen im Reich arbeiten, nicht jedoch in Gefängnissen faulenzen sollten . . . Anderseits widerstrebte es dem Ordnungssinn Mayers, einen freizulassen, wenn auch an der Kette, der wegen des unausgeräumten

Verdachts der strafbaren Handlung der Mitwisserschaft von Flucht-Vorbereitungen ergriffen worden war; und der sogar Schuhe eigenmächtig angezogen hatte, die einem anderen Polen aus dem konfiszierten Besitz sonderbehandelter Juden vom Deutschen Reich zur Arbeitsleistung ausgehändigt und von dem noch nicht ganz abgezahlt worden waren . . .

Während Mayer sich noch sagte, daß natürlich die «Rück-Überführung» dieser Schuhe in den Besitz des Deutschen Reiches erhebliche Schreibereien mit sich bringe, denn die Schuhe konnten ja nicht einfach im Lörracher Gestapo-Büro magaziniert werden, sondern waren wegen eines erneuten Weiterverkaufs an einen anderen fremdvölkischen Arbeiter zu überprüfen, und es war ein Bericht nötig, der ihre Herkunft aus dem Besitz des Entflohenen und die Empfehlung, was weiterhin mit den Schuhen geschehen sollte, enthalten müßte – während dieser Überlegungen des immer besorgten Mannes nahm Victorowicz in der Zelle militärische Haltung an, wie vorgeschrieben. Denn er hatte Schlüssel gehört.

Mayer war so vertieft in seine Erwägungen, daß er beim Eintritt den Strammstehenden mit: «Heil Hitler!» ansprach, eine Unmöglichkeit; selbstverständlich war die Anwendung des deutschen Grußes gegenüber Fremdvölkischen untersagt – so wie den Fremdvölkischen untersagt war, mit «Heil Hitler» zu grüßen; Häftlingen gegenüber war dieser Gruß schlimmer als absurd, er beleidigte den Führer. «Guten Morgen, Herr Kommissar», antwortete in Demut Victorowicz. Mayer war zufrieden, der Mann hatte eine gute, eine fast schon deutsche Haltung, die Zelle war tadellos aufgeräumt, trotz des Schnitzmessers und seiner Abfälle. Denn da bei Victorowicz wegen der Harmlosigkeit seines Vergehens Selbstmordgefahr nicht bestanden hatte, ließ Mayer, der ihn einmal gefragt hatte, was er gern tue, ein Schnitzmesser und Lindenholz in die Zelle bringen, und Victorowicz hatte dankbar angeboten, für Frau Mayer einen Handspiegel mit Rosen und Blattwerk zu schnitzen; der lag nun da, fast fertig. Mayer hob ihn hoch, sagte: «Rühren!» – und da Victorowicz das nicht verstand, übersetzte er ihm: «Stehen Sie bequem!», und dann hielt er den noch spiegellosen Holzrahmen vor sich hin, als könne man schon hineinblicken, und bemerkte hochachtungsvoll: «Der wird aber *sehr* schön, Victorowicz! Machen Sie mir den auch fertig – dafür gibt's eine Flasche Schnaps –, wenn ich Sie morgen mittag laufenlasse?» Mayer wußte, daß er einem Fremdvölkischen Schnaps nicht geben durfte, immerhin war dieser Mann hier schon ein Künstler als Schnitzer, und Mayers Korrektheit im Umgang mit Untergebenen, mehr noch: im Umgang mit Gefangenen – verbot es ihm, den Spiegel umsonst anzunehmen. Und Schnaps – Mayer bekam ihn legal aus Parteibeständen – bot mindestens keine Fluchthilfe, wie Geld das getan hätte . . .

Auch trank privat Mayer keinen Schnaps, sondern nur im Dienst, wie das erlaubt war, bei verschärften Vernehmungen – das hieß: wenn Aussagen aus Gefangenen herauszuprügeln waren; oder, wie morgen früh, bei Hinrichtungen. Dieser Dienstschnaps wurde aus der Amtskasse bezahlt, darüber gab es Verordnungen.

Victorowicz sah mit aufleuchtenden Augen, denn die Haft setzte ihm sehr zu, und in Erwartung weiterer Anordnungen Mayer gehorsam ins Gesicht und beeilte sich zu versichern, auch in Freiheit – er sagte tatsächlich «Freiheit» und niemand hätte seine Ironie aufgespürt – werde er den Spiegel fertigschnitzen. Victorowicz hatte sich als «Lehrer» ausgegeben, sprach nie annähernd so flüssig Deutsch, wie er konnte, und mimte den passionierten Landarbeiter, weil er gehört hatte, daß sämtliche

Oberschulen und Gymnasien in Polen ebenso geschlossen waren seit Kriegsende wie die Universitäten; und weil er wußte, daß die Universitätsprofessoren als erste mit unbekanntem Ziel von den Okkupanten verschleppt worden waren: keine Frage, daß die Deutschen, die zuerst die Hochschullehrer und dann erst die Juden verhaftet hatten, mit dieser Reihenfolge verdeutlichten, in welcher Gruppe sie ihre Todfeinde sahen – und «die sind wir ja auch», dachte Victorowicz mit grimmiger Genugtuung. Er war noch kein Dozent, sondern hatte als Gymnasiallehrer an einer Habilitationsschrift gearbeitet, bis er eingezogen worden war. Sein Thema: «Das letzte Jahr. Vom 11. 11. 1917 bis zum 11. 11. 1918». Auf den Tag genau ein Jahr vor der Kapitulation des kaiserlichen Deutschlands hatte Ludendorff in Mons den Plan zur letzten Offensive entwickelt, die den Zusammenbruch der deutschen Front in Frankreich eingeleitet hat. Und dieser letzte Tag des kaiserlichen Deutschlands war der erste Tag des republikanischen Polens, war Polens Gründungstag . . .

Doch Victorowicz, der anderthalb Jahre lang auch in Berlin studiert hatte, bis zum Herbst 1938, und Deutsch fast so gut konnte wie Französisch, hätte sich eher die Zunge abgebissen als Mayer merken zu lassen, daß er eine nahezu erotische Sehnsucht nach Lektüre hatte; so hatte er nur nach dem Schnitzmesser verlangt . . . Mayer sollte ihn für bestenfalls so gebildet halten, wie er selbst war.

Victorowicz wartete auf den Moment, in dem er einen Zivilanzug stehlen konnte, um darin bis Straßburg zu gelangen, Fahrgeld hatte er schon; und von Straßburg käme er weiter bis in den von Hitler noch unbesetzten Teil Frankreichs . . .

Mayer nahm noch einmal den Spiegel zur Hand – dann war er entschlossen genug, sagen zu können, was er sagen mußte, und er sagte es so langsam, weil er annahm, sonst verstände der Pole ihn nicht. «Um elf Uhr morgen früh sind Sie draußen, frei – lediglich müssen Sie morgen um acht Ihrem Zellennachbarn und Landsmann Zasada einen letzten Dienst erweisen.» Ein Zögern, Victorowicz blickte gebannt, aber ganz ahnungslos zu ihm hin, und so beiläufig wie er konnte sagte Mayer, weil er tarnen wollte, wie aufregend er selber fand, was er sagen mußte: «Sie müssen Zasada morgen früh aufhängen!»

Er sah an Victorowicz vorbei, legte das Schnitzwerk auf den Tisch und bereitete sich vor, auf das Erwartete. Es dauerte einige Atemzüge länger, bis es kam – fast unhörbar: «Ich? – warum ich, Herr Kommissar. Bitte, lieber – hängen Sie lieber mich als fordern, daß ich . . .» So nüchtern, daß die Drohung darin unterging, sagte Mayer: «Wir Deutschen hängen keinen Polen, was muten Sie uns zu, Victorowicz! Eure Leute verführen hier deutsche Kriegerfrauen, und wir sollen noch die Dreckarbeit damit haben? Ich dürfte gar keinen Polen – oder auch Franzosen oder Engländer aufhängen: den letzten Dienst, das ist eine Anordnung von höchster Stelle, soll immer ein Landsmann einem Ausländer erweisen!»

Weil Mayer so lange und mit zunehmender Vertraulichkeit, ja freundlich zu Victorowicz geredet hatte, gab der sich der Hoffnung hin, ihn erweichen zu können: «Bitte nicht mich dazu nehmen, Herr Kommissar – ich sterbe, wenn ich das tun soll.» Und laut, fast schreiend: «Ich *kann* das nicht tun, ich will das nicht – ich bin . . .» Er stammelte jetzt, er empfand es als unaussprechbar peinlich, zu sagen, was er sagen mußte, spürte aber, daß peinlich oder nicht: gar keine Kategorie mehr war angesichts des Ungeheuerlichen, was Mayer von ihm forderte; leise fügte er an: «Ich bin fromm, ich bin – sicher, Gott wird mir nie vergeben diesen Mord. Und ich bin schwach – ich fiele um, wenn ich einen aufhängen soll, der –»

Mayer änderte seinen Ton, er sagte barsch: «Sie waren Soldat! Haben Sie nicht geschossen auf Deutsche, wieso fallen Sie um, wenn –» Victorowicz wagte, ihm ins Wort zu fallen, es brach einfach aus ihm heraus: «Auf Feinde mit Waffen habe ich geschossen – nie – nie auf Unbewaffnete. Nie! Hängen Sie mich – ich hänge keinen!» Er wandte sich ab. Er hatte das nicht weinerlich, sondern fest gesagt, endgültig. Sein Trotz weckte Mayers Trotz. Der sagte nun ebenso: «Ich kann Sie nicht hängen, wenn Sie meinen Befehl verweigern, ich müßte Sie in ein Konzentrationslager verschicken, in dem Sie vermutlich gehängt würden, aber nicht von einem Deutschen, sondern von einem Polen. Sie würden also durch Ihre Befehlsverweigerung nur zwei anderen Kameraden zumuten zu tun, was Sie selbst nicht tun wollen. Finden Sie das anständig? Einem, der morgen Zasada hängte, einem, der demnächst Sie hängt. Was soll das?»

Victorowicz zuckte mit der Schulter, Mayer wies auf seinen Schemel. Victorowicz, in dem erst langsam das Entsetzen Schwäche auslöste, nahm Platz. Da aber Mayer stehenblieb, wuchs noch seine Überlegenheit; Mayer konnte nicht herausfinden, wie ernst dem Polen seine Weigerung war. Er fuhr fort: «Daß Soldaten Kameraden hinrichten müssen – ist völlig normal, in allen Armeen der Welt! Haben Sie nie mitgemacht in einem Erschießungspeloton?» Er mußte seine Frage neu formulieren, Victorowicz hatte, bleich und bleicher und feucht im Gesicht, nicht zu folgen vermocht. Nun antwortete er: «Ich war nie dabei, als ein Kamerad erschossen wurde.»

Mayer sagte: «Hättet ihr Polen öfter einen Polen an die Wand gestellt, würdet ihr sicher länger als nur achtzehn Tage gegen uns Deutsche gekämpft haben!» Das war so verächtlich gesagt, daß Victorowicz ebenso hervorbringen konnte: «Wir Polen haben nicht verloren, weil uns

Mut fehlte. Panzer fehlten uns und Stukas! Und Alliierte, die versprochen hatten, im Westen anzugreifen!»

Mayer hatte ihm eine Zigarette gegeben, rauchte auch selbst, saß auf dem Tisch. Freundlich sagte er: «Sie sind einen Kopf größer als der Delinquent, der auch groß ist. Und sind gutmütig. Deshalb habe ich Sie gewählt: Sie werden ihn nicht quälen. Wenn der kleiner ist, der ihm die Schlinge um den Hals legt, dann kann's passieren, daß die nicht richtig sitzt, unters Kinn rutscht – dann stirbt der langsam. Das will ich nicht.»

Victorowicz stierte auf seine Zigarette, um nicht zu sehen, was Mayer aus der Uniformtasche gezogen hatte: einen Strick, der aber eher nur ein dicker Bindfaden war. Und einen schwarzen Sack, nicht größer als ein Einkaufs-beutel. «Den stülpen Sie ihm über'n Kopp – so!» Das hatte er so rasch gesagt, daß Victorowicz nicht einmal abwehren konnte, als Mayer ihm jetzt die Kapuze über-zog, sie auch gleich wieder wegnahm, auf den Tisch legte und nun die Schlinge knüpfte, mit einer Gewandtheit, als verschnüre er wie alle Tage ein Paket. «Gucken Sie doch!» fuhr Mayer ihn wütend an, denn Victorowicz sah demonstrativ weg. «Nein – ich tue das nicht!»

Mayer stand auf und sagte, als sei alles widerspruchs-los verabredet: «Sie müssen die Schlinge nicht knüpfen, die hängt schon da, wenn Sie mit Zasada den kleinen Pferdewagen besteigen, der unterm Galgen einfach weg-gefahren wird, sobald Sie dem Verurteilten die Schlinge angelegt haben – hier», und er zeigte an seinem eigenen Hals und Genick die «Stelle», auf die es ankam; dann zeigte er sie noch einmal am Hals des noch immer vor ihm sitzenden Victorowicz. Der murmelte dumpf und wieder-holte es noch zweimal: «Ich tu das nicht. Ich tu das nicht.» Und um seine Weigerung zu erhärten, wagte er sogar die Hand Mayers, die an seinem Kragen, Adamsapfel und Genick herumfummelte, ohne daß Victorowicz im geringsten begriff, worauf es ankam, mit seiner Hand wegzuschieben, aufzustehen und die Zigarette auszudrücken, so gierig er sie auch angeraucht hatte.

Mayer klopfte dreimal mit der Faust gegen die Tür, er hatte sich mit Victorowicz einschließen lassen; sofort wurde geöffnet. Doch Mayer ging noch nicht, er sagte: «Sie sind ja ein Schnitzkünstler, und ich bin geduldig. Trotzdem werden Sie tun, was getan werden *muß*! Und zwar deshalb werden Sie das tun, weil Sie Zasada darum bitten wird. Sie haben mit ihm zeitweise geredet, ich ließ das auch zu, obgleich das verboten ist. Ihr zwei versteht euch, nehme ich an. Dieser finstere, schmutzige Hühnerdieb, der da drüben sitzt und nur Polnisch versteht und immer nach Katzenkotze riecht und ein Gesicht hat wie ein Kinderschänder: der würde ja nur zu gern Zasada aufhängen, aber der ist um zwei Köppe kleiner und würde ihn quälen. Tun Sie's, Victorowicz, einen freundlicheren Henker als Sie kann sich doch kein Mensch wünschen. Ich lasse Sie reden mit Zasada!»

Damit ging er hinaus. Victorowicz hatte unter dem Fenstergitter an der Wand gelehnt, mußte sich nun rasch über den Kübel beugen, weil er glaubte, erbrechen zu müssen, aber er würgte nur, es würgte ihn – es kam nichts, es war die Hysterie, die Panik. Bevor er noch selbst auf den erlösenden Einfall kam, sich mit seinem Schnitzmesser aus der Welt zu schaffen oder wenigstens so zu verwunden, daß seine Handgelenke morgen früh zu nichts taugen würden: kam Mayer auf diesen Gedanken, er ließ aufschließen, die zwei Messer aus der Zelle herausnehmen – und Zasada, der Handschellen trug und Sträflingskleidung, zu Victorowicz hineinstoßen.

18
Vergittert

«In den ausgesprochen katholischen Gebieten des Abschnittbereiches (Oberpfalz,
Niederbayern, ein Teil von Oberfranken)
wirkt die Tatsache, daß ein Großteil der
Russen ebenfalls katholisch ist, im Sinne
eine Verwischung der Grenzen zwischen
dem deutschen und dem fremden Blut . . .
Wie weit die Urteilslosigkeit von Katholiken gegenüber dem Russen geht, zeigt ein
Fall, der sich am 7. 6. 1942 in Bamberg
ereignete. Dort nahmen an der Fronleich-
namsprozession ca. 40 russische Zivilarbeiter und Zivilarbeiterinnen teil. Der Lager-
führer selbst ging an der Spitze mit. Die
Russen sind ungefähr 100 m mit der Prozession gelaufen und wollten anschließend
im Dom der Messe beiwohnen. Erst durch
das Eingreifen der Kripo wurden die Russen vom Zug abgedrängt und der Lagerlei-
ter in Polizeihaft genommen. Aus der an
der Prozession teilnehmenden Bevölkerung heraus hat sich kein Finger gerührt,
die Russen zu entfernen . . . Wie
. . . schon angeführt, genügt für die gut ka-
tholische Bevölkerung schon die Tatsache,
daß der Russe ebenfalls katholisch und
fromm ist, um in ihm den ‹Auchmenschen›
zu sehen.»

Bericht des SD-Abschnitts Bayreuth
vom 20. 7. 1942

Föhn, der die Farben vertieft und kräftigt und sie dennoch durchsichtiger macht als sie im Weinlesemonat Oktober schon sind, erweckt im achtzig Jahre alten Lörracher Gefängnis den Eindruck, der Weinberg Tüllinger Hügel sei noch näher – zum Riechen nahe seien die Trauben und ihr Laub und die blauen Zwetschgenbäume auch und die gelbgesprenkelten Birkenblätter und der silberpappelfarbene flache rasche Fluß, in dem – genau vor einem Jahr – zuerst Pauline den Freund sah, wie er, nur mit einem Schurz bekleidet und ohne Sattel, Melchiors Pferde in die Schwemme ritt. Das hatte sie damals unbewußt betroffen gemacht, der schöne nackte Junge da als Reiter! Heute sah sie den Hügel, schon halb leergeerntet, genau wie vor einem Jahr – und fühlte, ohne das denken zu können: die Erde ist nicht beeindruckt von uns Menschen, wir sind nichts für sie – und trösten könnte sie uns ja nur, wenn wir sie mindestens greifen dürften! Sonst wird uns ihre herrliche Gleichgültigkeit zur Qual – wie mir jetzt, da ich sie, die Natur, in niemandem und in nichts mehr berühren darf, nicht in meinen Kindern, nicht in einem Mann, nicht einmal auf einem Waldweg oder auch nur in einem Stück Rasen hinter dem Haus. Ihr Anblick allein – steigert nur das Verlustgefühl. Und sie erinnerte sich einer Frau, die nach fast sechzigjähriger Ehe, als ihr Mann kremiert worden war, gesagt hatte: «Das Schlimmste ist, daß man nicht mitstirbt» . . .

Daß Pauline selber auch saß, in Erwartung ihres «Abschubs» in ein Konzentrationslager, von dem sie allerdings irgendeine Vorstellung sich nicht machen konnte: war eine große seelische Hilfe für sie in den Torturen ihrer Selbstanklage, Stani «hierhergebracht» zu haben. Hierher, so hieß die behutsame Umschreibung, die sie benötigte, um zu verdrängen, was sie für Momente doch zu fürchten begann . . .

Doch war dieses noch herkömmlich wirkende altmodische Gefängnis wenig geeignet, die ohnehin sehr enge Phantasie Paulines in Gefahr zu bringen, sich bis zu der Vorstellung voranzutasten, in diesem Hause könnte man Menschen totmachen . . . es sei denn: spontan. Daß bei den Vernehmungen einer totgeprügelt würde, das hielt sie, nach allem, was sie hörte, sehr wohl für möglich. Aber eine Hinrichtung? So daß ihr guttat, sich einreden zu können, Mayer habe ihr versprochen, ihr zu sagen, wenn Stani nicht mehr hier sei . . . hier, das hieß: irgendwo weitab in einem anderen Flügel des gleichen Gebäudes. Hat man nichts mehr zu hoffen – doch das wußte sie nicht –, gibt es fast nichts, woran Hoffnung sich nicht anklammert. Auch das wußte sie nicht.

Eine Möglichkeit, zum Geliebten einen Kassiber hinzuschmuggeln, hätte sich vermutlich ergeben, aber sie hütete sich. Denn Pauline würde nichts riskiert haben, was zu einer – wie sie sich einredete – «Strafverschärfung» führen könnte; daß Stasiek gehängt werde, war ihr so unvorstellbar, daß sie durchaus fürchtete, seine Haftstrafe, die einzige, die sie für möglich halten konnte, zu verlängern, wenn sie wieder Verbindung mit ihm suchte. Das verbot sie sich auch deshalb, weil nichts anderes als die Briefe, die sie ihm aus Bayern über die Schnittgens hatte zustellen wollen, zum Todesurteil geführt hatten: die einzigen Beweise, die in die Hände der «Justiz»-Verbrecher geraten waren . . .

So blieb ihr gar nichts anderes übrig, als sich einzureden: «Das können die nicht tun!» – nämlich den Jungen aufhängen; der «Junge», nicht der Mann war es, der ihr die Qualen der Selbstvorwürfe zufügte. Dem Jungen, auch das sagte sie sich, hatte sie nachgegeben; das war nicht wahr . . . Doch so erschien ihr nun, was «passiert» war. Daß durchaus der Mann sie hingerissen – nachdem,

gewiß, erst der Junge ihr Gefühl, ihre Mütterlichkeit
beansprucht hatte für sich: es war zu schwer, sich das
einzugestehen – nachdem die spontane Bereitschaft ihres
Mannes, zu verzeihen, später wieder mit ihr zu leben, sie
beschämte! Doch daß «ein Junge» ihretwegen dahingera-
ten war, nun unter dem Galgen zu stehen: das ließ Pauline zuweilen nachts hochschrecken von ihrer Pritsche und
zwang sie, stundenlang in der Zelle herumzugehen, mit
den Fäusten gegen die Wand zu schlagen, ja mit der Stirn
dagegen zu stoßen. «Mir bricht das Herz» – diese dumme
Redensart, von der sie geglaubt hätte, würde sie je daran
gedacht haben, sie sei nichts als das: eine Redensart –
nunmehr wurde ihr durch Stiche, durch Verkrampfung
unter der linken Brust deutlich, daß diese Worte durchaus eine körperliche, eine Atemnot und Todesangst ein-
schockende Ursache hatten: Ihr war dann, als zerbreche
eine klammernde Faust ihr Herz. Und sie wünschte es
so! Denn daß ihr Mann sich anständig verhielt, gab
ihr die Gewißheit, er werde – sollte sie sterben, wie sie es
ersehnte – die Kinder zu ihren Eltern bringen, was er ihr
bereits in einem Brief versprochen hatte . . . nur mußte er
diese Zusage auch einlösen können, bevor er nach Rußland kam! Tobte doch der Feldzug nunmehr schon fast
vier Monate: so lange hatte keiner bisher gedauert, nicht
der gegen Polen, nicht der gegen Dänemark–Norwegen,
nicht der gegen Frankreich, nicht der auf dem Balkan! Es
war undenkbar für Pauline, daß Hitler seinen Krieg verlieren könne; und obgleich sie ihn samt seiner Partei zum
Teufel wünschte: wer wußte, ob die den Stani nicht erst
recht ermordeten, wenn sie an der Front geschlagen würden! Und ob dann nicht auch noch ihr Mann mit ihnen
untergehen müßte . . .
Wie wenig der Einzelne weiß, gar voraussieht von dem,
was endlich auch der Maschinerie zustößt, die ihn zer-

stößt! Wie wenig freilich es ihm hülfe, dem Einzelnen, wenn er das wüßte . . . Was – würde sie das geahnt haben – hätte Pauline anfangen können mit diesem Trost; und war das überhaupt einer? Denn wie von ihr geahnt: auch ihr Mann sollte auf Nimmerwiedersehen verschwinden im russischen Feldzug . . . Und wenn morgen früh, und das ahnte sie auch noch nicht, ihr «Junge» zum Galgen geführt wurde: Gab es auch nur die geringste Tröstung über dieses Verbrechen in der Tatsache, daß auf den Tag genau fünf Jahre später, am 16. Oktober 1946, wenigstens einige sehr wenige der Oberbanditen, die diesen Polen – nebst sechs Millionen anderer Polen –, zwar nicht auf dem Gewissen hatten; denn ihr Gewissen war rein, sie hatten es ja niemals benutzt – aber doch auf dem Schuldkonto: in Nürnberg den Gang zum Galgen gehen mußten?

Zehn Tage zuvor, am 5. Oktober, hatte ein Offizier, Oberstarzt Dr. Benn im Oberkommando der Wehrmacht aus der Berliner Bendlerstraße in einem Privatbrief, riskant genug, einem Freund die napoleonische Katastrophe der Wehrmacht in Rußland vorausgesagt, sogar ohne schon einkalkulieren zu können, daß diese sanft warmen Oktobertage die reizbunte böse Täuschung waren, die nichts weniger ankündigte als den kältesten Winter seit einem Jahrhundert! So dämonisch hineinlockend in die sich dann jäh mit Todeskälte auftuenden Winterabgründe, war diese Täuschung, daß die Generalität Hitlers, keineswegs intelligenter als ihr Arbeitgeber, buchstäblich darüber vergessen konnte, ihre Soldaten, das heißt: ihre Opfer – wenigstens mit warmer Kleidung zu schützen! Die ungewohnt warmen Wellen von Herbstlicht und Herbstluft hatte den «Strategen» den Verstand narkotisiert. Doch Benn schrieb damals: «Was den Osten angeht, so ist trotz der großen Siege nichts erreicht, was uns dem Frieden näherbrächte, sondern im Gegenteil. Daß man das strategische Ziel: Petersburg–Moskau–Rostow nicht nach vier Wochen, wie der Generalstab dachte, sondern erst nach 5 Monaten im günstigsten Fall erreichen wird, ist nicht so wichtig. Wichtig ist, daß es gar kein politisches Resultat hat und daß die Opfer bei uns nahezu unausgleichbar sind . . . Wenn die Russen 12 Millionen Soldaten hatten, so haben sie, selbst wenn unsere Zahlen stimmen, noch immer etwa 7 Millionen. Von unseren 3 Millionen vom 22. VI. 41 wird *eine* außer Gefecht gebracht sein, einschließlich des Materials. Ersatz ist kaum mehr vorhanden . . . 1942: das Jahr der Entscheidung. Ich vermute: im Sinne Spenglers. Der 3. Band seines Hauptwerks wird nicht in Papier erscheinen, sondern als Schlachtfeld und Generalstabskarte . . .»

Daß ein deutscher Offizier einen solchen Brief schrieb, der durchaus – bei Zensur – für die Guillotine «gereicht» hätte, belegt auf das ermutigendste, daß es Köpfe genug gab, die noch nicht von der nationalen Paranoia erfaßt worden waren. Auch für Benn war dieser Herbst von Wehmut weckender Wärme und Erntefülle: «Wie lebt es sich in diesem schönen Herbst bei Ihnen? Sicher viel Äpfel an den Zweigen und viele Georginen in den Gärten.»

Lörrach strahlte in weißweinhellem Oktoberlicht, doch kalt war es geworden über Nacht. «Die Sonne täuscht», sagte Pauline zu der anderen Inhaftierten, mit der sie – beide schon in gestreiften Haftuniformen – die steinerne Gefängnistreppe im Bürotrakt des ersten Stockwerks zu schrubben hatten. Sie waren ohne Aufsicht. Wohin auch, von hier aus, hätten sie entkommen können! Eine wußte von der anderen, was sie hergebracht hatte; beide warteten sie auf ihre «Überstellung», wie das amtlich hieß, als «Schutzhäftlinge» ins Konzentrationslager.

Im Gegensatz zu Pauline war die andere einem Sonderge-richt vorgeführt worden – und hatte das unvorhersehbare Glück gehabt, dem Fallbeil in Freiburg zu entgehen, weil ihre Denunziantin, übrigens auch die irrtümlich für eine sogenannte «beste» Freundin gehaltene, zwar glaubwür-dig gemacht hatte, daß die Angeklagte den englischen Rundfunk abhörte; nicht aber auch noch dem Gericht hatte belegen können, daß die Denunzierte Nachrichten aus England weitererzählt habe: und nur die Weitergabe von Meldungen aus dem feindlichen Lager wurde mit Köpfen bestraft; das Abhören mit unbefristeter KZ-Haft; zuweilen auch – wenn der Richter absolut kein Nazi war, doch solche Richter waren meist als Soldaten an der Front – hatte ein Angeklagter das Glück, vor dem Zugriff der SS dadurch gerettet zu werden, daß er eine lange Zuchthaus-Strafe erhielt . . .

Die Frau war im Gleichgewicht, ja mehr – sie freute sich des Lebens. Hatte doch ihr Freiburger Pflichtvertei-diger ihr vor Verhandlungsbeginn wenig Hoffnung gelas-sen, daß sie noch woanders hingeraten könne als in die Anatomie der Universität. Und sie hatte ja keine Ah-nung, wie es zuging in einem Konzentrationslager . . . Sie hatte eben zu Pauline gesagt: «Hast du etwas schlafen können?» – da ließ sie den Schrubber fallen, griff Pauline am Arm und rief, sie zum Fenster ziehend: «Die Männer! Ist deiner dabei?»

Pauline konnte nicht sprechen. Doch wie sie schwieg und zitternd mit ungeschickten Griffen das Fenster zum Hof aufzureißen versuchte, was nicht ging – das bestätig-te ihrer Leidensfreundin, daß dort unten auch der Pole im Kreise geführt wurde; zum letztenmal, was er noch nicht wußte: morgen um diese Zeit streifte sich in Freiburg Professor Dr. Soundso bereits die Gummihandschuhe über, um Zasada die Eingeweide herauszuschneiden, ein

Routine-Vorgang, ehe die ausgenommene Leiche in die Wanne mit Formalin gelegt wurde . . .

Pauline schrie: «Stani!» Sie sah ihn zum erstenmal, seit einem halben Jahr. Die Tränen schossen ihr in die Augen, aber nicht deshalb übersah sie, daß dieses vergitterte Flurfenster einen blockierten Griff hatte; doch ihre Gefährtin sah das. Und ohne zu reden, während Pauline vergebens – denn der Hof war groß und der Pole an der gegenüberliegenden Mauer – an die Scheibe schlug, sprang sie auf die Fensterbank und öffnete knapp zur Hälfte, nur das war möglich, durch das Gitter greifend, das schmale Oberfenster über dem Querbalken des Fensterkreuzes. Sogleich war sie wieder unten und half Pauline auf die Fensterbank. Ohne Vorsicht, ohne Angst um ihn oder sich, bedenkenfrei – schrie sein Name noch zweimal aus Pauline heraus, dann hatte er gehört, sie gesehen! Und er lief aus der Reihe über den Hof und durch die Reihe und stand unter dem Fenster – und da erst sah Pauline, daß Stasiek Handschellen trug: sie wußte nicht, daß sie zum Tode Verurteilten angelegt wurden, nicht nur bevor man die auf den Hof führte . . . und sah auch nicht, in diesem Augenblick, denn nur ein Augenblick blieb ihnen: daß Stasiek der *einzige* Mann war, da im Kreis, der gefesselt ging . . . Sie wollte sprechen, er auch. Und konnten es beide nicht. Dann – endlich – rief sie hinunter: «Vergib mir – bitte, vergib mir! Stani. –» Und mehr konnte sie nicht herausbringen.

Ob er sie nicht hörte oder das Wort nicht kannte: er verstand sie nicht, aber daß es hell wurde auf seinem Gesicht, von innen, das sah sie durch die Tränenwand. «Vergib»: Nie hatte sie das zu einem Menschen gesagt, nie auch nur zu Gott, denn zuweilen betete sie, die Katholikin. Jetzt aber hatte sich ohne ihr Zutun dieses pathetische Wort von ihr gelöst – als das einzige, was ausdrücken konnte, annähernd, wie abgründig sie sich in seiner Schuld fühlte, ein Gefühl, stärker als jedes, das sie bisher überhaupt je verspürt hatte.

Schon hatte der packpapiergraue Wärter, ein Magenkranker, die Verfolgung des aus der Reihe Gelaufenen eröffnet; hatte auch durch Gestikulieren offenbar noch Fenstergucker aus den Büros auf die Disziplinlosigkeit Paulines hingewiesen. Er schrie, was nicht sehr kräftig kam, wie er da hinter Zasadas Rücken auf den Polen zulief: «Zurück, zurück – gehen Sie zurück, Zasada!»

Der wendete sich kaum nach dem Schreienden um, er strahlte Pauline an, als sei irgend etwas positiv entschieden, dann erlosch das Licht von innen, das sein Gesicht hell gemacht hatte, und die gefesselten Hände unter das vorgereckte Kinn gehoben, rief er herauf: «Ich muß – gehenkt!»

Sie schrie, ebenso hoffend wie verzweifelt: «Das können sie nicht tun!»

Da war schon der Wärter bei ihm. Er riß ihn am Ärmel – ganz vergeblich. Der noch immer stabile, wenn auch vor Ausgehungertsein hohlnackige, kittelgrau erblaßte großäugige Pole sah nicht einmal zu ihm hin, stieß ihn weniger weg als daß er ihn nur wegschüttelte; und rief: «Für dich sterbe ich gern!»

Noch immer sah er herauf, Pauline aber sackte zusammen, die Freundin fing sie auf, sonst wäre sie die Fensterbank herabgestürzt; und schon kamen zwei Gefängnisbeamte aus verschiedenen Türen auf den Flur gerannt, das Geschrei des Hofaufsehers hatte sie dazu veranlaßt . . . und während oben auf dem Gang die Büttel, einer in Zivil, sich beruhigten, indem sie automatisch das übliche Geschwätz losließen, Branchen-Nörgelei nur, wie: nicht befugt und strengstens verboten und strafverschärfend und Dunkelhaft . . . das zeitlos untilgbare Aufseher-Rotwelsch aller Zonen und Zeiten, lag Pauline mehr als sie stand in der Fensternische. Und die Freundin hielt sie und beide sahen, daß unten über den Hof, flankiert von zwei Wärtern, der Pole weggeführt wurde, nicht zurück in seine Reihe, sondern – und jeder der zwei Bullen hatte ihn mit der Linken überm Ellenbogen gegriffen – ins Keller-geschoß der gegenüberliegenden Häuserwand. Zasada sah nicht zurück. Auf dem Hof die Kreisziehenden sahen hinauf zu den Frauen, so daß der eine der zwei oben Herbeigelaufenen sich zwischen die Frauen und das Fen-ster stellte und sie anherrschte: «Zurück – sofort zurück an die Arbeit!»

Doch merkwürdigerweise ließen sie Pauline in Ruhe, als sie zurücktrat an die Treppe und sich, Gesicht in den rechten Unterarm gepreßt, ohne Schrubber und Eimer wieder anzurühren, auf die oberste Stufe setzte.

Sie ahnte noch nicht, warum die zwei «Pflichtlinge» Mayers dieses Ausmaß pflicht*widriger* Nachsicht gerade *heute* mit ihr hatten.

19
Kein Abschiedsbrief

«Die Verständigung der Angehörigen erfolgt grundsätzlich erst nach Durchführung der Exekution . . . Wohnen die Angehörigen des Exekutierten nicht im Reichsgebiet oder handelt es sich um in den eingegliederten Ostgebieten wohnende Polen, übernimmt das RSHA (Reichssicherheitshauptamt) die evtl. erforderliche Verständigung. Bei Ostarbeitern unterrichtet die zuständige Staatspolizei-leit-stelle das Arbeitsamt mit dem Hinweis, daß den Angehörigen die Todesursache nicht bekanntzugeben ist.»

Der Reichsführer SS und Chef der Deutschen Polizei
– S IV D 2 – 450/42 g – 81 – v. 6. 1. 1943

Wegen des Spiegels, den er für Frau Mayer zu schnitzen versprochen hatte, war Victorowicz eine Vergünstigung zuteil geworden: Er hatte bald nach seiner Einlieferung dem Lörracher Gestapo-Chef die Bitte vorgetragen, seine Armbanduhr in der Haft tragen zu dürfen – und Mayer hatte nach einem mißtrauischen Blick zugestimmt; aus dem Magazin war die Uhr zehn Minuten später dem Untersuchungsgefangenen vorschriftswidrig gegen Quittung mit Durchschlag zurückgegeben worden. Und gestern nachmittag, als Zasada in die Zelle seines Henkers gestoßen worden war, erwies die Uhr sich als ein sehr großes Geschenk; doch je weiter nun die Nacht in den nebelweiß heranschwimmenden Tag überging, je rascher schienen die Zeiger zu laufen. Wünschte Zasada sich momentweise auch, der Sekunden- sei der Stundenzeiger, so klemmte ihn Minuten später genau dieser Verdacht – daß die Stunden ihm wegliefen wie Sekunden – den Atem ab. Zum erstenmal im Leben – also zum letztenmal – hatte er Atemschmerzen, etwas Abklammerndes in der Brust: der körperliche Ausdruck seiner Angst . . .

Dreizehn Stunden waren nun Henker und zu Hängender im gleichen Verlies. Es war vier Uhr. Beide hatten sie schlafen können – sogar ziemlich lange; nur eine List des älteren und schwächeren Victorowicz hatte Zasada das Kostbarste geschenkt, was ihm zuteil werden konnte: Schlaf . . . nämlich die simple List, sich schlafend zu stellen, und das so intensiv, bis er eingeschlafen war. Und dies wiederum hatte Zasada die Freiheit gegeben, sich unbeobachtet zu glauben und alsbald auch unbeobachtet zu sein – und natürlich zu tun, bis zum endlich sogar ihn einschläfernden Erschöpftsein, was allein ihm auch die Todesangst-Verkrampfungen mit wegejakulieren und ihn hinaussteigern konnte aus der Zellen-Sphäre . . . zu dem einen Mädchen hin, das er zu Hause hatte lieben dürfen; und zu der Frau in Deutschland, die jetzt in einer Zelle lag wie er, weil er sie geliebt hatte. Zasada sagte sich, ängstlich bemüht, dabei zu bleiben: Weil er sie geliebt habe, sei Pauline eingesperrt . . . während ja wahrer gewesen wäre, sich zu sagen: weil sie mir blöderweise Briefe geschrieben hat . . . denn ohne die Post – doch wozu, das zu Ende denken! Kommt doch alle Qual des Menschen nur daher, daß er die Dinge zu Ende denkt. Wozu!

Esther in Lodz: Wozu die Möglichkeit . . . die Wahrscheinlichkeit? – sich ausmalen, daß sie mit Deutschen schlief, denn sie arbeitete ja, um satt zu essen zu haben und ihren Eltern noch gestohlenes Essen heimbringen zu können, auf einer deutschen Kommandantur . . . und warum eigentlich dürfte oder sollte sie nicht, da ja auch er mit einer Deutschen . . . Auf dem Trittbrett in den Tod war das Nationale überhaupt keine Kategorie mehr, jedenfalls keine für einen anständigen Menschen! War es doch jene, die allem den Untergang brachte, den Menschen wie den Ländern – ja, ganzen Zeitaltern . . . Die Deutschen würden ihn morden, doch ein Deutscher auch hatte ihm den Wink gegeben, in die Schweiz zu fliehen, eine Deutsche ihn geliebt . . . die nationale war *die* unheilbringende, gesichtsverwischende, numerierende Einsortierung der einzelnen, wozu ihr einen Blick schenken, auch noch zuletzt!

Und doch: Nationalitätenwahn hatte ihn schließlich hierher gebracht, erst in den Krieg, dann in die Gefangenschaft, dann in diese Zelle, also ließ ja der Gedanke daran sich gar nicht umgehen! Ja, schlimmer: Schob man ihn weg als unerheblich, dann wurde vollends grauenhaft, daß er sich ein Opfer dessen nennen mußte, was so völlig sinnlos war! Also mußte er sich umgekehrt das Nationalgefühl sogar wieder aufbauen als eine – da er an Gott nicht glaubte – letzte, höchste Instanz, als *den* Anker, an dem er seine morgen in den Tod abtreibende Existenz noch festmachen konnte, wenigstens für Stunden! Sich zu sagen, daß er hier zwecklos verunglücke: mochte gerade deshalb das Entsetzlichste sein, weil es – stimmte!

Doch kam es für Zasada und für jeden in seiner Situation nicht mehr darauf an, sich einzureden, was stimmte, sondern was nützte: ihm nämlich half, auf den Füßen zu bleiben bis sie – in der Luft baumelten, die Füße. Sein Instinkt riet ihm dazu, ohne daß er das durchdachte. Triebsicher spürte er, daß nur ein großer, ein überpersönlicher, ein gefühlsgeladener *Gedanke* ihm die Standfestigkeit geben konnte, die er brauchte, wenn er nicht morgen jämmerlich wirken, Schadenfreude bei seinen Mördern erregen wollte. Und dieser Gedanke konnte nur Patriotismus sein, da keine Religion ihn hielt, auch keine Ideologie: schülerhafte Neigungen zum Kommunismus waren ihm 1939 weggeätzt worden durch die schauerliche Meldung, Stalin habe mit Hitler einen Plan ausgeheckt, Polen unter sich aufzuteilen!

So konnte nur noch Liebe zur Heimat ihn jetzt gedanklich ablenken von dem, was ihn morgen erwartete – und konnte auch das unerträgliche Gefühls-Vakuum mit Sinnvollem beleben, mit einem Gefühl, das größer war als seine Person, die in wenigen Stunden zunichte gemacht würde. Dieses Gefühl war *Rachsucht*! Und es wuchs über ihn hinaus und riß ihn mit und hoch – um so mehr, als er wußte, er selber könne sie nicht mehr befriedigen, andere müßten das tun für ihn, Landsleute, Alliierte. Und wie er das dachte, war er bei ihnen, in ihrer Gemeinschaft, und litt weniger unter seinem Vereinzeltsein . . . Haß, der ein Ziel weiß, ist Rachsucht, und der Haß, den er empfand, zunächst nur dumpf und lähmend, jetzt aber wild und zielgerichtet, war aufgebrochen mit der gestern empfangenen Nachricht, nicht einmal das Recht zu einem Abschiedsbrief zu haben! Er hatte das zuerst nicht geglaubt. Das hatte er sogar Deutschen nicht zugetraut . . . Ja, er hatte an der Verlegenheit, mit der Mayer ihm zum zweitenmal seine Bitte, doch den Eltern wenigstens noch einmal schreiben zu dürfen, ablehnte – *gesehen*, wie unverständlich selbst für diesen deutschen Bullen die Anordnung war. Aber es gab ihn: Himmlers Befehl, «Fremdvölkische» aus dem Osten dürften Abschiedsbriefe nicht nur nicht schreiben, sondern deren Angehörigen sei nichts mitzuteilen, nicht einmal der Tod des Ermordeten . . . Die würden das schon erfahren oder auch nicht . . . Kameraden würden das bestimmt irgendwann zu Hause berichten. (Hier wußte keiner, daß zum Beispiel die Essener Kruppwerke einfachheitshalber die eingehende und die abgehende Post ihrer «Fremdvölkischen» aus dem Osten meist verbrannten.)

In Zasada hatte rasch die Wut über die Ablehnung seiner Bitte so sehr die Oberhand bekommen, daß sie die Verzweiflung minderte. Und vielleicht war es nur die Einsicht Mayers, derartig unmenschlich dürften selbst Deutsche nicht sein, so siegreich sie auch gen Osten vorwärtsstürmten – die ihm den Gnadenakt abgenötigt hatte, dem Verlorenen in der letzten Nacht einen sympathischen Zellengenossen zu geben. Das *der* es sei, der morgen früh Zasada hängen sollte: das war in der Tat nun bei weitem für die zwei auf so grauenhafte Weise Zwangsverbrüderten so wichtig nicht mehr wie die Beruhigung, die von der Zusage des Landsmannes ausging, den Eltern Zasadas zu schreiben.

Zasada hatte viel Kraft gebraucht – daß er sie brauchte, gab sie erst ihm selber –, seinen Henker zu trösten, denn von beiden war Victorowicz gestern und bis in den späten Abend der ungleich Verzweifeltere gewesen. «Ich kann auch nicht weiterleben, wenn du's nicht selber machst», hatte er Zasada angebettelt, mit Augen, in denen der Irrsinn zuckte . . . und ganz ernst war es ihm, als er sich wie eine Rettung ausmalte, daß er selber, da er ja im Gegensatz zu Zasada nicht gefesselt war, sich in dem Moment, wo sie auf dem Pferdewagen ständen, der dann wegfahren sollte unter ihren Füßen, die für Zasada bestimmte Schlinge umlege und abspringe vom Wagen . . . Zasada hatte ihm klargemacht, wie kindisch das sei: «Die lassen mich da stehen, vielleicht eine Stunde, bis sie einen anderen Polen geholt haben, der's tun muß, wovor du dich gedrückt hast – in den Selbstmord!»

Victorowicz hatte geschrien: «Gedrückt – in den Tod? Drücke ich mich, wenn ich mit dir sterbe!»

Zasada: «Ja. Nichts anderes. Und abgesehen davon, selbst wenn ich dir's ersparen wollte, indem ich's selber machte – wie könnte ich das? Die fesseln mir doch, wie schon so oft, die Hände auf dem Rücken.»

Ihr dumpfes Aufeinanderstarren, auch Voneinanderwegsehen hatte schließlich ein Ende gefunden in dem Moment, in dem Zasada einen seiner Holzsandalen – Verurteilte hatten keine anderen Schuhe – genommen und damit auf den Boden geklopft und gesagt hatte: «Nur wer lebt – kann auch mich rächen, hau ab hier, wie nah ist es nach Frankreich! Und von dort nach England kommst du bestimmt – o Gott: warum hab ich das nicht probiert!» Mit diesen Worten war wieder Leben zurückgekehrt in Victorowicz; Zasada hatte keine Ahnung gehabt, wie genau dieser Plan, in dem Todeskameraden schon längst innerlich Realität geworden war . . . Victorowicz hatte ihm gesagt, er müsse nicht mit den Holzsandalen auf den Steinboden schlagen: unmöglich könne in dieser Zelle an den nacktglatten Zementwänden ein Abhörgerät sein, er habe hier tausendmal «geflöht» . . . Und tatsächlich war die Abhörtechnik des Jahres 1941 noch bei weitem nicht so raffiniert wie nur wenige Jahre später, als keine Mauer mehr vor ihr sicher und es keineswegs mehr nötig war, wie noch damals, auch in *dem* Raum, in welchem belauscht werden sollte, ein Mikrophon zu installieren . . .

Die Wut, nicht den Eltern schreiben zu dürfen; die Bitte an Victorowicz, es für ihn zu tun: dies war der Anfang ihres Gesprächs gewesen und damit der Ablenkung von dem, was Victorowicz tun mußte, bevor er den Brief schrieb . . . Und mit der Einsicht, tatsächlich für diesen Verlorenen noch anderes tun zu können, noch *vieles*: war der «heilige Geist des Widerstandes», wie er das nannte, in diesen Polen gefahren, war ihm der Trotz zurückgekommen, der immer in ihm gewesen war bis zum Befehl Mayers, einen Landsmann zu hängen.

Die Nacht ist die Mutter der Gedanken – die Rabenmutter! Denn Gedanken, die einen bei Nacht anfallen, diese Gedanken sind keine guten. Doch am alptraumschwersten sind jene im leichenlaken-weißen Morgennebel . . . Victorowicz hatte einmal gehört, vielleicht aus einem Krankenhaus, doch er wußte nicht mehr, woher, – daß die frühesten Morgenstunden die körperliche und seelische Krisis bringen. Er dachte, als er sicher war, wider Erwarten doch einschlafen zu können, daß es unverantwortlich sei, zu schlafen, wenn vielleicht oder vermutlich der Freund es nicht fertigbringe – ihn dann allein zu lassen! Er wird Fragen stellen, die ich zwar nicht beantworten kann, weil ich selber nichts weiß von dem, wovon Priester reden – aber reden müßte ich doch mit ihm. *Einen* Satz möchte ich ihm doch mitgeben können, aber ich habe nicht einmal die geringste «Unterlage», um ihn auch nur anzuschwindeln – ein Armutszeugnis. Wahr ist nur dies: da wir von den sogenannten *letzten* Dingen nichts wissen, so können wir auch nicht ausschließen, daß sie *erste* Dinge sind! Denn da wir nichts wußten vom Leben, bevor wir lebten; da wir nichts von ihm wußten und es sich *doch* als Realität erwies, so können wir logischerweise auch vom Tode, von dem wir ja ebensowenig wissen, bevor wir tot sind, nicht ausschließen, daß er genauso ein *Anfang* ist, wie das Leben sich als ein Anfang herausstellte!

Das sagte er zu Stani, als der ohne Übergang, doch hatte Victorowicz bemerkt, wie «es» gearbeitet hatte in ihm, plötzlich fragte: «Du – bleibt etwas nach dem Tode?»

Victorowicz zögerte nicht, da er das aufrichtig versichern konnte, zu antworten, was er da bedacht hatte. Und hinzuzufügen: «Daß wir nichts vom Tode wissen (ebensowenig wie wir vom Leben wußten, bevor wir da waren) – spricht doch keineswegs dagegen, sondern spricht eher dafür, daß auch er eine neue Form der Existenz für uns bereit hält. Dasein oder Fortsein, das sind ja nur irdisch-örtliche Aspekte unserer Existenz: daß die sich nicht *gleichen* – sagt noch keineswegs, daß die nicht *sind.*»

Zasada wandte ein, das eher abwehrend als einen zu billigen Trost: «Kann sein, ja. Kann auch nicht sein. Doch woher willst du wissen, daß nicht nur ausgedacht ist, was du da eben gesagt hast?»

Victorowicz antwortete ruhig, frei von Überredungseifer, weil er dessen gewiß war – *wenigstens* dessen: «Ich leite das als sicher ab aus dem unumstößlichen Gesetz von der Erhaltung der Energie. Denn der stärkste aller Energie-Träger ist der Geist: also *kann nicht sein,* daß nicht auch der Geist bleibt, wenn sogar von der Materie belegt ist, als sicher, daß sie sich nur wandelt, aber nicht vergeht.»

Zasada schwieg; seine Frage, was bleibt?, war anders gemeint gewesen: persönlicher. Aber schon während Victorowicz gesprochen hatte, war Zasada geniert, die Frage gestellt zu haben, denn sogleich hatte er sich sagen müssen: wie komme ich dazu, woher nehme ich die Anmaßung, zu wünschen, daß *von mir* etwas bleibt – während doch seit nun zwei Jahren europäischer Krieg ist und täglich Hunderte, zuweilen Zehntausende hingemäht werden . . . wie morgen ich. So schien es ihm ehrlicher, abzuwerten, was Victorowicz über den Geist als den stärksten aller Energie-Träger gesagt hatte: «Ist nicht die Sexualität der stärkste Motor in uns? Und die ist doch nun ganz gewiß untrennbar vom Körper und wird also mit ihm sterben!»

Victorowicz fragte zurück: «Wieso die Sexualität – nein! Denn die Menschen, die noch zu jung sind, um von ihr getrieben zu werden, die Kinder – und die Menschen, die so alt sind, daß sie nicht mehr vom Eros bestimmt werden oder doch kaum noch: entwickeln doch auch in höchstem Maße schon oder noch Energie. Und die kommt ihnen vom Geist!»

Victorowicz hatte gespürt, wenn er Zasada zum Zuhören bringen könne, dann werde auch dessen Seele ruhiger. Und er hatte sich gehütet, viel mehr vom Elternhaus Zasadas aus ihm herauszufragen als das, was nötig war, den Eltern zu schreiben. Vor nichts anderem war er fortan so sehr auf der Hut, wie vor einem Hingleiten des Gesprächs zum Elternhaus des Verlorenen . . . Merkwürdigerweise war es ein Märchen, allerdings ein höchst realistisches und ganz und gar zeitgemäßes, mit dem Victorowicz das neben der Todesangst stärkste Gefühl in Zasada: die Rachsucht – am tiefsten zu befriedigen vermochte und woraus beiden eine Kraft zuwuchs, die fast so elementar war wie ihre Wut über die Niedrigkeit, dem Verurteilten den Abschiedsbrief zu verweigern. Es war das Märchen vom Fischer un sine Fru . . .

20
Durchführer des Führers: Beispiele

«Erst der Nationalsozialismus schuf die geistigen Voraussetzungen für einen wirksamen Neubau des deutschen Rechts. Das Reichsstrafgesetzbuch ist seiner Abstammung nach ein typisches Kind des 19. Jahrhunderts, und die Ideen jener Zeit haben es entscheidend beeinflußt. Der Gesetzgeber war in erster Linie bemüht, das (nicht nur) liberale Ideal der Rechtssicherheit zu verwirklichen . . . Diesem Zustand wird das neue Strafrecht ein Ende bereiten und eine radikale Änderung des bisher Geltenden bewirken.»

Hans Karl Filbinger, 1935

«Die Tat des Verurteilten (unerlaubte Entfernung) wäre normalerweise mit dem Tode oder hoher Zuchthausstrafe geahndet worden. 6 Monate Gefängnis sind als ungewöhnlich milde Strafe zu betrachten.»

Filbinger in britischer Gefangenschaft am 6. 9. 1945

Der achtzigjährige Altbürgermeister und ehemalige Ortsgruppenleiter der NSDAP in Brombach, Herr Josef Zinngruber, der wesentlich jünger wirkt, empfängt mich in seinem zweistöckigen Beton-Neubau, den sein Sohn, der Architekt, für ihn in den sechziger Jahren an der Schopfheimerstraße errichtet hat, mit Eifer. Er sagt sogar, daß er sich durch diese Erzählung jenen Freispruch erhofft, den französische Gerichte in erster und zweiter Instanz ihm verweigert haben: Sie verurteilten ihn wegen Anzeige des Polen und Paulines zu fünf Jahren Gefängnis, von denen ihm eins geschenkt wurde, auf dem Gnadenwege . . . Zinngruber leiht mir die Gerichts-Urteile und (aussortierte) Akten für eine Fotokopie. Meine goldene Armbanduhr, die ich ihm da lasse, verbürgt ihm die Rückgabe.

Zinngrubers Frau, gelähmt durch Schlaganfall, ist mißtrauisch, fragt sofort nach der Herkunft meiner Frau, die dunkel aussieht wie eine Bündnerin. So redet meine Frau Baseldütsch, was Frau Zinngruber rasch besänftigt. Doch klagt sie unter Tränen – Schlagflußgelähmte weinen ja leicht –, daß nun wieder diese «Schweinerei» (offenbar im Dorfe das gängige Wort für die Hinrichtung) besprochen werden solle!

Doch über die Hinrichtung sagt Zinngruber – der als einziger nicht ableugnet, auch nicht ableugnen *kann*, dabeigestanden zu haben –, darüber sagt er nur, was offenbart, wie er noch heute denkt: «Es war eine Schweinerei – und ich habe mich geweigert», er wird noch lebhafter, als er ohnehin schon spricht, und er spricht immer mit erstaunlichem, aus Rechtfertigungstrieb befeuertem Temperament, dieser Achtzigjährige, und wiederholt: «– mich strikte geweigert, meine Uniform dazu anzuziehen; schließlich, nicht wahr: ist die Uniform ein Ehrenkleid, und ich habe gesagt zum Mayer, ich werde die nicht

beflecken damit, ich komme in Zivil!» (Würde ich einwenden: daß eine Nazi-Uniform kein Ehrenkleid, sondern ein närrisches Verbrecher-Kostüm war, so brächte
ich mich um jede Chance, Erkundigungen einzuziehen.)
So sage ich nur lahm: «Mayer war doch als Gestapo-
Beamter gar nicht Ihr Vorgesetzter, Herr Zinngruber, Sie
konnten doch anziehen, was Sie wollten, da Sie ohnehin
der Höchstgestellte am Tatort waren!» Nein, sagt er –
nicht er, sondern der Kreisleiter Professor Rudolf Allgeier
aus Lörrach, sei der Höchstgestellte gewesen: Allgeier
habe übrigens ein Gnadengesuch für den Polen eingereicht, das Himmler persönlich verworfen habe. (Auf
seinen Kreisleiter, der ihn vor dem französischen Gericht
vergebens herauszuhauen versucht hat, läßt der Ortsgruppenleiter nichts kommen!)

Mit Mayer habe er auch um den Tatort gestritten: Im
Dorfe, oben neben dem in Ehren altgewordenen Gasthaus «Zum Waldhorn» stehen drei noch heute wunder-
schöne Linden, dort habe Mayer den Polen hängen wollen. «Nun stellen Sie sich vor», ruft Zinngruber, «mitten
im Dorfe, unter Bäumen, wo die Schulkinder Lieder singen sollen – da wäre womöglich heute eine Tafel für den
Polen und jeder könnte da nachlesen, was für eine
Schweinerei hier passiert ist – nein, habe ich zum Mayer
gesagt, das verbiete ich, das kommt nicht in Frage, henkt
ihn sonstwo auf, aber nicht dort! Und ich habe mich
durchgesetzt.»

Das begeistert ihn noch jetzt. Vorsichtig frage ich:
«Aber dann mußten Sie eigens einen Galgen bauen lassen, denn im Steinbruch stand ja kein Baum!»

Diese Frage beschattet sein Gesicht; schnell erwidert
er: «Ich nicht – damit hatte ich nichts zu tun.» (Dieser
Satz: «Damit hatte ich nichts zu tun», ist der zweifellos
am häufigsten gebrauchte von allen, die nach Hitlers Tod

auf deutsch gesprochen wurden.) Ich will den alten Mann nicht gegen mich aufbringen. So erspare ich uns, ihn zu fragen, warum er mit so ehrlichen Augen mich belügt: Denn er selber gab als Bürgermeister seinem Gemeinde-förster Klages und dem Bauern Matzke, der als Waldar-beiter (nicht identisch mit dem Ortsbauernführer Her-mann Matzke) die Gemeindesteuern, die sein Hof nicht erwirtschaften konnte, jährlich abzuverdienen hatte wie alle Kleinbauern, den Auftrag, mit Holz aus dem Ge-meinde-Wald den Galgen zu errichten. Das hat Förster Klages mir erzählt und Bauer Matzke bestätigt. Andere Brombacher erinnern sich noch heute mit einer so greuli-chen Empfindung, wie sonst Geschehnisse aus dem Kriege sie nicht in ihnen auslösen, daß diese zwei Männer durch das schockierte Dorf, in dem angeschlagen war, morgen werde der Pole gehängt, abends in den Steinbruch gin-gen, um für den anderen Vormittag dort den Galgen zu zimmern. Wann hört man schon (das geschah in Hörwei-te mancher Bewohner), daß ein Galgen errichtet wird – von zwei sonst gesunden Mitbürgern, die jedermann kennt. Matzke bewirtschaftet heute mit seinem Sohne einen modernen, sehr stattlichen Aussiedler-Hof, Klages verzehrt seine Pension als Förster. (Sein Sohn ist der Nachfolger als Förster.) Meine Frage, ob das für ihn nicht «schwierig» gewesen sei, einen Galgen zu errichten, be-antwortete der pensionierte Förster, irritiert durch die Dummheit meiner Frage: «Schwierig? – Kann doch jedes Kind! Hier ein Pfahl, da ein Pfahl – und drüber ein Balken!» Und er zeigte rasch, als mache er das täglich, mit der Linken, mit der Rechten, wie rasch das ging: kein Problem, keine Hemmung – er war Nazi, sagen Bromba-cher. Und seine Frau: «Womöglich gut gewesen, daß du so lange in russischer Gefangenschaft warst, sonst hätten dich die Franzosen bei Kriegsende wegen dem Polen vielleicht auch noch geholt!» Er stimmt zu. Auch meine Frage – ich spüre: das äußerste dessen, was ich fragen darf, wenn das Gespräch überhaupt weitergehen soll: «Konnten Sie Zinngruber nicht sagen, als Förster brauche ich das nicht zu tun, einen Galgen zu zimmern?», irritiert Klages wieder; Schulterzucken, dann: «*Einer* mußte's tun!»

In Frankreich, wendet er ein, seien auch große «Schweinereien» passiert: wegen Beischlafs mit Deutschen – so habe er gehört – seien dort nach dem Kriege viele Französinnen ermordet oder mit geschorenem Haar durch die Straßen geschleift und eingesperrt worden. «Ja», sage ich, «diese Geschichte des Polen interessiert mich nicht etwa deshalb, weil ich dem Irrtum aufsäße, sie hätte nicht auch in Frankreich passieren können; mögt ihr vor eurer Türe kehren, wir kehren vor unsrer.» (In Frankreich wurden wegen wirklicher und angeblicher Kollaboration mit den Deutschen laut François Mitterand, dem Minister der ehemaligen Frontkämpfer, der das am 16. Juni 1946 bekanntgab, 133 000 Franzosen von Franzosen nach der Befreiung getötet, die weitaus meisten von ihnen massakriert ohne Gerichtsverfahren, wie schon aus der Formulierung dieser Kriegsopfer-Statistik hervorgeht: «Zivile Opfer [verschiedene Ursachen] und Zivile Opfer [Akten noch anzulegen]». Vergleichszahl: «nur» 92 233 Franzosen kamen 1939–1940 als Frontkämpfer um. Der «Figaro» vom 1. 1. 1946 schätzt die Zahl der damals Verhafteten auf ungefähr eine Million, auf «ein Zehntel der in den besten Jahren stehenden französischen Bevölkerung». Der Befreiungsrausch war zum Blutrausch geworden. [Zitiert nach Paul Sérant: «Die politischen Säuberungen in Westeuropa».]

«Säuberungen» ist ein mit äußerster Vorsicht und melancholischer Ironie zu – vermeidendes Wort . . . schon deshalb, weil es eine der meistbevorzugten Vokabeln Nazi-Deutschlands war. Die schon von einem antiken Historiker beklagte Einsicht, daß «Gegner Eigenschaften austauschen», hier fand sie einen neuen, wiederum entsetzlichen Beleg. Die Zahl der Getöteten sagt noch nichts über die «Dunkelziffer» der Vermißten und der «nur» Gequälten, die zuweilen doch überlebten. Sérant schreibt: «Manchmal wurden die Opfer vor ihrer Hinrichtung durch die Straßen geführt und der Mob bespuckte und schlug sie. Mit diesen Straßenszenen wollten die Verantwortlichen die Bevölkerung beeindrucken. Frauen, die verdächtig waren, in Beziehungen zu Deutschen gestanden zu haben, wurden öffentlich die Haare geschoren, manchmal auch völlig entkleidet, und mit Hakenkreuzen aus Teer oder Mennige bemalt. Es kam sogar vor, daß angebliche ‹Patrioten› die Unglücklichen vergewaltigten. Diese Vorfälle waren so empörend, daß der Lyriker Paul Eluard, selbst Kommunist und Anhänger einer gnadenlosen Säuberung, in der Zeitschrift ‹Lettres Françaises› heftig dagegen protestierte.

Die Verantwortlichen dieser Untaten wußten, daß sie straflos ausgehen würden. Die Staatsgewalt war restlos aufgelöst. Vom Präfekten bis hinab zum einfachen Polizisten lief jeder Staatsbeamte Gefahr, verhaftet zu werden. Macht hatten nur diejenigen, die sich ihrer bemächtigten. Sie konnten ohne Gefahr willkürlich jeden nach eigenem Gutdünken verhaften. Die Behörden mußten, um diese Zeit zu überstehen, Macht vor Recht gehen lassen, denn sie standen selbst unter strengster Kontrolle. Die Angehörigen des Maquis bildeten ihre eigene Polizei, richteten Gefängnisse ein und legten Internierungslager an, gegen die niemand zu protestieren wagte. Bei der Übergabe ihrer Häftlinge an die Behörden konnten sie verlangen, den Gefangenen nicht den vollen Schutz des Gesetzes zuzuerkennen. Sogar das Rote Kreuz mußte mehrere Monate warten, bevor es die Erlaubnis zur Gefangenenbetreuung erhielt.»)

Brombachs Ortsgruppenleiter und Bürgermeister Zinngruber, der heute betont, daß er sich geweigert habe, für den Lörracher Gestapo-Oberling Mayer Terroristen anzuwerben, die Pauline – wie Mayer vorgeschlagen habe – mit geschorenem Haar durchs Dorf geführt hätten, und Mayer selber gab dann dieses Vorhaben auf, – Zinngruber war wegen Denunziation des Polen und Paulines von den Franzosen verurteilt worden, obgleich er behauptete – und das noch heute behauptet –, gar nicht in Brombach, sondern auf einem Schulungskurs für Nazi-Kleinbonzen gewesen zu sein, als Ostern 1941 die Tragödie über die beiden hereinbrach. Noch vor Gericht bestand er darauf, der von ihm besuchte Schulungskurs habe einige Tage länger gedauert als das Gericht für erwiesen hielt, so daß *er* die Anzeige in Lörrach gar nicht habe erstatten können; Jahre später erst ereilte ihn das Pech, daß ausgerechnet ein Mann, der durch Beschimpfungen in der Nachkriegszeit in eine Neo-Nazi-Ecke abgedrängt und verfolgt worden war, nämlich Oberst Remer, der am 20. Juli 1944 mit seinem Wachbataillon Großdeutschland die Verschwörer gegen Hitler in der Berliner Bendlerstraße ausgehoben hatte – Zinngrubers Aussage als falsch entlarvte und damit dessen ganze Verteidigung zum Einsturz brachte! Remer, zufällig Nachkriegs-Parteifreund des Sohnes einer jener Frauen, denen der Ortsgruppenleiter die Schuld für seine Verurteilung durch die Franzosen hatte anlasten wollen, brachte den ehemaligen Schulungsleiter, auf dessen falscher Datenangabe Zinngrubers Verteidigung beruht hatte, endlich dazu, die Wahrheit einzugestehen: daß tatsächlich doch zur Tatzeit 1941 der Ortsgruppenleiter bereits wieder in seinen

Amtsbereich Brombach zurückgekehrt war, als die Denunziation von Stani und Pauline bei der Lörracher Gestapo erfolgte . . .

Zinngrubers Haft würde bis zum 30. Juni 1952 gedauert haben, hätten nicht die Franzosen ihm am 13. Juli 51 ein Jahr geschenkt. So konnte er schon am 1. Mai 1952 bei der Staatsanwaltschaft in Lörrach die Personen anzeigen, deren angeblich falschbeschworenen Aussagen – Meineide nach Zinngrubers Behauptung noch heute! – er seine Verurteilung verdankt. Er schrieb: «Die gegen mich durchgeführte Anklage lautete: ‹Denunziation eines polnischen Arbeiters und einer deutschen Frau bei der Gestapo› . . . Ich fühle mich im Sinne der Anklage nicht schuldig und betrachte das gegen mich gefällte Urteil als Unrecht, weil es sich auf Belastungszeugen stützt, die deutsche Staatsangehörige sind und wissentlich und vorsätzlich unter Eid falsche Aussagen gemacht haben.»

Zinngruber nannte fünf Personen und fuhr fort: «Von diesen Zeugen waren die Frauen König und Schnittgens vor dem Gericht Erster Instanz Mitangeklagte, wurden jedoch von diesem Gericht freigesprochen und machten vor der Berufungsverhandlung ihre Aussagen ebenfalls unter Eid . . . Da alle Zeugen deutsche Staatsangehörige sind und m. W. nach deutschem Recht und Gesetz ihre Handlungsweise, deren Folgen meine Freiheitsentziehung verbunden mit materiellem Schaden war, einen Verstoß gegen die Menschlichkeit darstellt, bitte ich die deutsche Staatsanwaltschaft, eine Strafverfolgung zu veranlassen.»

Doch das Justizministerium Baden-Württemberg teilte am 9. Februar 1953 mit, auf Anweisung des französischen Regierungskommissars: «Die Zuständigkeit der deutschen Justiz in dieser Angelegenheit ist nicht gegeben . . .»

Bewegt und unentwegt erzählt nun Zinngruber, allein

die Meineide hätten ihn hinter Riegel gebracht; kein Seufzer anläßlich der – von ihm niemals erwähnten – Tatsache, die das Gericht in beiden Instanzen als erwiesen annahm, daß immerhin er es gewesen ist, der bei der Lörracher Gestapo den Polen und seine Geliebte angezeigt hat!

Auch verschweigt er, schon im Mai 1941 die Brombacher Ortsfrauenschaftsleiterin abgesetzt zu haben, «denn Frau König sei dieses Amtes nicht mehr würdig infolge ihres Verhaltens im Falle des Polen Stanislaus und der Frau Krop, da sie von der Sache gewußt, ihm aber nicht genügende Meldung erstattet habe. Tatsache ist, daß Frau König als Frauenschaftsleiterin abgesetzt wurde und Hauptlehrerin Rösch die Frauenschaft übernahm», wie es am 6. Januar 1949 der Oberlehrer a. D. Gottlieb Wagner an Eidesstatt aussagte, um vor dem Gericht der französischen Besatzungsmacht Frau König zu entlasten, die Zinngruber – um sich selber herauszuhelfen – mit zwei anderen Frauen als die Hauptschuldige an der Denunziation des Polen bei der Lörracher Gestapo bezeichnet hatte. Das Gericht, das seinen «Verdacht . . ., daß der Beschuldigte ganz oder teilweise die Wahrheit *zu verbergen sucht*» auch auf «weitere durch Zeugen bestätigte Denunziationen» stützte, berief sich nicht zuletzt auf einen Pastor Fetzner, «der selbst Opfer einer Denunziation wurde». (Wie die miteinander verschwägerten und miteinander wohnenden Familien Melchior und König die Polen behandelt haben, wird deutlich durch die Tatsache, daß der mit Zasada bei Melchiors das Zimmer teilende Popilarczek nach Kriegsende die Franzosen um Erlaubnis bat, in Brombach bleiben zu dürfen: er ging nicht nach Polen zurück, sondern blieb freiwillig als Arbeiter bei Melchiors und Königs, bis er dort dreißig Jahre später an Krebs starb.)

Zinngruber muß zugute gehalten werden, daß die Unvorsichtigkeit Paulines, als sie den Freund sogar im Krankenhaus besuchte, zwar nicht die Katastrophe unvermeidbar gemacht hat, aber doch das Gerede im Dorf; und dieses Gerede, es führte zur Mitwisserschaft vieler; und diese Mitwisserschaft machte Lust und Angst; und veranlaßte eine der Mitangeklagten Zinngrubers, die von ihm einen Monat später abgesetzte Frauenschaftsleiterin König, sich mit dem Gendarmen Regenhardt darüber zu unterhalten, was sie tun könne, Zinngrubers Vorwurf, sie habe das Verhältnis Zasadas mit Pauline nicht angezeigt, zu entkräften; Regenhardt beriet sich mit ihr, schwieg aber über Frau Königs Gespräch mit ihm, bis der Pole schon verhaftet war.

Auch Zinngruber, ohne Frage, hätte damals etwas riskiert, würde er über das Dorfgeschwätz hinweggehört haben, anstatt es in Lörrach zu melden; doch muß man wissen, daß er es fertigbrachte, eine Einwohnerin seines Dorfes, mit der er sich von Kindheit an duzte, aus seiner Amtsstube hinauszuweisen, als sie «Guten Tag» beim Eintreten gesagt hatte – um ihr aufzuerlegen, erneut anzuklopfen und dann mit dem üblichen «Heil Hitler!» einzutreten, damit man noch heute ermessen kann, daß er ein krankhafter Nazi war! So daß es müßig ist, zu erwägen, ob der Pole nicht noch lebte und Pauline um zwei Jahre KZ-Zwangsarbeit in Ravensbrück herumgekommen wäre, hätte Zinngruber ihnen nur gedroht, er müsse sie anzeigen, wenn ihr Verhältnis andauere; es gab Ortsgruppenleiter in Deutschland, die ihnen Denunzierte verwarnt – und die Denunziation in den Papierkorb geworfen haben: Es war eben keineswegs jeder ein Nazi, der Hitlers biergelbes Hemd trug! Sehr viele Parteimitglieder waren wesentlich anständigere, politisch harmlosere Leute als sehr viele, die nicht in der Partei waren – sich aber doch als Nazis in der Wehrmacht oder Wirtschaft, Medizin, Justiz oder in Handwerker-Vereinen und Arbeiter-Verbänden austobten . . .

Max König, der damals vierzehnjährige Sohn der Frauenschaftsleiterin, der Stani zur Flucht riet, als Paulines Besuch im Krankenhaus Gerüchte und Gerede gemacht hatte, sagt heute: «Bestimmt hätte Zinngruber den Stani retten können.»

Zinngruber, *weil* er ein gefürchteter Dorftyrann war, hätte zweifellos sein Kompetenz-Gehabe hochbauschen und sich spreizen können – da er sich ohnehin bei jeder Gelegenheit uniformiert spreizte – als «zuständig», was er nicht war, auch noch für Paulines Verstoß gegen die Anordnung, außerdienstlich nicht mit Ausländern zu verkehren . . . Denn daß Pauline mit Stasiek schlief, konnte keiner der Herumredner beweisen; bewiesen haben das erst Briefe, die deshalb von der Gestapo gefunden wurden, weil Zinngruber Mayer aus Lörrach herbeitelefoniert hat: Dem händigte Paulines Mitarbeiterin im Laden, die von der naiven Pauline auch noch als Freundin angesehen worden war, doch führte sie nur die Bücher, einen Brief oder zwei aus, die Pauline aus Bayern an sie gesandt hatte mit der Bitte, sie Stasiek zu geben, der «natürlich» keine Post von einer Deutschen empfangen durfte . . . Im Urteil gegen Zinngruber steht als Kommentar seines Verteidigers zu Punkt 31: «Durch diese bestätigte Übergabe von Briefen an die Gestapo hat Frau Schnittgens dieser den klaren Beweis eines tatsächlich bestehenden Verhältnisses gegeben. Selbst wenn Zinngruber der Gestapo am 28. 4. Anzeige erstattet hätte, hätte die für die Verurteilung nötigen Beweise einzig und allein Frau Schnittgens der Gestapo geliefert.» Es war aber – nach Aussage der Hauswirtin der Frau Schnittgens – Zinngruber, der die Gestapo zu ihr schickte, um die

Briefe abzuholen; anderseits hat Fràu Schnittgens im Dorf erzählt, als postillion d'amour für Pauline fungieren zu sollen: sich also offensichtlich darüber beklagt!

Im Urteil des «Tribunal de Première Instance du Pays de Bade à Fribourg» vom 29. März 1949 steht zu lesen, daß «um den 12. April 1941 Zasada in einer Klinik Aufnahme fand, wo er den Besuch von Frau Krop erhielt. Dieser Besuch rief im Dorf Gerüchte hervor; daß Frau Krop am 15. April für einige Tage verreiste . . . und Frau Schnittgens beauftragte, Zasada den Brief zu übergeben, den sie auf dem Eßzimmerbüffet zurückgelassen habe und Zasada auch die Briefe zukommen zu lassen, die sie ihm während ihrer Abwesenheit zu senden gedachte . . . daß Frau Schnittgens zugibt, einen oder zwei Briefe an Zasada weitergeleitet zu haben sowie einen Brief, den sie noch bei sich hatte, dem Gestapobeamten ausgehändigt zu haben; daß Frau Krop draufhin von Mayer verhört wurde, der ihr 3 von ihr geschriebene Briefe vorhielt.» Das Gericht kam dann endlich zu der «Erwägung, daß in bezug auf Frau Schnittgens feststeht, daß diese Briefe, die sie von Frau Krop zur Weitergabe an Zasada erhielt, Frau W. anvertraute; daß sie der Gestapo einen oder mehrere Briefe übergab, die dann von dem Gestapobeamten Frau Krop wieder vorgelegt wurden; daß diese Aussagen über bestimmte Punkte Abweichungen aufweisen, die zu Zweifel über die Aufrichtigkeit Anlaß geben; daß jedoch die einzige von ihr zugegebene Tatsache, daß sie bei ihrem Verhör durch den Gestapobeamten diesem mindestens einen Brief übergeben habe, ungenügend ist, um ihrer Handlung den Charakter der Spontaneität zu geben, der die gerichtliche Begründung des Vergehens oder Verbrechens der Denunziation bildet. Folgedessen besteht Veranlassung, sie freizusprechen.»

Frau Schnittgens, heute eine ganz abnorm guterhalte-
ne, sehr selbstbewußte Frau Mitte Sechzig, sagte gradzu
erstaunt auf meine Bemerkung, aus Brombach zu ihr zu
kommen; ich besuchte sie im Lörracher Krankenhaus:
«Aus Brombach? – da brauchen Sie doch gar nicht zu
fragen, da wohnen doch nur Nazis!»

Daß sie die ihr anvertrauten Briefe – sie glaubte 1977,
es seien zwei gewesen, und das hatte sie 1949 auch vor
dem französischen Gericht noch angenommen – Mayer
ausgeliefert hat, erklärte sie mit verständlicher Angst,
betonte aber zweimal, was merkwürdigerweise wörtlich
ebenso auch Pauline zu mir gesagt hat: «Mayer, der war
in Ordnung!» (Pauline ging soweit, zu sagen, es habe sie
beruhigt, so oft Mayer sie im Gefängnis angesprochen
habe: weil auch der offenbar bis zuletzt für unmöglich
hielt, daß Stani umgebracht werde.) Frau Schnittgens
sagte kein Wort davon, ebensowenig wie Pauline, daß sie
diese Briefe in einen Postkasten hätte werfen sollen: Das
wäre auch albern gewesen, da ja per Post die Briefe auch
aus Bayern hätten nach Brombach gelangen können –
doch wußte natürlich jedermann damals, daß ein Pole
nicht Post aus Deutschland empfangen dürfe. Auch gab
es keinen Grund für Frau Schnittgens, sie dem Polen
nicht direkt auszuhändigen, da ja der ebenfalls in dem
Gemüseladen aushalf und sehr oft mit ihr sprach und um
sie war . . .

Es ist zweifellos richtig, daß Frau Schnittgens die Gefahr, in die Pauline den Freund und sich gebracht hat,
früher als die offenbar «Liebeblinde» erkannt – und Pauline gedrängt hat, in Bayern ihren eingezogenen Mann zu
besuchen, der dort Kriegsgefangene zu bewachen
hatte . . .

Frau Schnittgens ließ mir, als der erste Vorabdruck aus
dieser Erzählung erschien, der dann dazu führte, daß der

damals noch amtierende Ministerpräsident Filbinger mich verklagte, durch ihren Anwalt eine Korrektur zukommen, die lückenlos gedruckt werden soll: Fast vier Jahrzehnte überfordern jedes Gedächtnis; vier Tage tun das schon. Ihr Anwalt schrieb am 12. Juli 1978: «Sie verpflichten sich, entweder die Beteiligung meiner Mandantin an der genannten Affäre zu verschweigen, oder aber nur im Sinne der obigen Berichtigung und damit den Tatsachen entsprechend wiederzugeben . . .

1. Frau Schnittgens war nicht die Freundin der Frau Krop. Meine Mandantin hatte zu Frau Krop rein geschäftliche Beziehungen, indem sie für deren Einzelhandelsgeschäft (Gemischtwaren) die Buchhaltung machte; Frau Schnittgens ist von Beruf Buchhalterin. Persönliche Beziehungen gab es nicht . . .
   Frau Schnittgens erfuhr von dem unglücklichen Verhältnis der Frau Krop, weil das ganze Dorf darüber redete. Sie erkannte sofort die Gefahr, in der sich der Pole und seine Geliebte befanden. Meine Mandantin drängte deshalb darauf, Frau Krop solle ihren Mann in Bayern besuchen; sie hoffte, auf diese Weise Schaden abwenden zu können. Als Frau Krop tatsächlich fuhr, wickelte Frau Schnittgens das Geschäft ab.

2. Frau Schnittgens kam in den Besitz eines einzigen Briefes, den Frau Krop an ihren Liebhaber geschrieben hat. Der Brief kam mit geschäftlicher Post verschlossen und frankiert bei Frau Schnittgens an; im Begleitschreiben bat Frau Krop, den Brief in den nächsten Briefkasten zu werfen.
   Meine Mandantin tat das aber nicht; sie hielt die Weitergabe für gefährlich. Sie bewahrte den Brief daher auf, um ihn der Absenderin nach deren Rückkehr zurückzugeben.

3. Es ist richtig, daß Frau Schnittgens den Brief einem

Gestapo-Beamten aushändigte. Das geschah aber nicht freiwillig: Unglücklicherweise erzählte Frau Schnittgens im engen Bekanntenkreis von dem Brief. Auf heute nicht mehr nachvollziehbarem Wege muß diese Kenntnis dann an die Gestapo weitergegeben worden sein. Diese war aber ohnedies schon auf den Fall aufmerksam geworden, Brombach und Lörrach brodelten und alles redete. Die Behörden brauchten offenbar nur noch einen schlüssigen Beweis. Man lud daher Frau Schnittgens zur Vernehmung vor. Als diese nicht erschien, begab sich Herr Mayer direkt zu meiner Mandantin und nötigte sie zur Herausgabe des Briefes, den diese auf einem Schrank versteckt hatte. Freiwillig hätte Frau Schnittgens den Brief nicht herausgegeben . . .

Frau Schnittgens hatte bereits in der Vergangenheit erheblich unter der unglückseligen Kriegsgeschichte zu leiden. Die französische Besatzungsmacht untersuchte die Verstrickung meiner Mandantin in den Fall des Polen nach Kriegsende; Frau Schnittgens wurde als Denunziantin angeklagt. In der 3. Hauptverhandlung am 29. 3. 49 sprach das Militärgericht in Freiburg endlich meine Mandantin von dem erhobenen Vorwurf frei.»

Interessant ist, wie ausnahmslos alle Darstellungen, auch wenn die sich wie hier durch Frau Schnittgens' Anwalt zweifellos um Objektivität bemühen, sogar dann – ja: gerade dann – unvermeidlicherweise zu Akzentverschiebungen, zu Gewichtsverlagerungen führen. Zum Beispiel der Satz: «Man lud daher Frau Schnittgens zur Vernehmung vor. Als diese nicht erschien . . .»

Da muß nun jeder Leser denken, «Widerstand gegen die Staatsgewalt» habe diese Zeugin sogar gegenüber dem Lörracher Gestapo-Chef sich erdreistet. In Wahrheit wußte das Dorf, Frau Schnittgens sei hochschwanger. So kam vom Rathaus ein Anruf, ob sie herüberkommen könne – oder ob Mayer zu ihr kommen solle. Nur dank dieses Anrufs konnte ja die Hauswirtin der Frau Schnittgens – Frau Schnittgens hatte kein Telefon – sich später daran erinnern und aussagen, Zinngruber sei es gewesen, der Mayers Kommen, um die Briefe Paulines abzuholen, telefonisch bei ihr angekündigt habe. Warum Frau Schnittgens die Briefe (oder *den* Brief, wenn es einer war) nicht verbrannte, um Mayer dann zu sagen: sie habe das längst getan, weil sie wisse – was jeder Deutsche wußte –, daß kein «Volksgenosse» mit Polen korrespondieren dürfe: das mag sie sich heute selber fragen . . .

Auch dies muß überliefert werden: Ein ehemaliger Feldwebel der Wehrmacht, Alfred Betting, der den Eintritt in die Armee bei Kriegsbeginn als seine Rettung vor den Nazis ansah, denn Betting war seit 1933 als Zimmermann oft arbeitslos, da er als ehemaliger Vorsitzender der Brombacher Kommunistischen Partei Berufsverbot hatte, auch verhaftet, auch geschlagen worden war – Betting sagt dem Ortsgruppenleiter etwas nach, das einer Auszeichnung gleichkommt: Zinngruber habe verhindert, daß Bettings Tochter das Gymnasium verlassen mußte, als ihr Vater «dank» des fast dauernden Berufsverbots das Schulgeld nicht mehr aufbringen konnte! Zinngruber habe das Schulgeld durch die Gemeindekasse bezahlt und gesagt, das Kind dürfe nicht dafür büßen, daß sein Vater Kommunist sei . . . Von Mayer dagegen, der «nit gesprochen hat wie mir», also kein Lörracher war, ist Betting ins Gesicht geschlagen worden, als er – von zwei berittenen Gendarmen abgeführt, zwischen deren Pferden er, gefesselt mit seinen Unterarmen an die Unterarme seiner berittenen Abführer – nach Lörrach mitlaufen mußte, ins Gefängnis. Betting sagt über die auch für

Brombach «zuständig» gewesenen Lörracher Gestapo-bullen: «Man hat sie nit kennt, die Vögel!» Es waren aus der Fremde dorthin Versetzte.

Sitzt man heute an Zinngrubers Tisch, und der Greis sieht ebenso sympathisch aus, wie er auf Fotos in Nazi-Uniform ungut, ja radikal gefährlich aussah: Läßt sich aus seinem Gesicht buchstäblich gar nichts ablesen über sein Verhalten vor vierzig Jahren! Erklärt Zinngrubers Herkunft seine Härte?

Seine Treue gegenüber seinem Brotherrn erklärt sie allemal, denn ohne Hitler hatte er es sechsunddreißig Jahre lang zu gar nichts gebracht. Wie es im Urteil der Franzosen heißt: «In Basel als Sohn eines unbekannten Vaters und der Zinngruber, Crescentia am 7. 1. 1897 geboren», war dieser arme Sohn eines Dienstmädchens nichts geworden als «Magaziner» – doch Hitlers Macht-ergreifung machte ihn zum Ortsgruppenleiter und Bür-germeister, alsbald mit Pensionsberechtigung.

Bisher in durchaus dienendem «Stande» und ohne Hoffnung, das abändern zu können – wurde er nunmehr *die* Respektsperson der Ortschaft in seiner Doppelfunk-tion. Wer dem hätte widerstehen können, der werfe den ersten Stein! Karriere-Sucht ist zweifellos ja auch heute das beherrschende Motiv bei der Wahl der Partei, der sich einer verschreibt – und schuld daran ist nicht das Individuum, sondern eine Republik, die es dazu kommen ließ, daß ihre begehrenswertesten Pfründe überhaupt nicht mehr zu erlangen sind, ohne daß der Bewerber sich die Tarnkappe einer politischen Gesinnung über-streift . . . selbst wenn er nach getaner Arbeit nichts wei-ter wünschte als Blumen zu gießen! Diese Zwangspoliti-sierung auch jener Staatsbürger, die das nicht eigentlich wollen, ist staatlich verordnete Heuchelei, für die allein haftbar der Staat ist, aber nicht der Heuchler. Wenn in einem Krankenhaus dem Leichenwäscher, dem Chefarzt, dem Buchhalter die Erwerbung des «richtigen» Parteibuches zur Voraussetzung seiner Berufsausübung gemacht wird: darf eine Partei, ja der Staat Loyalität von den in eine politische Gesinnung Zwangsrekrutierten nicht verlangen. Trifft das sogar schon zu auf weitgehend liberalisierte, demokratisierte Zeitläufte: wie viel problematischer wird dann für «Nachgeborene» die Beurteilung der Motive und Zwänge, die Menschen in einer Diktatur von Hitlerscher Perfektion zu Mit- oder auch Voran-Läufern gemacht haben! Wer nicht selber im feuchtkalten Schatten solcher Zuchthaus-Mauern, «betreut» von Spitzeln und Abhörern, lebt und arbeitet, der kann eine Geschichte aus der Diktatur wie diese nur erzählen, indem er allen noch Lebenden, die in ihren Ablauf verstrickt waren, ebenso die Nennung ihrer Familiennamen erspart wie deren Angehörigen. Die Namen schon Umgekommener wie die des Polen Stasiek Zasada sind unverändert – dagegen käme es einer Sippenhaft gleich, etwa den Namen des Ortsgruppenleiters unverändert weiterzugeben oder gar den jener Frau, die Pauline ins Vertrauen zog, weil sie so naiv war, sie für ihre Freundin zu halten . . . Alle diese Familiennamen zu ändern, das ist die einzige Form der «Amnestie», die Spätergeborene, denen selber bisher die politisch-moralischen Zerreißproben der Eltern- und Großeltern-Generation erspart geblieben sind, für die zeitgenössisch Verunglückten von gestern erlassen können . . .

Diese Amnestie – altgriechisch: das Vergessen – ist unangebracht dort, wo es sich um Figuren der Zeitgeschichte handelt, etwa um Hans Karl Filbinger, der noch als Ministerpräsident des Ländchens Baden-Württemberg 1978 für «rechtens» hielt, was er als Marinerichter Hitlers mit deutschen Soldaten angestellt hat – sogar noch in britischer Kriegsgefangenschaft; so wenn er dort wiederholt schriftlich gab, sogar im September 1945 noch, also über fünf Monate nach Hitlers Selbstmord: daß ein Matrose zwei Tage nach Hitlers Tode zu seiner norwegischen Frau heimgegangen sei, «wäre normalerweise mit dem Tode oder mit hoher Zuchthausstrafe geahndet worden. 6 Monate Gefängnis sind als ungewöhnlich milde Strafe zu betrachten.» Filbinger (der hier verschweigt, daß der Unteroffizier dafür auch noch degradiert worden war) gehört zu jenen kontinuierlich dasselbe denkenden Menschen, die ihre geistige und sittliche Unfähigkeit, Folgerungen aus historischen Ereignissen zu ziehen, vermutlich mit Konservatismus verwechseln. Bismarck sagte: «Der muß ein Esel sein, der mit sechzig noch die gleiche Meinung hat wie mit dreißig.» Filbinger, der schon als Student rechts mit Recht gleichsetzte und deshalb das liberale Strafgesetzbuch der Bismarck-Ära vom Jahre 1871 einer «radikalen Änderung» unterzogen haben wollte, weil «erst der Nationalsozialismus die geistigen Voraussetzungen für einen wirksamen Neubau des deutschen Rechts schuf», forderte schon 1935, nicht mehr nur Taten seien zu bestrafen, sondern bereits «Gesinnungsverfall»! Im Kriege hieß das dann «Wehrkraftzersetzung» oder «Defaitismus» und kostete vielen Tausenden deutscher Soldaten das Leben; das genügte Filbinger nicht: Noch als der Krieg endlich zu Ende war – allerdings nicht zu Ende für jene deutschen Soldaten, die in britischer Gefangenschaft einem Filbinger ausgeliefert waren –, verurteilte Filbinger wegen «Gesinnungsverfall» einen Unteroffiziersanwärter, der sich das Hakenkreuz von der Uniform entfernt und geweigert hatte, weiterhin herumkommandiert zu werden, zu sechs Monaten Gefängnis! Und verschwieg in seiner Urteils-«Begründung», daß jener Kompanie-Chef, gegen den der Unteroffiziersanwärter und ehemalige Hitlerjugend-Führer, der während seiner mehrjährigen Soldatenzeit nicht ein einziges Mal disziplinarisch bestraft worden war, «Nazihunde» geschrien hatte, – diesem Soldaten die Pistole mit der Drohung, ihn wie einen Hund zu schießen, an die Schläfe gehalten hatte! Filbinger nahm mit seinem Urteil Partei für diesen «Nazihund», der verdiente Soldaten noch in Gefangenschaft mit ihrer Ermordung bedrohte!

Dazu paßt, daß Filbinger wiederum drei Jahrzehnte später in seinem Ländlein Baden-Württemberg «Untersagung der Berufsausübung», die er selber als radikaler Student öffentlich ins NS-Strafgesetzbuch aufzunehmen gefordert hatte, gegen radikal linke Studenten verhängen ließ – bis auch dieser Terror ihm nicht mehr ausreichte: endlich wurden auch in «seinem» Lande junge Menschen nicht nur mehr an der Berufs*ausübung* gehindert, wenn ihre Gesinnung Filbinger und seinen Unterlingen grundgesetzwidrig schien, sondern bereits an der Berufs*ausbildung* . . .

Sind Menschen Nazi nicht viel mehr von Natur als von Partei und von Gesetz? Ob der Nazi nicht das Minderwertige ist, das in jedem einzelnen von uns steckt, zu allen Zeiten, in allen Zonen, nur dank der persönlichen und auch der gesellschaftlichen Maßstäbe individuell und graduell unterschiedlich stark freigesetzt oder untengehalten: das in allen Epochen wiederkehrende, zuweilen herrschende, zuweilen beherrschte Tier aus der Tiefe? Wie viele waren radikale Nazis längst, bevor Hitler zur Welt kam; wie viele sind es geblieben und geworden, seit Hitlers Tod! Sie finden sich auch heute wieder – international – in Familien, Büros, Schulzimmern, an Arbeitsplätzen, an Richter- und Operationstischen, in Zellen und außerhalb . . . Diese Menschen mußten keineswegs, obgleich sie das zuweilen getan haben, in Hitlers Partei eintreten, um sich mit allen üblen Instinkten als Nazis auszutoben. So waren zum Beispiel die meisten jener deutschen Militärrichter, die mindestens sechzehntausend deutsche Soldaten für Hitler umbrachten, *keine* Mitglieder der Nazi-Partei! Die meisten Parteimitglieder waren harmlose Mitläufer – gemessen an den rabiaten Nazis in Armee und Wirtschaft und KZ-Wachmannschaften, die nie PG's waren. Nur *einer* der etwa zwanzig Heeres-Marschälle, die auf Hitlers Wunsch Europa massakriert und vermutlich für immer zum hilflosen Fußball der Supermächte erniedrigt haben, obgleich diese Marschälle die einzige Gruppe in Deutschland bildeten, die Hitler hätte beseitigen können, nur *einer* von denen, Reichenau, war Parteimitglied, während alle anderen sich als Anti-Nazis aufspielten schon zu der Zeit, als sie für die Nazis die ihnen anvertrauten Männer und Jünglinge verheizten!

So verstanden ist die Bemerkung des CDU-Politikers Blüm in der Diskussion um die Militärrichter-Karriere Filbingers in Hitlers Kriegsmarine: «Das KZ stand schließlich nur so lange wie die Front hielt», absolut sachlich – obgleich sie einen derartigen Wutschrei in der Öffentlichkeit auslöste, daß bereits dieser Aufschrei belegt, wie genau sie die Wahrheit traf. Unsachlich und beleidigend allerdings war Blüms – so nicht gemeinte – Aussage: «Ob einer im KZ Hitler gedient hat oder an der Front, macht in meinen Augen nur einen graduellen Unterschied» – nein, das macht den *unvergleichlich* qualitativen! Denn der Mörder im KZ war *zuerst* deshalb dort, um sein eigenes Leben vor der Front zu schützen und sich im Sinne Hitlers da zu bewähren, wo er nur Wehrlose zu ermorden brauchte. Insofern ist es auch abwegig, Bomberpiloten, die Wehrlose bombten, moralisch mit KZ-Schergen auf eine Stufe zu stellen, denn auch die Bomberpiloten setzten ihr Leben ein, und zwar in jener Waffengattung der Alliierten, die mehr tote Soldaten zu beklagen hatte, als die meisten anderen . . . Dagegen müssen jene deutschen Militärrichter, die geholfen haben, für Hitler sechzehntausend deutsche Soldaten umzubringen, nicht mitgezählt die vermutlich ebenso vielen Soldaten, die durch Einweisung in Strafkompanien zum Tod auf Zeit verurteilt worden waren, sich durchaus gefallen lassen, der Tötung Wehrloser angeklagt zu werden, sind doch tatsächlich die Soldaten in weitaus den meisten Fällen durch Kriegsumstände vor Militärrichter geraten, nicht aber durch eigene, persönliche Schuld; auch waren diese Soldaten dann in einem solchen Unmaß wehrlos vor ihren Militärrichtern, daß in vielen Fällen ihre Tötung Mord gewesen ist – verübt ausnahmslos von Deutschen, die persönlich ohne Risiko töteten, ja mehr: nur so lange sie als Richter tätig waren – selber sicher waren davor, an der Front das Schicksal jener Deutschen teilen zu müssen, die sie dann aburteilten.

Das Geschrei um Blüm, das die Lebenslüge einer ganzen Generation – artikulierte kann man nicht sagen, eben weil es Geschrei war, aber laut machte: brachte jedoch auch den offenen Brief eines Oberleutnants der Bundeswehr ans Licht, der sich durch die hierzulande fast einmalige Zivilcourage auszeichnete, das noch immer meisttabuierte Problem des Hitlerkrieges angegangen zu haben: «Hier (durch Blüm) wird deutlich, daß alle, die im Kriege 1939–45 dem NS-Staat dienten, sich für einen Unrechtsstaat eingesetzt haben. Diese Einsicht . . . muß am Anfang des neuen besseren Weges stehen.»

Erstaunlich für Nichtdeutsche ist allein, daß noch 33 Jahre nach Hitlers Tod «Einsicht» genannt wird, was nur eine barbarische Banalität ist: daß dem «Verbrecherstaat» (Jaspers) niemand dienen konnte, ohne mitschuldig zu werden; daß niemand ihn verteidigen konnte, ohne

seine Dauer – und damit den Bestand der KZ wie das
«Arbeiten» der Guillotinen und Erschießungspelotons –
zu verlängern. Wie recht Blüm hatte, das wird ihm bescheinigt durch einen Satz im Protokoll jener Wannsee-
Konferenz vom 20. Januar 42, die unter dem Vorsitz von
Heydrich dem Spediteur zu den Gaskammern, Adolf
Eichmann, die Richtlinien gab, die Juden der «Endlösung» zuzuführen: «Im Zuge der praktischen Durchführung der Endlösung wird Europa von Westen nach Osten
durchgekämmt . . . Der Beginn der einzelnen größeren
Evakuierungsaktionen wird weitgehend von der militärischen Entwicklung abhängig sein.»

Selbstverständlich: solange die Wehrmacht Narvik
und Kreta nicht erobert hatte, konnte man dort für die
Gaskammer niemanden einfangen. Als die Wehrmacht
Sofia und Marseille nicht mehr «verteidigen» konnte
(verteidigen für Hitler – für niemanden sonst!) – konnte
man auch keinen mehr von dort nach Auschwitz bringen,
dessen Krematorien erst (und *allein* deshalb) gesprengt
wurden, weil die Rote Armee auf Hörnähe herangerückt
war! Wer das leugnet, kann sich nur dann dem Vorwurf
entziehen, ein vorsätzlicher Lügner zu sein, wenn er im
klinischen Sinne ein Idiot ist.

Hitlers ausgedienter Rüstungsminister Speer schrieb
in sein Tagebuch, während er die zwanzigjährige Haftstrafe bei den Alliierten absaß: «Alles kann ich mir vielleicht verzeihen: Sein Architekt gewesen zu sein, das läßt
sich vertreten; daß ich als sein Rüstungsminister tätig
war, dafür könnte ich mich rechtfertigen. Es ist auch eine
Position denkbar, von der aus sich die Beschäftigung von
Millionen Kriegsgefangenen oder Zwangsarbeitern in
der Industrie verteidigen läßt . . . Aber schlechterdings
ohne Schutz stehe ich da, wenn ein Name wie der von
Eichmann fällt. Niemals werde ich darüber hinwegkom-

men, an führender Stelle einem Regime gedient zu haben, dessen eigentliche Energie auf die Menschenausrottung gerichtet war.»

Es gab keine Fronten zwischen Parteimitgliedern und anderen Deutschen, sondern zwischen Nazis und anständigen Menschen: Sogar einige jener «Sonderrichter» an den eigens zur Aburteilung politischer Delikte geschaffenen, mit Recht äußerst gefürchteten «Sondergerichten» waren so menschlich und so wenig nazihaft, daß Verteidiger der Angeklagten sie bitten konnten, dem «Schuldigen» eine so hohe Zuchthaus-Strafe aufzuerlegen, daß er gesichert blieb vor seiner Einweisung in ein Konzentrationslager! An diese Banalitäten – denn sogar das Böseste wird banal, wo es gesetzlich wird – muß erinnern, wer diese Geschichte auch jenen erzählen will, die heute erst zwanzig sind. Die wissen das alles nicht mehr, wie ja auch der Erzähler selber, ja die Zeugen, die damals Mitbetroffenen sogar vieles nicht mehr wissen: womit wir wieder angekommen sind bei der Urproblematik allen Erzählens!

Um die Menschen selber zu verstehen, die damals handelten: daß einer Parteimitglied Hitlers wurde, um studieren oder an der Autobahn schaufeln oder praktizieren oder als Vertreter reisen oder ein Pferd reiten zu dürfen – hat ihn so wenig schon zum Nazi gemacht, wie später seine Einberufung in die Armee ihn zum Kriegsverbrecher machte. Niemand kann vom schlichten Bürger einer Epoche verlangen, daß er die Qualitäten zum Märtyrer besitzt. Wenn der Mann, der England 1918 zum Siege führte, Lloyd George, auf den Obersalzberg reiste, um Hitler zu besuchen und öffentlich zu preisen – darf niemand es Bäcker Schulze verübeln, daß er Hitler glaubensdumm zujubelte: wie hätte er auch nur ahnen können, daß Glaube in der Politik immer Dummheit ist?

Die Redensart, daß man die Großen laufenlasse – die

Kleinen aber hänge, sie traf nicht zu, denn auch Zinngruber bekam alsbald seine volle Pension. Immerhin traf seine Gefängnisstrafe ihn hart. Filbingers «Arbeit» als Hitlers Marine-Richter wurde so wenig wie die jedes anderen Militärrichters, die in corpore doch schließlich auf eine «Strecke» von sechzehntausend deutschen Soldatenleichen zurückblicken dürfen – jemals auch nur untersucht, bevor man Filbinger zum Ministerpräsidenten jener Provinz machte, in der Brombach liegt.

Wurde dagegen einer nach dem Kriege von den Alliierten gesucht, die sich für Verbrechen an Deutschen so gut wie gar nicht interessiert haben, sondern nur für Verbrechen an ihren Landsleuten, womit sie freilich schon Arbeit genug hatten: So konnte es ihm ergehen, wie es Josef Zinngruber erging, zuweilen sogar schlimmer . . . Läßt sich nicht eine Kontinuität der Rechtsauffassung und Denkweise auch aus vier Jahrzehnten der Biographie Filbingers ablesen? 1935 zuerst forderte er Bestrafung sogar von «Gesinnungsverfall», 1978 zuletzt war er als einer der Radikalenerlasser einer der emsigsten Gesinnungsschnüffler jenes jämmerlichen Rests der Nation, der von ihr übriggeblieben war nach Hitlers Krieg; auch die in der BRD landesübliche Vortäuschung und Selbsttäuschung, jeder habe nur seine Pflicht getan, so heftig er auch half, das Vaterland zu vernichten: Sie bescherten nicht nur allen Zinngrubers Pension, die ihren Opfern meist vorenthalten wurde, sondern – grotesk! – sie bescherte sie ihnen *früher*, als sie die bekommen hätten, wären sie nicht so radikale Nazis gewesen, daß die Alliierten sie aus dem Amte jagten! Zinngruber bekam nicht, wie jedermann es ihm gönnte, vom 65. Lebensjahr an eine Rente oder Pension. Sondern er bekam sie schon viele Jahre früher als andere, die arbeiten müssen, bis sie 65 oder krank sind . . .

Aber das versteht sich in einem Staat, der sich selber einen «freiheitlich-demokratischen Rechtsstaat» nennt, der jedoch nicht zufällig, *sondern gesetzlich* den Opfern der Nazis niemals auch nur annähernd so viel Pension bezahlt, wie jenen, die Opfer aus denen gemacht haben; in sehr vielen Fällen zahlt die BRD überhaupt keine Renten an Opfer der Nazis – «selbstverständlich» hat denn auch Pauline, obgleich sie ihre Existenz als Ladenpächterin ebenso durch die KZ-Zeit verlor wie ihre Freiheit, nie eine Mark dafür erhalten. Als jenes Kapitel dieser Erzählung erschien, für das Filbinger dann den Autor verklagte, schrieb ein Anwalt aus Baden-Baden erbittert belustigt über die Naivität des Autors: «Ich könnte Ihnen den Namen einer deutschen Frau angeben, die ein Verhältnis mit einem polnischen Akademiker mit zweieinhalb Jahren Auschwitz büßen mußte. Ich habe sie bis zum BGH vertreten, aber Sie können in jedem Kommentar zum Wiedergutmachungsrecht nachlesen, daß in Fällen dieser Art der ‹arischen› Frau auch nicht die geringste Wiedergutmachung zusteht . . . Noch ein Wort zu den sogenannten KZ-Prozessen: Es war der größte Fehler . . . zu glauben, es sei möglich trotz aller in der deutschen Strafprozeßordnung vorhandenen Fallgruben und Fußangeln vor deutschen Juristen der Wahrheit zum Siege zu verhelfen . . . Würden Sie glauben, daß Tausenden von KZ-Überlebenden von deutschen Gerichten messerscharf nachgewiesen wird, daß ihre körperlichen und seelischen Schäden *nicht* auf den KZ-Aufenthalt zurückzuführen sind?»

Exakt «paßt» dazu, daß einer der Justizminister Hitlers in den schlimmsten Terrorjahren, also im Krieg, Herr Dr. Franz Schlegelberger, zwar 1947 von den Alliierten zu lebenslänglicher Haft verurteilt wurde, doch ab 1951 frei war und im Genuß von monatlich DM 2894,08 Pension:

ein Betrag, der damals Spitzengehältern entsprach! Freigekommen war Schlegelberger 1951, weil er angeblich wegen Kranksein haftunfähig war – doch starb er mit 94 Jahren erst fast zwanzig Jahre später! Schlegelberger unterhielt sich am 22. Juni 1941 mit Himmler, worüber er notierte: «. . . erklärte der Reichsführer es für untragbar, daß einem Polen die bürgerlichen Ehrenrechte aberkannt würden. Er sehe sehr wohl ein, daß die Gerichte zu einem Ausspruch dieser Art nach dem geltenden Recht unter Umständen genötigt seien. Er müsse indessen einen solchen Ausspruch deshalb beanstanden, weil in ihm die Anerkennung liege, daß die Polen im Grundsatze bürgerliche Ehrenrechte besäßen. Ich habe ihm erwidert, ich hielte die Bedenken für begründet; es handele sich hier im wesentlichen um eine Frage der Fassung. Es werde nicht schwerfallen, insoweit Abhilfe zu schaffen. Die Aussprache endete mit der Erklärung des Reichsführers, er habe nur den Wunsch, mit der Justiz in Frieden zur Erreichung des gemeinsamen Zieles zusammenzuarbeiten. Ich erwiderte darauf, daß auch die Justiz ihrerseits durchaus diesen Wunsch habe und ich habe in diesem Zusammenhang die Bitte an den Reichsführer gerichtet, mich zu unterrichten, falls er etwa Urteile der Gerichte von seinem Standpunkt aus nicht für befriedigend erachte.»

21
Vom Fischer un sine Fru

Der geistige Mensch ist beinahe
ebensosehr auf Wahrheiten aus, die
ihm wehe tun, wie die Esel nach Wahrheiten
lechzen, die ihnen schmeicheln.

Thomas Mann

Victorowicz sah dem Verurteilten an, daß nichts anderes ihn derart schwächte und dem Weinen zutrieb wie Gespräche über sein Zuhause – also waren die strikt zu ersetzen durch Inhalte, die ebenso Zasadas Gefühl beschäftigten, aber auf Überpersönliches hinlenkten. Das konnte nur die Heimat sein und deren Befreiung von den deutschen Okkupanten, doch schon das bloße Wort: Heimat – vermied Victorowicz, als zu gefühlsbeladen. «Vaterland» zu sagen, das hätte ihn geniert, als zu pathetisch. Polen war das angemessene Wort . . .

Denn dem gradzu vulkanischen Haß-Ausbruch Zasadas, als er Victorowicz erzählte, die Deutschen hätten ihm die Bitte um einen Abschiedsbrief abgeschlagen, mußte eine Richtung gegeben werden, die sinnvoll war oder wenigstens schien . . . Victorowicz sah an Zasada, daß Haß dumpf macht – Hoffnung auf seine Befriedigung aber belebt! Und da auch er wochenlang zur Stummheit verurteilt gewesen war, so erzählte er jetzt drängend und eindringend dem Verlorenen, daß ihrer beider Rache-Durst so sicher gestillt werde, wie das Märchen vom Fischer un sine Fru wahr sei . . .

«Denn weißt du, Stani», sagte Victorowicz, «ein solches Märchen pflanzt sich nur deshalb durch alle Zeiten und Breiten fort, weil es immer wieder in der politischen Gegenwart irgendwo eine Entsprechung findet, durch Ereignisse, die in ihm schon vor- und abgebildet sind wie die Wasserzeichen in großen Geldscheinen . . . Und zeitlos ist auch diese Eigentümlichkeit: daß jene, die selber in der Gegenwart als Fischer un sine Fru so handeln wie in Urzeiten dieses Paar, von allen Menschen die unfähigsten sind, sich und was sie anrichten, in dem Märchen wiederzuerkennen. Kannst du zuhören?»

Der Verurteilte lächelte und sagte resigniert: «Was sonst sollte ich noch können?» Da lächelte auch Victorowicz, aber anders. Rasch fuhr er fort: «Du wirst gerächt, apokalyptisch wirst du und wird Polen gerächt werden: so sicher wie das Märchen vom Fischer un sine Fru die Geschichte der Deutschen in unserem Jahrhundert abbildet! Glaube mir – genau dies ist mein Thema, ich phantasiere nicht, und ich kenne die Deutschen ganz gut auch persönlich, ich lebte vom Frühjahr 1936 bis wenige Wochen vor Kriegsausbruch in Berlin. Um eine Professur in Krakau zu kriegen, arbeitete ich an meinem Buch über die 365 Tage vom 11. 11. 1917 bis zum 11. 11. 1918 . . .»

Zasada unterbrach ihn: «Weil der 11. November 18 der Gründungstag Polens ist?»

Victorowicz lächelte: «Ja, das ist er *auch.*» Melancholisch ergänzte er: «Schulfrei! Und ist ja übrigens auch alle Jahre der erste Faschingstag in vielen Ländern, der 11. 11. Aber bei den Deutschen war es der letzte Tag des Kaiserreichs, das am 11. 11. 1918 kapitulieren mußte. Und weil dieses Jahr bis hin zum ersten Tag einer Republik Polen jahrelang mein Thema war, so ergaben sich auch mit vielen Deutschen, die ich darüber interviewen mußte, von pensionierten kaiserlichen Generalen bis zu Matrosen, die damals gemeutert hatten, und bis zu Nazis und zu ehemaligen Republikanern, die Hitler aus ihren Ämtern gejagt hatte, immer wieder Gespräche . . . Doch wenn ich mich bei manchen vorwitzig getraute, auf das Märchen vom Fischer un sine Fru anzuspielen: verstand das keiner, obgleich ein betrunkener Blinder sehen kann, daß ihr Eroberungs-Marsch 1918 durch das gar nicht mehr gegen sie kämpfende Rußland, wozu die Deutschen noch fünfzig Divisionen nach Osten abstellten, sie in Frankreich vielleicht um den Sieg – bestimmt aber überhaupt um den Frieden ohne Kriegsverlust geprellt hatte . . . merkwürdig!»

Er schwieg. Zasada fragte: «Und wieso haben der Fischer und sein Weib auch schon in anderen Zeiten ihre Ebenbilder gefunden?»

Lebhafter, weil erleichtert, den Verlorenen mit dieser realistischen Parabel wenigstens für eine Viertelstunde ablenken zu können, sagte Victorowicz: «Nun – Frankreichs Geschichte im neunzehnten Jahrhundert ist dir, wie jedem Polen, ebenso geläufig wie unsre eigene. Und so wie heute im zwanzigsten Jahrhundert die Deutschen eben jetzt schon zum zweitenmal (und bestimmt zum letzenmal!) dieses Märchen blutig durchexerzieren, so haben im neunzehnten Jahrhundert die beiden Napoleons das gleiche Ende gefunden wie der Fischer. Offenbar – so ernst gemeint wie in der Bibel das Wort: Offenbarung – offenbar war doch Napoleons letzte Station: St. Helena – eine exakte Entsprechung der letzten Hütte des Fischerpaars, das sich, weil es Gott und Göttin hatte werden wollen, selber um seinen Palast geprellt hat. Und ebenso offenbar war des dritten Napoleon Kriegserklärung an Bismarck nach zwanzig wunderbar erfolggesättigten Regierungsjahren die genaue Entsprechung der gottvergessenen Vermessenheit des Fischer-Weibes.

Denn der entnervte Kaiser – er schwächte sich, nicht mehr jung, an zu vielen Schönen und litt grausam an Blasensteinen und starb bald daran – hatte große Angst vor diesem letzten Schritt. Doch die Kaiserin, früher instinktsicher gewesen, war jetzt entstellt in ihrem spanischen Stolz und quälte – wie im Märchen – ihr gehorsames Männchen, bis das endlich gegen bessere Einsicht den Krieg wegen nichts ausschrie und sich und sein Reich so unerklärbar von der Klippe stürzte, wie nur Lemminge das tun . . . Und statt in den Tuilerien zu sterben – starb sie, die als Regentin mitgeschrien hatte: ‹A Berlin!› im Exil mit vierundneunzig: fünfzig Jahre hatte sie ihren

Sturz betrauern müssen, den sie nicht weniger sinnlos mitherbeigeführt hat als das Fischer-Weib.»

Victorowicz lachte auf: «Die Deutschen, wie du weißt, leben von der Eitelkeit, gründlicher zu sein als andere. Doch würde genügen, wenn sie sich sagten, sie seien nur schwerer belehrbar. Lernt doch nur der Dumme aus Erfahrung, der Kluge aber aus der Erfahrung der anderen; doch die Deutschen lernten nicht nur nichts aus den Erfahrungen der zwei Napoleons, sondern auch aus ihrer eigenen lernten sie nichts im ersten der Weltkriege, dessen Kopie der zweite ist, sogar exakt im Ablauf von Einzelheiten – erstaunlich! Denn wie sie vor einem Jahr die Luftschlacht um England erstens verloren haben; zweitens nicht wahrhaben wollen, daß dies im Westen die Entscheidungsschlacht war: genauso haben sie am neunten September 1914 erstens mit der Schlacht an der Marne den Plan aufgeben müssen, auf dem ihr ganzer Krieg basierte; haben zweitens das entweder nicht gemerkt oder sich nicht eingestanden.»

Zasada sagte: «Sprichst du von dem, was in unserem Schulbuch das ‹Wunder an der Marne› hieß?»

Victorowicz nickte erleichtert; Zasada erinnerte sich sogar: «Die Pariser Taxis hätten die Schlacht entschieden, ist das ein Witz?»

Victorowicz nahm das auf: «Der Befehlshaber von Paris hat jedenfalls eine Schlacht an der Marne als die entscheidende Chance für Frankreich zuerst erkannt und eröffnet – und auch mit fünfzehnhundert Taxis noch sechstausend Mann an die Front gebracht; die haben natürlich nichts entschieden. Doch durch die Taxis erinnerst du daran, daß die Deutschen – das ist nicht zu glauben, aber wahr! – ganz einfach vergessen hatten, *vergessen*, obgleich sie diesen Plan seit zehn Jahren bis ins Detail aushecktten: wenigstens jene ihrer Armeen auf Lastautos zu setzen, die den weitesten Bogen zur Umfassung des Feindes schlagen und deshalb durch ganz Belgien erst hindurchhetzen mußten, um in Frankreich eindringen und die Franzosen im Rücken packen zu können. Längst gab es schon Lastautos! Doch die Deutschen kamen nur deshalb bereits zu Tode erschöpft (viele ihrer Pferde starben an Entkräftung) dort an, wo erst die Schlacht beginnen sollte, an der Marne, weil ihnen der simpelste aller Gedanken nicht gekommen war: ihre Truppen auf Lastautos durch Belgien zu bringen, um Zeit und um Menschen- und Tierkraft zu sparen!»

Zasada widersprach so entschieden, daß sein Erzähler spüren konnte, wie sehr er Anteil nahm, also von sich selber und was ihm bevorstand, wenigstens momentan befreit war: «Aber das *kann* doch nicht sein, daß sie nicht daran dachten, was sie Fußtruppen und Pferden mit einer Hetzjagd durch Belgien zumuteten!»

Victorowicz ergänzte: «Glaub mir – so unglaublich das ist: sie haben nicht *gedacht,* so viel sie auch denken, an Lastautos! Zugegeben, *daß* sie nicht daran dachten, hat weniger mit ihrem Kopf zu tun als mit dem deutschen Charakter, der sie dazu ausstattet, die Wirklichkeit immer so zu sehen, wie sie wünschen, daß sie sei.

Die Deutschen wünschten seit 1905, im Krieg solle Belgien ihnen freien Durchmarsch gewähren, ja mehr: die belgischen Eisenbahnen zur Verfügung stellen zum Transport ihrer glanzvollen Armeen in den Rücken der Franzosen. Und weil die Deutschen wünschten und damit Planspiele traumtanzten, die Belgier würden ihnen die Eisenbahn überlassen – so hielten sie das auch schon für möglich, ja: für selbstverständlich! Das ging so weit, daß der deutsche Kaiser, also Wilhelm der Letzte, mehrere Jahre vor Kriegsbeginn dem König der Belgier seinen Aufmarschplan erzählte, so sehr verwechselte er seinen

Wunschtraum mit der Realität. Und obwohl der Kaiser sich durch den Belgier die schroffste Absage einhandelte, ja die bestimmteste Zusicherung, Belgien werde *nicht* kampflos zuschauen, wie Deutschland es als Korridor gegen Frankreich benutze: glaubten die Generale, die Belgier würden das doch erlauben!

Prompt hat dann, als Krieg war, Belgien zuerst seine Eisenbahnen so gründlich zerstört, daß keine einzige deutsche Division auf ihr transportiert werden konnte zur Marne. Glaub mir, die Deutschen bauen auf Wünsche mehr als auf Fakten. Und weil das nicht nur einzelne Deutsche tun – sondern weil das ein Defekt ihres Volkscharakters ist, so haben sie prompt ein Vierteljahrhundert später ganz genauso gehandelt, als hätten sie niemals die Erfahrung von 1914 schon bezahlt mit einem verlorenen Krieg! Sie sind nämlich 1939 auch nur deshalb über uns Polen hergefallen, weil sie einfach nicht glauben *wollten,* was doch die Briten ihnen und der Welt sogar schriftlich versichert hatten: daß England den Deutschen den Krieg erklären werde, wenn Hitler auf Warschau marschiere! Und da die Deutschen das nicht glauben *wollten,* so glaubten sie auch nicht daran. Und ebenso hat schon 1914 Englands Kriegs-Eintritt sie nur deshalb völlig überrascht, weil es nicht in ihr damaliges Konzept paßte zu glauben, was ihnen immer wieder versichert worden war: daß England bestimmt marschieren werde, wenn Deutschland die Neutralität Belgiens verletze! Daß auch die Briten dann an der Seite der Franzosen kämpfen würden, das wußte die Welt seit 1907. Auch die Deutschen wußten das – doch da sie das nicht wünschten, so ‹kalkulierten› sie, bis zwei Tage nach ihrer Kriegserklärung an Rußland und Frankreich, daß die Engländer *doch* die Franzosen und Russen und Belgier im Stich lassen würden.»

Er sah Zasada schweigend an; dann, ehe eine Pause entstehen konnte, fuhr er fort: «An ihrer zweiten Fehlkalkulation, die zum Verlust der Marne-Schlacht führte, hat Größenwahn den bedeutendsten Anteil, nämlich an ihrem Entschluß, die Engländer, sofern die doch gegen sie marschieren würden, nicht daran zu hindern, in Frankreich zu landen! Ausdrücklich erklärte vor dem Krieg 1914 der deutsche Oberbefehlshaber, die Flotte – nun immerhin die zweitstärkste der Welt – solle nichts unternehmen, um britische Truppentransporter im Ärmelkanal anzugreifen: denn es sei sogar von Vorteil, diese allenfalls hundertsechzigtausend Engländer im gleichen Sensen-Schlag, der die Franzosen umfassen und wegmähen sollte, mitzuvernichten. Doch diese Engländer waren es, die ohne viel kämpfen zu müssen (sie verloren dabei zweitausend Mann), die größte aller Schlachten entschieden: Sie marschierten als Keil zwischen die erste und zweite deutsche Armee – und erzeugten jene Panik im kaiserlichen Hauptquartier, die zum Rückzug-Signal führte!

Doch soll nie vergessen werden, obgleich viele Bücher kaum davon reden, was sehr schofel ist: daß es in allervorderster Linie schon damals die *Russen* gewesen sind, deren Opfergang bei Tannenberg Europa vor Wilhelm von Deutschland gerettet hat! Die Russen hielten Wort gegen bessere Einsicht: Sie marschierten, nur weil sie vertragstreu bleiben wollten, um die Franzosen zu entlasten, so früh mit zwei Armeen in Ostpreußen ein, wie sie im Hinblick auf die Langsamkeit der Mobilmachung ihrer Gesamtstreitkräfte nicht eigentlich verantworten konnten. Von allen westlichen Historikern hat auch hier Churchill das beinah als einziger und jedenfalls am dankbarsten anerkannt: daß ohne die Russen Frankreich besiegt worden wäre, schon 1914.

Jetzt aber, Stani, noch ein ganz sicherer Trost, eine wahre Verheißung: Die Deutschen begriffen nicht nur nicht, daß sie mit der Schlacht an der Marne den Krieg schon verloren hatten, obgleich ihr Generalstabschef das weinend dem Kaiser gemeldet haben soll und jedenfalls heimgeschickt wurde. Sondern ihr Kanzler, der von allen führenden Männern im Reich bei weitem noch als der bescheidenste galt, zählte in einer geheimen Denkschrift genau an diesem neunten September, dem Tag ihrer größten militärischen Niederlage, als das geringste aller Kriegsziele die Einverleibung Belgiens, der französischen Erzbecken Longwy–Briey und bedeutendere Teile der französischen Atlantik-Küste auf, bis zu der die Deutschen im ganzen Krieg aber niemals vordringen konnten.

Denkst du nun, die verlorene Schlacht habe diese Landforderungen revidiert – so irrst du: noch 1916 hatte dieser Kanzler die gleichen Vorstellungen; andere wollten viel größere Gebiete auch der westlichen Feinde nach dem Sieg behalten! Der Kaiser begriff immerhin, daß es an der Marne ‹nicht gutgegangen› war: er redete nicht mehr davon, die von Belgien und Frankreich zu annektierenden Gebiete seien ‹frei von Menschen›, das heißt: von Einheimischen zu machen, die umgesiedelt werden sollten, und mit deutschen Soldatenfamilien zu besiedeln! Doch noch zwei Jahre später, 1916, wurden alle geheimen Gespräche mit dem noch neutralen Washington über die Vermittlung eines Kompromißfriedens deshalb zunichte gemacht, weil die Deutschen Belgien nicht wieder herausgeben – und weil sie Polen von Rußland abreißen und mit einem deutschen Fürsten zum Königreich machen wollten! Sie waren nicht größenwahnsinnig im Überschwange des Sieges: da ist es jeder! Sondern vier Jahre lang, während zwei Millionen ihrer Soldaten starben, vierhunderttausend deutsche Zivilisten an der britischen Blockade verhungerten, sämtliche ihrer Kolonien längst erobert waren vom Feind: wichen sie jedem Gespräch über einen Frieden auf der Grundlage der Vorkriegsgrenzen aus, weil sie ein Gebiet zu annektieren hofften, das nahezu ebenso groß war wie ihr – schon geschlagenes – Reich bei Kriegsbeginn . . . Stani», schloß jetzt Victorowicz und strahlte ihn an und das Feuer in seinen Augen kam ihm aus der tiefsten Gewißheit: «Ist so viel Wahnsinn nicht eine ungeheure Verheißung auch für uns heute? Und das Allermerkwürdigste: Sie sahen auch nach der totalen Niederlage 1918 keineswegs, daß nichts in der historischen Wirklichkeit des 20. Jahrhunderts so genau, so fotografisch exakt an den Fischer un sine Fru und deren Verbannung in ihre armselige Hütte erinnerte – wie die Verbannung des letzten Berliner Kaiserpaars ins holländische Haus Doorn und in einen Park, dessen Kleinheit sich zur Größe des vom Kaiser verlorenen Reiches verhielt wie ein Eierbecher voll Wasser zur Nordsee. Keiner sah da Wiederauferstehen dieser Märchenfiguren in ihrem Kaiserpaar! Und doch entsprach auch dies exakt dem Märchen: Gier, Landgier allein, nichts anderes, hatte den Kaiser um seinen Thron gebracht . . . Landgier eines so grotesken Unmaßes, daß allein deren Maßlosigkeit schon Beweis genug ist, daß die Deutschen 1918 bereits ebenso geisteskrank waren wie heute. Nur waren sie damals, das ist entscheidend, keine Massenmörder. Gewiß, jeder Krieg führt zu Verbrechen; doch bleibt ein Unterschied, ob Krieg zu Verbrechern macht oder ob Verbrecher Krieg machen! Doch in ihrer Landgier waren die Deutschen bereits vor fünfundzwanzig, vor dreißig Jahren schon ebenso gemütskrank wie heute; so ohne jeden Blick für das Mögliche waren sie schon damals – obgleich doch ihr Bismarck ihnen zur Warnung gesagt hatte: Politik sei die Kunst des Möglichen –, daß diese Maßstablosigkeit

1917 für die Alliierten ebenso die Gewißheit enthielt, die Deutschen *könnten* nicht siegen, wie heute für uns . . . Geisteskranke, glaube es mir!»

Zasada sah ihn an, und Zweifel war noch immer in seinen Augen, als er leise einwandte: «Ein Geisteskranker – kann doch schließlich sehr gefährlich sein!» Victorowicz beruhigte: «Nicht wenn er *so* krank ist, daß er nicht einmal mehr die Wärter wahrnimmt, die bereitstehen, ihm die Zwangsjacke überzuziehen: so weit aber war es nach dreieinhalb Jahren Krieg 1918 gekommen, als die Deutschen Lenin in einem plombierten Zug aus Zürich nach Petersburg gebracht hatten, damit er Rußland durch Ausrufung der Revolution – der Zar war längst gestürzt – endgültig aus dem Bündnis mit den Westmächten und aus dem Krieg gegen Deutschland hinausboxe. Kaum hatte der Kaiser Rußland am Boden gesehen – flammte seine Territorialgier von neuem auf und in nie gekanntem Unmaß. Franzosen, Briten, die nun auch schon fast zwei Millionen Tote beklagten, bekriegten mit letztmöglicher Verbitterung und in der Gewißheit, binnen weniger Monate kämen die bereits in den Krieg eingetretenen Amerikaner ihnen in Frankreich zu Hilfe, den Kaiser! Dennoch fetzte sich Deutschland genau in diesem Vierteljahr, in dem es den totalen Sieg mit verzweifelten Offensiven auch noch in Frankreich zu erringen versuchte, von dem durch Krieg und Bürgerkrieg fast schon erwürgten Rußland, das gegen Deutschland gar nicht mehr kämpfte, ein riesiges Ost-Imperium ab: das weitaus größte Stück Erde, das je ein Herrscher Europas einem seiner Nachbarn genommen hat! (Napoleon nahm ebensoviel, doch nicht von *einem*.) Im Frühjahr 1918 noch wollten die Deutschen den Russen abreißen, erstens den Zugang zur Ostsee, zweitens zum Schwarzen Meer, drittens die ganze Ukraine, viertens Russisch-Polen, fünftens

Finnland, sechstens die Baltischen Provinzen. In Zahlen: über siebzig Prozent der Kohle und der Schwerindustrie und mehr als ein Viertel des russischen Vorkriegsterritoriums! Um diesen Witz zum Aberwitz zu steigern, mußt du wissen: Sie hatten dieses Imperium noch gar nicht, die Deutschen, als sie am 3. März 1918 die Russen zwangen, im sogenannten Friedensdiktat von Brest-Litowsk die Abtretung zu unterschreiben! Sie hatten es nicht, sondern benötigten mehr als eine Million Soldaten, um sich diese wehrlos vor ihnen liegenden Ländereien zusammenzugaunern! Und genau an diesem Gaunerstreich sind sie nur acht Monate später verendet, mit ihrer dadurch ausgelösten totalen Kapitulation in Frankreich. Gegen ihre Dummheit half selbst ihre legendäre Tapferkeit nichts . . . Stell dir das vor: Am 3. März ihre Wahnidee, noch bis zur Krim zu marschieren, was sie auch getan haben, da sie ja im Osten keinen Gegner mehr hatten – doch genau zur gleichen Zeit, in den fünf Wochen vom 21. März bis 30. April verlieren sie gegen Briten und Franzosen bei der letzten, ihnen möglichen Offensive 14 Prozent ihrer im Westen stehenden Soldaten, dreihundertfünfzigtausend Mann! Die Engländer verloren dreihunderttausend, standen, wie das hieß, ‹mit dem Rücken zur Wand›; der französische spottete über den britischen Befehlshaber, da stehe der Mann, der in aller Kürze in offenem Felde kapitulieren müsse! Der Engländer sagte später, nur ein halbes Dutzend deutscher Divisionen mehr und der Sieg der Deutschen, da ja die Amerikaner noch nicht in Frankreich eingetroffen waren, sei denkbar gewesen. Doch dieses halbe Dutzend hatten die Deutschen nicht – weil sie *fünfzig* im Osten damit vergeudeten, zum Beispiel Rostow und die Krim noch zu besetzen und in Finnland die Voraussetzung zu schaffen, einen Prinzen von Hessen – Hessen ist eines der kleinen deutschen Gouvernements

– zum König in Helsinki auszurufen: sie sind nicht normal! Und werden deshalb auch diesmal geschlagen, sei ganz beruhigt . . .»

Übernächtig, konnte Zasada seine Zweifel nicht untenhalten. Er sagte: «Ich glaube dir diese Geschichte – doch ich verstehe sie nicht: die kleinen Leute hierzulande, bei denen ich arbeiten mußte, die sind nicht unvernünftiger als meine Eltern! Wieso dann die deutsche Führung?» Victorowicz überlegte nicht lange: «Die kleinen Leute, was können sie tun gegen die Berliner Landräuber und Raubmörder, die ja auch ihnen die Söhne, die Gatten, die Brüder umbringen! Und daß sie die Geschichte verstehen, das erwarte ich nicht – auch ich verstehe sie nicht. Der Verstand hat nichts zu melden, wo das Gefühl vorherrscht! Und du wirst keinen Geschlagenen finden, fast ebenso selten auch einen Sieger, in dem nicht jede Erörterung gefühlsgelenkt ist . . .»

Zasada sagte zweifelnd: «Und sollten auch studierte Leute – du zum Beispiel – ebensowenig vom Verstand und ebensosehr vom Gefühl gelenkt werden?»

Victorowicz nickte ohne Zögern: «Natürlich! Der Intellektuelle findet nur geistreichere und gefährlichere Formulierungen, um sich und anderen vom Verstand her zu begründen, was das Gefühl ihm zu tun und sogar zu denken eingibt. Ihr Gefühl verwehrte es den Deutschen – allen Deutschen, glaube ich –, 1918 nach vier heroischen Weltkriegsjahren, in denen sie, auch märchenhaft, dem ganzen Erdkreis widerstanden hatten, die Niederlage auf dem Schlachtfeld sich selber und jenen, von denen sie besiegt worden waren, einzugestehen. Und da ihr Gefühl, ihr Nationalgefühl nein sagte zu dieser Niederlage: So lieferte ihr Verstand dem Gefühl das Rüstzeug, sich einzureden, daß sie eigentlich nicht besiegt worden seien, jedenfalls nicht auf dem Schlachtfeld, sondern zum Beispiel – sie fanden nämlich viele sogenannte ‹Gründe› – durch einen inneren Gegner, den es aber nie gegeben hatte . . . Oder durch die Juden, obwohl für Kaiserdeutschland zwölftausend Juden 1914–18 gefallen waren. Und nach zehn Jahren glaubten sie sich schon selber jedes Wort und hielten gar nicht mehr für möglich, daß sie 1918 geschlagen worden seien! Und zwanzig Jahre nach 1918, zu der Zeit, als ich in Berlin studierte, spürte jedermann, daß zwar nicht die Deutschen, aber die führende Hitlerclique einfach nicht leben konnte, ohne sich vorzugaukeln, 1918 sei es nicht mit rechten Dingen zugegangen . . . und daß sie wieder marschieren würden. Doch dieses Irrationale, das die Deutschen beherrscht, es wird uns alle vor ihnen retten – nicht anders als 1918, als sie mit einer Million Soldaten querweltein durch Rußland bis in den Kaukasus marschierten, während sie gleichzeitig – *gleichzeitig:* das zeigt den Verblendungs-Wahn – noch rasch im Westen die Briten ins Meer werfen und Paris nehmen wollten, ehe die Amerikaner eingetroffen waren! Und deshalb, Stani, ist es ganz sicher, daß sie den Krieg verlieren wie 1918. Doch wenn damals nur ihr Kaiser dank ihres Größenwahns Holzfäller in Holland wurde – diesmal verlieren die Deutschen mit dem Krieg nicht nur ihre Herrscher, sondern ihre Armee, ihren Staat, alles, wie zuletzt der Fischer un sine Fru . . .»

Jetzt dachte Victorowicz: Wir haben noch eine Zigarette. Und griff schon nach ihr. Doch dann ließ er sie im Rock, denn noch war ja der Freund beschäftigt, er brauchte diese letzte Zigarette nicht jetzt – sondern wenn man ihn holte. Zasada war in der Tat beeindruckt durch die Sicherheit, mit der Victorowicz ihm den Untergang ihres Todfeindes verhieß. Doch war er nicht überzeugt, daß der Verlauf des ersten den des zweiten Weltkrieges vorausschauen lasse. Das wandte er ein. Und fragte, belustigt durch dieses Detail: «Was willst du damit sagen: ihr Kaiser sei Holzfäller geworden? Eine Redensart?»

Victorowicz hatte Licht in den Augen, sie blitzten amüsiert: «Nein! Das könnte doch niemand erfinden als die Realität: Der Mann fällte Bäume, um überhaupt in dem Wald gegenüber dem Park, in dem er wohnte, ein Vierteljahrhundert lang, ein bißchen Bewegung zu haben – und doch war er früher so oft unterwegs gewesen, daß die Berliner gewitzelt hatten: I. R. hinter dem Namen Wilhelm, das heiße nicht Imperator Rex, das heiße: Immer auf Reisen . . . Das Schicksal findet stets unsere Achillesferse! Nun hatte er keine andere Bewegung mehr als Holzhacken; selbst zum Reiten fehlte ihm der Platz . . . Er ist ja erst vor vier Monaten gestorben, ich las das in einer Nazi-Zeitung, sechs abfällige Zeilen. Churchill, den er zweimal vor 1914 zu Kaiser-Manövern eingeladen hatte, schrieb, als ich anfing zu studieren, einen Aufsatz ‹Die deutsche Pracht›, in dem er eher herzlich, kaum ironisch seinen Gastgeber im Glanze der Krone beschrieb; um dann zu schließen, keiner der Millionen Kriegskrüppel habe 1918 ein so furchtbares Los gezogen wie dieser einst oberste Kriegsherr: zwanzig Jahre von Selbstvorwürfen zerquält in einem goldenen Käfig zu sitzen und Holz hacken zu müssen, wenn er noch etwas tun wollte . . . Der Onkel des Kaisers, König Edward von England, der 1910 starb, hatte alles vorausgesehen und seinen Neffen den ‹glänzendsten Fehlschlag der Weltgeschichte› genannt, the most brilliant failure in history. Selbst die Anfänge dieses Herrschers – wie gleichen sie denen des Fischers im Märchen: Er hat ein Haus, das Bismarck ihm mit der immer wiederholten Ermahnung hinterließ, es nicht auf Kosten der Nachbarn zu vergrößern – vor allem: nie durch eine Seemacht, die erstens Deutschland nicht brauche als Inhaber des größten Landheeres seit Napoleon; und die zweitens England, den einstigen Verbündeten Deutschlands gegen Frankreich, im 18. und 19. Jahrhundert und nächsten Verwandten des Kaisers, herausfordern werde . . .

Churchills Sohn hat 1938 den Kaiser noch einmal im holländischen Park-Gefängnis besucht und darüber in der Times berichtet. Der Achtzigjährige sagte, er habe nun zwanzig Jahre lang alle Geschichtsbücher gelesen, es gäbe nur *eine* Wahrheit: Umkommt, wer Land raubt, auf dem er nicht selber geboren ist!

Deshalb mußt du nicht fürchten, Stani», schloß Victorowicz, «die Deutschen seien vielleicht doch Realisten, die eben nur beim *ersten* Griff nach der Alleinherrschaft in Europa falsch kalkuliert hätten – nein! Die kalkulieren überhaupt nicht, das beweist, welche maßlos weiten Ländereien sie ganz zuletzt, bis in den September 1918 hinein (Anfang November war der Kaiser dann geflohen) – noch annektieren wollten. Auch von den Westmächten! (Immerhin hatte ja der deutsche Kaiser den Franzosen den Krieg erklärt – nicht umgekehrt.) So wollten die Deutschen, die ein Ost-Imperium gewonnen hatten so groß wie Frankreich' – nicht etwa den Franzosen wenigstens das Gebiet lassen, was bei Beginn des Krieges französisch gewesen war – nein: wie 1914, so als hätten sie nie an der Marne umkehren müssen, wollten die Deutschen von den Franzosen Kanalhäfen haben, Erzbecken, wollten Belgien behalten und erörterten schriftlich, ob sie vom britischen Kolonialreich nur bedeutende Teile Inner-Afrikas oder auch noch Teile Ägyptens zu fordern hätten – mit drei Worten: Sie waren verrückt! Und deshalb, Stani, so sicher zwei mal zwei vier gibt: verlieren die Deutschen auch diesen Krieg. Hitlers Entschluß, auf Moskau zu marschieren, mit den zwei Todfeinden Churchill und Roosevelt im Rücken und mit Fronten, schon jetzt so zerfasert und überdehnt von Narvik bis Tripolis, von Kreta bis zu den Pyrenäen, daß seine Armeen sich verdünnisieren und zerlaufen werden wie die fünf Eimer Wasser, die du draußen über den Gefängnishof schüttest . . . Kranke, Stani, die so krank sind, können einen Krieg nicht gewinnen – nie! So viel Unfug in der Geschichte nachweisbar auch Realität wurde: nicht Unfug in diesen Dimensionen, glaube mir! Und deshalb wird Polen größer aus diesem Krieg hervorgehen als es eintrat in ihn. Und Deutschland wird besetzt bleiben, bis es nicht mehr ist, was es war und nie wieder werden wird – oder bis es gar nicht mehr ist.»

22
Gedanken eines Amtsarztes

«Die Rede des Führers am 15. ds. hat großen
Eindruck hinterlassen. Ganz besonders wird
die unbeschränkte Siegeszuversicht, die aus
jedem Wort sprach, hervorgehoben . . . Ganz
besonders gefiel der Satz, daß uns die Bolsche-
wisten nie mehr schlagen werden, nachdem
dies in diesem Winter nicht gelungen war, und
daß sie aber in den nächsten Monaten geschlagen werden . . . ‹Der Führer sagt so etwas nicht, wenn er nicht sicher ist›, sagte ein
hiesiger Amtsgerichtsrat. Ein Bauer meinte:
‹Hast as ghört, gestern hat as eana wieda
gsagt, da Führa, jetzt derfans nacha bald
zammpacka.› Aus vielen ähnlichen Aussprü-
chen ist zu entnehmen, daß gerade dieser Satz
am meisten beachtet wird. Auch Frauen fiel
dieser Satz auf.»

Bericht der SD-Außenstelle Berchtesgarden
v. 31. 3. 1942

Zasada bewahrte sich eine verkrampfte Beherrschung bis zu dem Moment, als er seinen Sarg erblickte – ohne zu wissen, daß er nicht beerdigt werde. Der Sarg: dünnes, ungestrichenes Tannenholz, wurde erst im Gefängnishof abgeliefert, drei Minuten nach acht, als plangemäß die Kolonne zur Hinrichtung sich schon hätte «in Marsch setzen» sollen, wie der blödsinnige terminus technicus lautete; denn entweder man sitzt oder man marschiert.

Karl Mayers Nervosität ließ nach, und er kam in Stimmung, als er den hinkenden, weil kriegsverwundeten Schreinergesellen, der mit einem Pferdewagen den Sarg ablieferte, anherrschen konnte: «Sagen Sie Ihrem Chef, ich kann meine Särge künftig auch bei der Konkurrenz kaufen, wenn er nicht pünktlich . . .» Er verzichtete darauf, den Satz zu beenden: ihm war eingefallen, daß er ja künftig keinen Sarg mehr zu kaufen brauche, denn Zasadas Sarg würde immer aufs neue belegt werden, sobald er heute mittag aus der Freiburger Anatomie leer zurückkäme . . . Bei Serien-Erhängungen aber war der Verschleiß von Särgen ohnehin verboten: Mehr als drei Hingerichtete wurden grundsätzlich sarglos beerdigt oder sie wurden verbrannt . . . Während ein Hilfspolizist – ein Zivilist, der zur Polizei für die Kriegszeit eingezogen war – dem Schreiner half, den Sarg vom Pferdewagen auf das Lastauto zu tragen, schrie Mayer über den Hof: «Den Delinquenten in Marsch setzen!» Er sah auf die Uhr: unerhört, diese Unpünktlichkeit; denn wie alle eingefleischten Anhänger totalitärer Regime lebte Mayer nach dem Goethe-Wort – ohne zu wissen, daß es von Goethe ist –, er könne leichter eine Ungerechtigkeit ertragen als eine Unordnung.

Zasada, mit Handschellen an zwei Polizisten gekettet, wartete schon am Fuß der Treppe hinter der Tür zum Hof, die halb offen gestanden hatte; nun kamen sie . . .

Mayer vermied es hinzusehen. Er vertiefte sich in die Überlegung, wie er die Kosten für den Sarg verbuchen solle; hatte er ihn bisher als den bedeutendsten Unkostenfaktor für die Veranstaltung des heutigen Tages ganz einfach in die Abrechnung: Hinrichtung Zasada eintragen wollen – so war ihm jetzt ein Problem daraus entstanden, weil ja dieser Sarg nicht wie andere Unkosten abzuschreiben war, sondern vielmehr als Inventar ohne nennenswerte Benützungs-Schäden in den Besitz der Gestapo-Dienststelle Lörrach überging und von ihr noch tausend Jahre lang benutzt werden konnte; demnach wäre es unkorrekt gewesen, ihn mit der heutigen Hinrichtung bereits total abzuschreiben. Mayer war sich klar darüber, daß von seinen unzulänglichen Untergebenen ihm kein Vorschlag zur Lösung dieser buchhalterisch heiklen Frage eingereicht werden würde, so daß er selber sie seiner vorgesetzten Dienststelle zur Erledigung überantworten müßte. Diesen Brief, dachte er, diktiere ich heute nachmittag. Ein Hüsteln, das keine Erkältung, sondern Irritation als Ursache hatte, ließ ihn auf seinen Nebenmann aufmerksam werden, den Kreis-Amtsarzt.

Der hatte jetzt ein Gefühl, als habe er zwei Tage nicht gegessen. Gereizt fragte er: «Wer ist denn der vierte, der da in Sträflingskleidern?» Mayer sagte, ohne hinzusehen: «Der Henker ist das, ein Pole – war ein hartes Stück Arbeit, den soweit zu bringen!» Er verschwieg, mit welcher Androhung er Victorowicz erpreßt hatte. Der Arzt sagte: «Ob der das kann! Was kriegt er dafür?» Mayer antwortete, schon heiser und hastiger, denn die Gruppe kam näher: «Reichsführer Himmler selber hat genehmigt, einem Polen, der einen Landsmann aufhängt, dafür drei Zigaretten zu bewilligen. Ich hab ihm die drei schon gestern geben lassen – was ich gar nicht durfte. Und gebe ihm, wenn er's hinter sich hat, noch mal dreie.» Man hörte nun schon die Schuhe auf dem Kies und von jenseits der Mauer Klappern von Milchkannen auf einem rasch fahrenden Pferdefuhrwerk. Jetzt war ein solches Gereiztsein in dem Arzt, weil er keinen Vorwand sich hatte einfallen lassen, heute einen anderen hierher zu schicken, daß er sich vorwurfsvoll Luft machte, indem er Mayer fast anherrschte: «Ein Pole ist doch katholisch – wo haben Sie denn seinen Priester?»

Mayer sagte und sah den Arzt dicht vor ihn tretend an, weil er sein Opfer nicht ansehen mochte, das auf Hörnähe herankam: «Polnische Pfarrer haben wir keine, deutsche dürfen nicht mit: Befehl von oben!» – «Von oben kaum!» sagte anzüglich der Arzt und wies gen Himmel; weil er sich hundeelend fühlte, war ihm dieses dürftige Witzchen entglitten. Mayer hatte es auch nötig, seine Erregung irgendwo loszulassen; er war nicht zynisch – doch kam ihm jetzt aus Bereichen, aus denen ihm sonst nie etwas kam, der Zynismus: «Er hat ohne den Segen seiner Kirche die deutsche Frau beschlafen – so muß er auch sterben ohne ihren Segen.»

Der sechzigjährige Arzt schwieg, angewidert. Und wie jedermann den Mund hält, wenn ein Toter aus dem Haus geschafft wird: Zasada, herangeführt, entdeckte in diesem Augenblick auf dem Lastwagen seinen – Sarg! Der Junge, denn er sah jünger aus als zwanzig, hatte bisher Haftfarbe gehabt. Nun, lidschlagschnell, wurde sein Gesicht papierweiß: mit dem Sarg wurde seine Tötung zum erstenmal für ihn faßbar; sogar im Wortsinn – denn die zwei behelmten Büttel, zwecklos, doch automatisch vor Mayer und dem Arzt stehengeblieben, wurden jetzt durch eine sehr ungeduldige Kopfbewegung Mayers, der auch mundlos geworden war beim Blick Zasadas auf den Sarg, veranlaßt, den Wagen rasch zu beklettern, was Schwierigkeiten machte, eben weil sie aneinandergefesselt waren; und weil vielleicht, doch das war nicht zu sehen, der zur Ermordung Bestimmte schwach geworden war in den Knien. Oben jedoch setzten sich die zwei Polizisten auf den Sarg. Die Selbstverständlichkeit, mit der das geschah, als stände wie auf den LKWs der Wehrmacht da eine Bank, machte deutlich, daß die Seele dieser zwei Staatsdiener nicht empfindsamer war als ihr feister Arsch in der breiten Breecheshose, die in Stiefeln steckte. Sie blickten noch zu ihrem Opfer, zerrten nicht grade an den Handschellen – waren jedoch verwundert, daß nicht auch Zasada sich auf seinen Sarg setzte; der würde schon sitzen – wenn erst der Wagen anfuhr!

Der Hilfspolizist schloß die Klappe. Victorowicz war im Dunkeln unter der Plane unsichtbar geworden, er zündete die letzte der drei Zigaretten an, die ihm Mayer aus vorschriftswidriger Menschlichkeit bereits vor Erfüllung seines Auftrags hatte aushändigen lassen, und wollte diese Zigarette Zasada in den Mund stecken; Zasada berührte mit seinen Unterschenkeln den Sarg, stand aber noch – obwohl diese sich abgequälte Standhaftigkeit fast den Rest seiner Kraft aufzehrte. Er schaute weg ins Dunkel des Wagens, weg von Mayer, vom Arzt, von seinen zwei Bütteln – denn er schämte sich, weil er weinen mußte. Er wußte nicht, wie ihm das half, dieses lautlose Weinen; daß er es ihm vermutlich verdankte, alsbald vor den Schau-«Lustigen» Ruhe vortäuschen zu können . . . zeitweise.

«Herr Doktor», sagte Mayer eilfertig, erleichtert, den Delinquenten nicht mehr vor Augen zu haben, «wir können Benzin für einen Wagen sparen, fahren Sie doch in meinem mit!» Den Arzt bedrückte seit Minuten die Frage, die er jetzt an den Mann richtete, der schräg vor ihm, zwar in Zivil, aber auch in Stiefeln und Breecheshosen, tatsächlich eine Volksausgabe des Reichsleiters Bormann, zu seinem Wagen ging: «Herr Mayer – Sie tragen ja sowieso meist Zivil, aber sagen Sie . . .» Er blieb stehen, Mayer auch, ihm zugewandt: «Hoffentlich haben Sie trotzdem eine Pistole dabei?» Mayer war so verwundert, als habe der Arzt gefragt, ob er seine Augenbraue mithabe. «Immer – immer!» sagte er und entblößte seinen dicken Goldzahn. «Warum fragen Sie?» Endlich, nach dem Einsteigen, sagte der Arzt: «Für den Fall, daß ein Gnadenschuß nötig wird!»

Mayer sah ihn erschrocken an, damit hatte er nicht gerechnet. Weil er unsicher war, sagte er forscher als sonst: «Der hat eben zu hängen, bis er tot ist!» Der Arzt wandte ein: «Wenn die Wehrmacht einen Fahnenflüchtigen erschießt, hat der Feuer befehlende Offizier den Gnadenschuß zu geben! Und ich habe die stärksten Bedenken, ob dieser Gefangene seine Sache versteht – der wirkt ja jetzt schon wie ein nasses Handtuch!» Mayer steuerte selbst, man hörte noch, wie hinter ihnen der schwere Lastwagen angelassen wurde. Mayer fühlte sich durch den Arzt bis ins Innerste verunsichert, endlich antwortete er: «Ich bin nicht befugt zu einem Gnadenschuß. Mein Befehl lautet eindeutig: Die Sonderbehandlung erfolgt durch den Strang!»

Den Arzt riß die wachsende Nervosität zu einem Schulterzucken hin, als er unwirsch sagte: «Hängen muß man eben können!» Mayer sah ihn verständnisvoll an; keineswegs hatte er Verdacht, daß der Arzt aus unerlaubter Schlappheit gegenüber dem Polen solche Worte machte: Der wollte einfach als ordentlicher Deutscher, daß es «ordentlich» zuging. Noch ratloser und daher sich noch fester an seinen Befehl anklammernd, sagte Mayer: «Auch betreffs der Auswahl des Henkers bin ich weisungsgebunden: Ich *darf* es gar nicht selber tun, obgleich's mir leichter fiele, als zuzugucken, wie ein Dilettant den Delinquenten erwürgt statt erhängt. Reichsführer Himmler hat ausdrücklich Brutalitäten bei Sonderbehandlung verboten. Aber ein Deutscher darf es nun einmal nicht machen!»

Doch der Arzt glaubte nun einen Ausweg zu sehen: «Wenn der Reichsführer Brutalitäten verbietet, Sturmführer, dann sind Sie berechtigt zum Gnadenschuß.» Mayer fuhr nicht schnell, um den Lastwagen nicht abzuhängen; sie waren jetzt schon dicht vor Brombach, als eine Marschkolonne sichtbar wurde: die in Lörrach arbeitenden Gefangenen und ausländischen Zivilarbeiter, die an den Tatort geführt wurden, um zwar nicht die Hinrichtung anzusehen – das war verboten; offenbar fürchtete man rebellierende Worte des Delinquenten an seine Landsleute: sondern um den Erhängten betrachten zu müssen, zur «Abschreckung» . . . Bevor Arzt und Gestapo-Chef die Kolonne kommentierten oder auch nur überholt hatten, sagte Mayer: «Sie bringen mich in eine Zwickmühle, Herr Dokter. Woher wollen Sie wissen, daß ich befugt bin zum Gnadenschuß? Eine Sonderbehandlung, die weisungsgemäß durch Strang erfolgen soll, kann nicht durch einen Schuß zum guten Ende gebracht werden. Dazu bin ich doch gar nicht befugt!» Er sagte ohne ein Gran Ironie: zum guten Ende . . . Und wollte nunmehr das Thema, da es ihm zusetzte, verscheuchen. Doch fügte der Arzt noch mit kräftiger Stimme an: «Ich fühle mich keineswegs verpflichtet, einer Brutalität zuzuschauen – ich bin überhaupt nur verpflichtet, das halte ich fest, den Tod zu bescheinigen, nicht der Hinrichtung beizuwohnen. Wenn dem Mann – unwillkürlich sah ich vorhin auf seinen Nacken – der Strick unters Kinn rutscht, und der ist ja kräftig, der Junge, einen Nacken hat der wie ein zweijähriger Stier: dann werdet Ihr ihn lange zappeln sehen . . .» Mayer antwortete rasch: «Gut, daß Sie mich darauf bringen, ich muß ihm die Füße zusammenbinden, wenn er auf dem Wagen steht . . .» Der Arzt schwieg; wenn der neben ihm nichts weiter fürchtete als den Anblick hin und her schlagender Füße, dann war es hoffnungslos. In Mayer hatte die Bemerkung des Arztes wieder die Buchhalter-Seele getroffen; er dachte: Klug von mir, heute früh Anweisung zu geben, der Polacke solle seine eigenen Kleider anziehen: dann haben die in Freiburg und nicht ich den Schmutz, denn einem Erhängten geht's ja unten ab, und was die Anatomie tun wird mit den verschissenen Lumpen, das ist meine Sorge nicht mehr – ich werde denen weisungsgemäß schreiben, Kleider von Hingerichteten seien anderen Fremdarbeitern ohne Herkunftsvermerk kostenlos auszuhändigen, und damit hab ich's hinter mir. Hätte ich dagegen dem Mann die Zuchthauskluft gelassen, die er weisungsgemäß ja auch jetzt tragen müßte: dann könnte ich mir den Kopf zerbrechen, ob und wie ich die aus der Anatomie wiederkriege, denn Zuchthausjacke und Hose sind inventarisiert in unsrer Kleiderkammer. Während nach den Zivilkleidern des Polen, die gar nicht registriert sind in Lörrach, kein Prüfungsbeamter fahnden wird . . .

Er lenkte nun den Wagen an der langen Kolonne fast militärisch marschierender Gefangener und Fremdarbeiter vorüber; zweihundert gingen dahin, den Erhängten gezeigt zu kriegen; gut dreihundert Gefangene würden noch aus anderen Dörfern und Fabriken heranmarschieren. Die meisten waren Polen. Der Arzt fragte: «Sind denn auch schon Russen dazwischen? Franzosen, wie ich sehe, oder Belgier eine Menge.» Mayer gab Auskunft: «Auch sieben Engländer, aber Russen haben wir noch keine. Hoffentlich wird Moskau jetzt rasch genommen, denn es wird kalt.» Dem Arzt, da er sich ärgerte über Mayer, machte es eine sarkastische Genugtuung zu sagen: «Wenn wir Moskau genommen haben, dann haben wir vielleicht noch keine Unterkünfte; es gibt Beispiele, daß die Russen Moskau verbrennen, sobald Besatzung in der Stadt liegt.» Mayer empfand es nun doch als taktlos, daß der Arzt – wenn auch nur indirekt – den größten Feldherrn aller Zeiten mit einem verglich, der als Geschlagener verendet war. Um das heimzuzahlen – heute war der Tag der Eroberung von Odessa –, sagte er verbindlich, aber unnachgiebig: «Übrigens muß ich Sie korrigieren, Herr Dokter: Sie sind durchaus verpflichtet, der Exekution selber beizuwohnen, da ich nachweislich einen SS-Arzt nicht zur Verfügung habe. Die Ärzte, die hier in der SS sind – machen entweder Dienst in Lazaretten oder in Konzentrationslagern . . .»

Der grauweiße Mediziner sagte resigniert bis beschwichtigend: «So – na, ich bin ja da, ich drücke mich ja nicht. Sagen Sie: Engländer sind auch schon zwischen den Gefangenen hier . . . was wird denn aus denen, wenn die tun, was der Pole gemacht hat?» Mayer zögerte, sagte dann zur Selbstberuhigung: «Öffentlich wurde der Erlaß nicht bekanntgemacht, doch er ist nicht geheim: Wir haben im August vorigen Jahres, kaum daß der Frankreichfeldzug gewonnen war, von Heydrich einen Schnellbrief gekriegt, wonach es ausdrücklich der persönliche Wunsch des Führers ist, auch Briten, Franzosen und Belgier hinzurichten, wenn die mit einer Deutschen geschlafen haben. Merkwürdigerweise ist in diesem Schnellbrief», und er stockte, hatte aber dann rasch das Datum in seinem Karteikastenhirn parat, «er ist vom 5. 8. 40, nicht auch von Holländern die Rede! Ob man die vergessen hat? Ich kann nur hoffen, daß ich's nie mit einem Holländer zu tun kriege, man weiß nämlich nie, wie die da oben das auffassen, wenn man gar zu zimperlich ist und rückfragt!» Er sagte: «rückfrägt.»

Seine einzige Sorge! dachte der Arzt. Und fügte laut an: «Stand denn dieser Pole vor dem Sondergericht in Freiburg oder wo?» Mayer belehrte ihn: «Wir haben zu schlechte Erfahrungen mit Sondergerichten gemacht: Die jungen Richter sind an der Front und die alten haben, auch wenn sie sonst tadellos funktionieren und verdiente PG's sind, doch oft noch zu bürgerlich schlappe Vorstellungen, so daß der Reichsführer vom Führer die Erlaubnis erwirkt hat, die Justiz bei GV einfach zu übergehen, jedenfalls im Regelfall. Die erwischten Frauen brauchen ohnehin vor kein Gericht, weil ja mindestens ein Jahr KZ für die auch in den harmlosen Fällen, Austausch von Zärtlichkeiten ohne GV, schon 39 angeordnet wurde.»

Er hielt. Die Prominenz von Brombach, doch keineswegs nur Parteimitglieder, erwarteten mit Ortsgruppenleiter und Bürgermeister Josef Zinngruber am Ortseingang den Vollstrecker. Zinngruber, in Zivil, aber gleichwohl in Schaftstiefeln, grüßte mit «langem» Arm, wie man das nannte: «Heil Hitler, Sturmführer! Melde Ortsgruppe Brombach zur Hinrichtung bereit!»

«Heil Hitler, Herr Ortsgruppenleiter!» dankte Mayer, der ausgestiegen war, während der Arzt im Wagen blieb. Zinngrubers widersinnige Meldung, Brombach sei bereit zur Hinrichtung, obgleich ja nicht das Dorf hingerichtet werden sollte – legte Mayer in seinem sehr gut aufgeräumten Unterbewußtsein ein Juden-Dorf in Polen frei, das buchstäblich hingerichtet worden war: Männer ab vierzehn erschossen, Frauen und Kinder deportiert, Häuser niedergebrannt; doch verging ihm diese grausige Erinnerung, weil er rasch den strammstehenden Unterlingen Zinngrubers die Hände drückte, um nach jedem Händedruck wie ein Hampelmann den langgestreckten rechten Arm hochzureißen – rasch zurücktretend, da auch der von ihm gegrüßte hackenschlagend den rechten

Arm hochriß: Die Außerordentlichkeit des Anlasses stimmte alle Anwesenden pathetisch, ja feiertäglich, was wiederum die deutsche Angewohnheit, sich bei jeder Gelegenheit (und in jeder Verlegenheit) Hände zu drücken, verstärkte. Auch die nicht in Uniform erschienen waren, trugen Schaftstiefel zu Breecheshosen, zwei auch Wickelgamaschen – alle eine kleinbürgerlich jägerartige Kleidung oder Chauffeur-Kluft, keiner Hut, fast jeder Mütze; zwei hielten derbe Spazierstöcke; Treiber laufen so herum oder kleine Jagdpächter . . . und eine Treibjagd kam in der Tat ja heute zu Ende. Ob es den einzelnen wohl war im Gemüte, denn alle hatten Gemüt – ist nicht zu ermitteln: Die breit feixende Freude, mit der ein Polizist aus dem Nachbardorf später erzählte, ja sogar vormachte, wie der Delinquent sich am Galgen zu Tode gequält hat, war vermutlich nicht repräsentativ. Der kluge Zinngruber, wenn man klug einen nennen kann, der auf Hitler gesetzt hatte, doch jener Hitler, mit dem Zinngruber sich Ende der zwanziger Jahre verbündet hatte, war ja der von 1941 nicht mehr – der Ortsgruppenleiter spürte vielleicht schon heute, daß nicht populär war, was er im Dorfe hatte anschlagen lassen: daß Zasada gehängt werde. Denn der Pole war beliebt bei den Frauen als ein männlich schöner, immer hilfsbereiter Kohlenlieferant; auch murmelte man jetzt, er stamme ab von «besseren Leuten», wie man das formulierte: hatte er doch im März noch für Max König, dem vierzehnjährigen Sohn der Ortsfrauenschaftsführerin und Neffen des Kohlenhändlers Melchior, als Geschenk zur Konfirmation aus dem elterlichen Geschäft in Lodz eine Fahrradbereifung schicken lassen; das machte gewaltigen Eindruck in Brombach, wo kein Mensch ohne einen Bezugsschein mehr Fahrradschläuche zu kaufen bekam . . . und wo natürlich jeder von jedem alles wußte. Frauen erinnerten sich später (oder redeten sich das ein, wer weiß das –), sie hätten geweint am Tage der Hinrichtung. Belegt ist, daß die Nonnen des Elisabethenkrankenhauses zu Lörrach, die zehn Tage lang den an eitriger Angina erkrankten Polen gepflegt hatten, am Vormittag des 16. Oktober ihre Patienten nicht betreuten: denn sie lagen in der Kapelle des Spitals auf den Knien und beteten für den Katholiken unterm Galgen . . .

Mayer sagte rasch und leise zu den Versammelten, doch nun sichtbar nervös: «Einen Bindfaden, einen kurzen Strick, schon mit Schlinge muß ich haben –» Zinngruber verstand ihn nicht, auch er war nervös geworden, ja ängstlich durch den herangefahrenen Laster: «Kurz? – wieso soll der kurz sein, der Strick? Lang ist der und der hängt doch schon seit gestern abend am Galgen!» Zuckend jetzt vor Hast, antwortete Mayer, zuerst mit den Händen, als wolle er etwas zeigen, doch zeigte er nichts: «Nicht für den Hals, kein Strick für den Hals – für die Füße!» Und er verdeutlichte im falschen Deutsch: «Für die Füße zusammen zu binden!» Nichts aber wäre hier auf der Straße und in diesem Augenblick schwieriger aufzutreiben gewesen – ganz ratlos sah Zinngruber ihn an, dann andere; jetzt stieß einer hervor, ungeduldig, weil er auch schon grau geworden war vor der Untat, die er gestern noch unbedingt hatte mitmachen wollen, doch jetzt nur noch mitmachte, weil er nicht mehr davonlaufen konnte, eine übrigens exemplarische Einstellung sehr vieler Nazis zu sehr vielem, was sie anrichteten: «Wer soll denn jetzt einen Strick bei sich haben, hier uff offener Straße! – nehmt meinen Gürtel, ich brauch'en nit!»

Und schon zog er seinen Lederriemen aus den Schlaufen der armeegrauen Jagdjacke, und Mayer schrie: «Alle in Marsch setzen!» – und nahm den Gürtel und stieg in seinen Wagen und andere in andere und einer «ordnete» an: «Treffpunkt Rathaus-Platz» – und nun fuhren sie los.

Und vermutlich war keiner dabei, der nicht sein Dabeisein für einen «Dienst am Vaterland» ansah – so wie wenige Monate später, als sie hier in Baden wie überall im Reich die seit Jahren entrechteten Judenfamilien wegwaggonierten in einen noch schauerlicheren Tod.

«Für die Füße», sagte Mayer zum Amtsarzt, als er den Wagen anließ, und legte den Riemen seines Mordkomplicen auf den Schoß. Der Arzt ließ nicht locker, er hatte keinen Anlaß, Furcht vor Mayer zu haben, da er als Parteimitglied und Funktionär der Ärztekammer und Inhaber einer glänzenden Praxis und eines rassereinen Stammbaumes von den Nazis nichts zu fürchten hatte als das, was sie dann jedem Landsmann zufügten: die Vernichtung des deutschen Reiches; der Arzt sagte eindringlich: «Bedenken Sie, daß dieser Staat mit Göring als Reichsjägermeister eine ausgesprochen anständige Einstellung zum Tier hat und daß ein Gnadenschuß schließlich sogar jedem Tier zusteht.» Mayer spürte nichts von der hinterlistigen Ironie, sondern sah ihn mit Besorgnis an. «Das ist ja völlig richtig, Herr Dokter – aber trotzdem, ich kann nur hoffen, unser Henker ist kein Stümper: Denn woher soll ich die Befugnis nehmen zu einem Gnadenschuß! Seit es durch Reichsverordnung sowieso ausnahmslos verboten ist – mit Zuchthaus wird das geahndet –, deutsches Wild in Schlingen zu töten, gibt's ja sozusagen gar keinen Präzedenzfall mehr für Töten von Tieren durch Schlinge. Würde nun der Pole nicht durch Schlinge getötet, sondern durch Erschießen wie das deutsche Wild – dann wäre es ja klar, daß man sozusagen so lange schießen dürfte, bis daß er tot wäre. Doch so? Die erklären mich glatt für verrückt, wenn ich wegen einer solchen Lappalie Berlin anrufe!» Er hatte heftig betroffen von diesen Überlegungen rasch gesprochen, nun setzte er, da des Arztes Zustimmung ausblieb, wieder unsicherer hinzu: «Obwohl ich nicht sagen wollte, das sei auch für den Polen eine Lappalie, der hat eben Pech, der Junge! Der ist ja, genaugenommen, ein prächtiger Bursche, solche Rekruten suchen die ja als Nachwuchs für die Leibstandarte SS! Er hat auch immer beteuert, seit er selber für möglich hielt, daß er liquidiert würde, er habe eine deutsche Mutter . . .»

Rasch, als habe er Hoffnung, noch etwas abwenden zu können, fiel ihm der Arzt ins Gerede: «Dann dürfen Sie ihn doch nicht aufhängen, weil er mit einer Deutschen schlief, Mayer!»

Das Vertrauliche, das er durch Weglassung von Titel oder «Herr» dem Gespräch gab, berührte Mayer gradezu väterlich; er sagte, sich leidenschaftlich rechtfertigend: «Ich – *ich* – hänge den nicht, ich habe gemeldet, der behaupte, von mutterseits deutscher Abstammung zu sein. Doch Freiburg hat mir gesagt, das sei ohne Belang, denn als Volksdeutscher müßte er schon längst hängen: weil er gekämpft habe in der polnischen Armee! Ich konnte machen, was ich wollte: Der Mann war verloren – von dem Augenblick an, als mir die Frau, die in dem Gemüseladen die Geliebte des Polen vertreten hat, die Briefe aushändigte . . . hätte doch das Weib die mal in 'nen Ofen geworfen!»

Der Arzt fragte: «Kenne ich diese Frau?»

Mayer sagte: «Elsbeth Schnittgens, eine propre Person!»

Und nun mußten sie halten: Der Platz vor dem Rathaus war überfüllt mit versammelten Kriegsgefangenen, aus Brombach und anderen Ortschaften. Der Arzt dachte: Feige wird man als Gefangener, hier zweihundert – und zweihundert im Anmarsch: Die könnten den Kameraden doch raushauen und dann mit ihm ab durch den Wald in die Schweiz. Das gäbe Tote – doch, wer weiß, vielleicht nur unter den Bewachern, wenn die vierhundert herfallen über die sieben oder neun und denen die Schieß-eisen wegnähmen – denn mehr sind es nicht, hier der Kerl neben mir und vielleicht Zinngruber und bestimmt die Polizisten, die fünfe: Sonst hat doch keiner eine Pistole! Und wenn die Gefangenen die Autos schnappen – wie lang bräuchten sie bis über die grüne Grenze: zehn Minu-ten! Und wissen doch genau, da sie überall arbeiten, daß keine Garnison ist weit und breit . . . wären sie erst mal drüben: wer weiß, die Schweiz liefert einzelne aus, auch deutsche Deserteure. Aber ob sie drei-, vierhundert Mann zurückschickte, wenn ein internationales Geschrei verbunden wäre damit: ich glaube nicht, daß sie das riskierten, die Eidgenossen! Und der Arzt, am wildesten und doch auch am lähmendsten empört über sich, daß er heute mitmachte, war in einer Stimmung wie nie mehr, seit er seine kurzen Jungenhosen ausgezogen hatte, und sah mit jenem Wissen, das es dem Menschen verwehrt, noch gesprächig zu sein, auf die Straßenrand-Steher mit ihren empfindungsvoll traurigen Kuhaugen; Hohn und Lust, einem Mord zuzusehen, fand er in keinem Blick – sondern eine Trauer, die ihn anwiderte in ihrer würdelo-sen Schlachtvieh-Mentalität. Keiner der vierhundert Ge-fangenen außer dem einen, der gehängt wird, ist gefesselt, keine Bewacher reihum – und doch ist keiner, obgleich sie alle satt zu essen haben, der nicht ebenso lammfromm hinguckt wie die Brombacher . . . und wie – wie ich, der Herr Amtsarzt, der jedes Frühjahr, jeden Herbst die Achtzehnjährigen streng mustert und frontverwendungs-fähig schreibt, abschreibt als Kanonenfutter: Was ist doch der Mensch für ein Schwein. Und welches Glück für jeden, daß jeder eins ist! Und nun halt dein Maul und steig mit aus, damit du nicht wahnsinnig wirst . . . frische Luft, frische Luft und die Hoffnung, daß doch noch hier

irgend etwas passiert, was einen wenigstens andeutungs-
weise wieder merken läßt, daß Menschen und Rindvieh
nicht identisch sind . . . Wie sicher, wie fürchterlich sicher fühlen wir Deutschen uns, daß wir zwei Kilometer
neben der Schweiz nicht einmal die Gefangenen bewachen dort, wo wir ihnen zumuten, zur Ermordung eines
Kameraden zu marschieren – wenn dieser Strom nie
kentert; wenn das nie auf uns zurückschlägt, dann ist
auch das Alte Testament nur ein Schundroman.

Das dachte der Arzt, aber da stand schon an seiner
Autotüre der Ortsgruppenleiter und öffnete mit bürgerlichen Manieren dem Älteren den Schlag, und wie er aus-
stieg, sagte der Mediziner: «Danke, danke Ihnen, Herr
Ortsgruppenleiter – Heil Hitler!»

23
Polens Rache: Die Sphinx

Zum 21. Jahrestag des Waffenstillstandes veröffentlichte die Warschauer Regierung die endgültigen Zahlen über die Verluste während des Zweiten Weltkriegs. Mehr als sechs Millionen Polen, darunter 3,2 Millionen Juden, verloren ihr Leben. Nur ein Zehntel aller Opfer, etwa 640 000 Personen, wurde im Kampf getötet, darunter 120 000 Soldaten. Mit 220 Toten auf 1000 Einwohner erlitt Polen die schwersten Verluste.

Mai 1966

Enigma hieß Rätsel bei den Griechen des Altertums. Enigma nannten die Deutschen jene Code-Maschine, die 1938 in die Serienproduktion ging, weil sie – ein kompliziertes System elektrisch angetriebener Zylinder, die alle Buchstaben des Alphabets trugen – dazu bestimmt war, während des ganzen Zweiten Weltkrieges die Befehle Hitlers, seiner Generale und Admirale an ihre Armeen und Schiffe und deren Antworten an die Hauptquartiere zu chiffrieren. «Hitler, der seinen Marschällen und mir», schrieb dreißig Jahre später, 1976, sein abgewrackter Rüstungsminister Speer, «immer wieder in lehrhaften Wendungen erklärte, daß wir in diesem Krieg den besten Geheim-Code hätten, den Menschen überhaupt erfinden könnten», wußte so wenig wie jeder andere Deutsche, daß zwei *Polen* bereits 1938 eine solche Maschine für ihren und für den britischen Geheimdienst in der deutschen Fabrik gestohlen hatten. Und daß polnische und britische Mathematiker das Rätsel der «Rätsel»-Maschine bis Ende Februar 1940 nahezu aufzulösen vermochten. Noch einmal steigerten die Deutschen, zwischen 1940 und 42, die Kombinationsmöglichkeiten ihrer Code-Maschine, doch der britische Mathematiker Knox lüftete auch dieses Geheimnis. Nach Hitlers Invasion Norwegens war es den Briten geglückt, aus einem vor der norwegischen Küste abgeschossenen deutschen Flugzeug eine weitere Enigma-Chiffriermaschine mit allen Codes zu bergen. Im Frankreichfeldzug hatten sie alsbald ähnlich wertvolles Material aus einem zu weit vorgestoßenen deutschen Panzer-Nachrichten-Wagen erbeutet, und im Mai 1941 enterte die Royal Navy sogar ein deutsches U-Boot, in dem ebenfalls eine Enigma und zahlreiche Schlüsselunterlagen gefunden wurden – daß von 39000 deutschen U-Bootfahrern 27212 gefallen sind, verdanken sie vorwiegend dem Vertrauen, das ihr Chef Dönitz in Enigma

setzte und seinem Befehl, daß «seine» U-Boote ihm täglich ihren genauen Standort per Funk zu melden hatten.

Bis Anfang 1942 flossen die Informationen langsam,
aber stetig, dann allerdings erlangten die von Tausenden
von Fachleuten bedienten Dechiffriermaschinen in England die «vollständige Herrschaft über den deutschen
Funkverkehr».

Dank ihrer lasen Churchill, Roosevelt und die alliierten
Stabschefs Hitlers Befehle sehr oft noch in der Stunde, in
der sie ergangen waren . . . Ohne Übertreibung: Dieser
Diebstahl – im Kriege dann Polens Rache an allem, was
Hitler-Deutschland ihm antun konnte, und das war viel!
– hat für die Alliierten ihre fürchterliche Unterlegenheit
mindestens so lange ausgeglichen, bis Hitler nach seiner
Niederlage vor Moskau auch noch den USA den Krieg
erklärte, rätselhafterweise ohne Japans Zusage, dafür
auch die Sowjet-Union anzugreifen . . .

Zwar ist Polen – daran kann man nicht oft genug
erinnern – jener Staat, der mehr Menschen im Hitler-
krieg verloren hat als jeder andere; und diese Tatsache
wird nicht aufgewogen, denn Leben ist mehr als nur
Land, durch die Entschädigung des polnischen Staates
mit deutschen Provinzen für jene Gebiete, die er an die
Russen abtreten mußte, weil die Rote Armee es gewesen
ist, in erster Linie, die schließlich Hitlers Wehrmacht
verschrottet und aus Polen vertrieben hat. Doch *Polen*
waren es auch, und daher hat dieses Kapitel einen Standort in dieser Erzählung, welche schon 1938 mit ihrer
Entdeckung und Entwendung von Hitlers Verschlüsse-
lungs-Apparat den zweifellos unblutigsten und folgenreichsten Sieg im Zweiten Weltkrieg als ihre Mitgift ein-
brachten in die Große Koalition! Unzählige: Mathematiker, Generale, Staatsmänner, vor allem aber die von ihnen Regierten auf Schlachtfeldern und in Wohnzentren

wurden zu Nutznießern dieser Maschine, ja sehr viele überlebten ihretwegen allein.

Dieses Mitbringsel der Polen nach England hat vielleicht nicht, wie manche alliierte Generale – zum Beispiel Eisenhower – sagten, den Krieg entschieden; doch mag es überhaupt ermöglicht haben, daß England in jenem Jahr, in dem es allein stand – Sommer 40 bis Sommer 41 –, den Krieg weiterführen konnte.

Polen hat damit auch an der Entscheidungs-Schlacht dieses Jahres, der Battle of Britain, einen so hohen Anteil – und das geben seit 1974 auch die Briten zu – wie die Engländer selber; nicht nur deshalb, weil in Dowdings Jagdstaffeln viele Polen als Piloten mitkämpften und fielen, sondern weil sämtliche entscheidenden deutschen Angriffs-Befehle von den Briten vorher entschlüsselt werden konnten dank der polnischen Großtat des Jahres 1938!

Sie durfte auf Anordnung der britischen Zensur bis zum Jahre 1974 nirgendwo erwähnt werden; selbst Churchill widmet ihr in seinen zwölf Bänden über den Zweiten Weltkrieg keinen Buchstaben.

Nach Niederlagen sucht man den «Spion». So bildeten die Deutschen, mit denen die Briten fünf Jahre lang – ihr Geniestreich – dank der Polen Blinde Kuh hatten spielen können, sich später ein, im Hauptquartier habe ein Verräter gesessen; die Schweizer verbuchten stolz nach dem Krieg die Tatsache, daß die Briten in Luzern einen Umschlagplatz für jene Auswahl aus Enigma-Informationen eingerichtet hatten, die sie den Russen weitergeben wollten – denn keinem Russen vertrauten sie an, Enigma erbeutet zu haben –, als eine eigene, eine schweizerische Leistung, die wesentlich geholfen habe, den Krieg zu entscheiden! Und doch war jede «Schweizer» Nachricht allein der Tatsache zu verdanken, daß polnische Geheimdienst-Mathematiker in der Chiffriermaschinen AG, Berlin SW 35, Steglitzer Str. 2, die Enigma des Ingenieurs Scherbius entdeckt und den Briten ausgeliefert hatten – zwei Polen, die bis heute nicht genannt werden, obgleich sie Weltgeschichte inkommensurablen Ausmaßes gemacht haben!

Dieser Diebstahl muß so raffiniert vonstatten gegangen sein, daß er den Bestohlenen überhaupt nicht auffiel: wie sonst wäre zu erklären, daß sie keine Konsequenz daraus zogen? Möglich allerdings, daß die für Sicherheit verantwortlichen Deutschen in der Fabrik sich deshalb gescheut haben, Meldung zu machen, weil sie Angst hatten, barbarisch bestraft zu werden . . .

Wie das auch war: Der erste Chronist von Enigma und der Auswertung dieser Maschine durch die Alliierten, der Brite Colonel Frederick Winterbotham, hat dreißig Jahre darum gekämpft, von der britischen Regierung die Erlaubnis zu erwirken, den Bericht über die von ihm während des ganzen Hitlerkrieges geleitete Abteilung des Geheimdienstes schreiben zu dürfen – doch auch dann erhielt er keinen Zugang zu den Regierungsarchiven, in denen seine eigenen Akten aus den Kriegsjahren gestapelt sind. Es ist wenig bekannt, daß jeder Engländer, der über politische und militärische Ereignisse des letzten halben Jahrhunderts schreibt, verpflichtet ist, sein Manuskript vor der Drucklegung Ihrer Majestät Geheimem Kabinettsamt einzureichen, das sehr oft dieses Manuskript um das Wertvollste beschneidet – aus echten oder vorgeschobenen Geheimhaltungsgründen. Hier sind es – da es aktuelle nicht mehr sein können – vorgeschobene. Der wahre Grund: in Chauvinismus ausgearteter Nationalstolz, der einfach nicht zuläßt, den Polen zuzugestehen, was sie mit der Eroberung von Enigma für den Sieg der Alliierten geleistet haben! (In Winterbothams Buch kommen Hunderte von britischen, amerikanischen und französischen Namen vor, aber kein einziger polnischer!) Doch dürfte dies nur *ein* Motiv der Regierung sein, Winterbothams Bericht lediglich so lückenhaft zuzulassen; der zweite Grund: die ganze Wahrheit über Enigma würde enthüllen, was die alliierten Militärs ihrer eigenen Strategie und wieviel sie dieser Maschine verdankten; und würde beantworten – eine entscheidende Frage, auf die aber Winterbotham mit keiner Silbe eingehen darf –, welche aus Enigma erbeuteten Nachrichten die Briten ihren russischen Waffenbrüdern weitergegeben haben via Luzern und welche sie den Russen unterschlugen . . . ein zu heikles Thema, um jemals erörtert werden zu können! Denn die Verbitterung der Russen, daß ihnen die Briten nur jene deutschen Geheimnisse zugänglich machen wollten, die sie für sie «ausgewählt» hatten, keineswegs aber alle, würde möglicherweise die große Dankbarkeit vergessen lassen, die immerhin die Russen den Briten *auch* schulden. Zum Beispiel haben sie doch vor der Panzerschlacht von Kursk, diesem letzten deutschen Versuch, August 1943, noch einmal in Rußland offensiv zu werden – sämtliche deutschen Pläne von den Briten zugespielt bekommen; so daß denn diese panzerreichste Schlacht des ganzen Krieges von den Deutschen auch katastrophal verloren wurde . . .

Auch bedrückt es Colonel Winterbotham – er sagte das noch Ostern 1978 –, daß er allein die Nutznießer dieses bedeutsamsten Beitrags der Polen zum Sieg der Alliierten in seinem Bericht nennen darf, die westalliierte Generalität und Staatsführung, jedoch keinen der Polen, die heute meist als sehr alte Herren deshalb den Mund halten müssen, weil sie ihn in Großbritannien nur aufmachen dürfen, um als Pensionäre ihr bescheidenes britisches Gnadenbrot zu essen . . .

Wenig bekannt ist ja überhaupt, wie viele polnische Soldaten in der britischen Armee, nicht nur auch als Jägerpiloten in der Battle of Britain gekämpft haben, sondern in Afrika und bei Monte Cassino und im Bomberkommando, in dem allein tausend Polen über Deutschland den Tod fanden. Doch mit der Auslieferung von Enigma an die Briten haben die Polen wahrlich abgezahlt, was England für die Erhaltung und Wiederherstellung eines polnischen Staates geleistet hat . . . Eine polnische Ballade darf nicht verschweigen, daß die Entwendung dieser Maschine durch Polen den Alliierten erst ermöglicht hat, mindestens außerhalb der Sowjet-Union, wie Winterbotham überzeugend nachweist, ihre Entscheidungsschlachten ausnahmslos in voller Kenntnis der Pläne ihres deutschen Gegners zu führen. Das wird nicht zuletzt dadurch bewiesen, daß die für die Alliierten katastrophal, weil *überraschend* gekommene letzte Offensive Hitlers, die Ardennen-Schlacht, als einzige *deshalb* überraschend kam, weil Hitler seine Befehle nicht durch Enigma «verschlüsselt» funken ließ, sondern sie der Truppe auf altmodische Weise durch Kuriere und Kradmelder übermittelte . . .

24
Steinbruch

«Der verantwortliche Dienststellenleiter
hat nach pflichtgemäßem Ermessen zu
entscheiden, ob die Leiche dem nächsten
Krematorium zur Verbrennung zu überweisen oder der nächsten Universitätskli-
nik (Anatomie) zur Verfügung zu stellen
ist. Falls die Überführung der Leiche in
das nächste Krematorium oder die nächste Anatomie nur unter großem Benzin-
verbrauch möglich ist, bestehen gegen die
Beerdigung auf einem Judenfriedhof oder
in der Selbstmörderecke eines großen
Friedhofes keine Bedenken. Die entste-
henden Kosten trägt die Geheime Staatspolizei.»

Der Reichsführer SS und Chef der
Deutschen Polizei
– S IV D 2 – 450/42 g – 81 – v. 6. 1. 1943

Zasada fragte – sicherlich schon zum fünftenmal – seinen Henker: «Du wirst die Adresse behalten? – sag sie noch mal!»

Und Victorowicz wiederholte sie ihm. Und dann nahm er ihm die Zigarette aus dem Mund, und Zasada, den das lautlose Weinen beim Schock, als er seinen Sarg entdeckte, wesentlich ruhiger gemacht hatte, stieß den Rauch aus und Victorowicz steckte ihm wieder die Zigarette in den Mund, und die beiden Büttel, an deren Händen Zasadas Hände festgemacht waren, tolerierten diese Unvorschriftsmäßigkeit durch Wegsehen. Und Zasada bat, was er auch schon oft erbeten hatte: Victorowicz solle gleich heute schreiben, damit die Eltern es nicht früher von anderer Seite hörten. «Sag ihnen, daß es mein Kummer war, daß ich nicht selber an sie schreiben durfte», fügte er hinzu – aber das brachte ihn in Gefahr, wieder zu weinen, und so schwieg er, obgleich ihm noch etwas einfiel zum Brief, den Victorowicz für ihn schreiben sollte. Die beiden hatten sich ausgedacht, daß Victorowicz ihnen schrieb, ihr Sohn sei erschossen worden wegen seiner Liebe zu einer Deutschen und sei sofort tot gewesen, und er lasse sie bitten, sich zu trösten, womit er selber sich auch zu trösten vermocht habe: Daß er nämlich im Gegensatz zu so vielen seiner Kriegskameraden, die wie er von der Schulbank weg zur Front gekommen seien, doch noch vor seinem Tode die Liebe, eine sehr große Liebe, kennengelernt habe. «Und vergiß ja nicht», fügte jetzt Zasada eindringend hinzu, «ihnen zu schreiben, daß sie dir auf keinen Fall, auf keinen Fall, hörst du – deine Nachricht beantworten sollen. Denn was meine Eltern über die deutschen Schweine schreiben würden, die mich jetzt ermorden, das kann ja nur so ausfallen, daß erstens sie und zweitens du auch noch aufgehängt werden!» Er schwieg nur kurz, dann setzte er aufgeregt hinzu:

«Quatsch – du darfst ihnen nicht einmal deinen Namen leserlich schreiben, schreib ihnen, du würdest sie zu Hause besuchen, sobald der Krieg vorbei ist, aber schreib ihnen um Gottes willen deinen Namen nicht – denn meine Mutter wird mehr wissen wollen, sie wird bestimmt sich nicht beherrschen können, sondern dir schreiben. Und dann seid ihr alle drei dran . . .»

Victorowicz faßte ihn – auch das hatte er oft getan – begütigend am Oberarm, und Zasada brachte noch hervor: «So dankbar wie ich dir – ist noch keiner seinem Henker gewesen, stell dir vor, ich stände jetzt allein hier mit diesen zwei stumpfsinnigen Polizeischweinen!» Victorowicz spürte, daß Sprechen die Angst untenhalte. So sagte er: «Danken – *mir*? Wenn ich dir wenigstens *ein* Wort von dem sagen könnte, was dir ein Priester mitgeben würde! Aber davon weiß ich nichts –» Zasada war damit tatsächlich abgelenkt, er sagte aufsässig: «Priester? – der wäre mir nur als Landsmann willkommen, aber sonst? Was sollte er mir sagen! Meinen einzigen Trost, obgleich ich mit dem Leben dafür zahle, die Nächte mit Pauline – müßte ein Priester mir wegreden. Nein, wie gut, daß keiner mitgehen darf. Denn die Macht, die er vertritt – wenn das denn eine ist: was tut die denn, uns dort zu helfen, wo wir sie brauchen, auf der Erde? Ich dachte, wenn ich überhaupt denken konnte außer an Flucht, als es zu spät war dafür: Unfair wie das Schicksal! Wär's nicht so traurig – zum Lachen wär's, mit welcher Konsequenz das Schicksal (oder was man so nennt) mich verblendet hat, mit höchster Umsicht . . . alles falsch zu entscheiden von dem ersten Verhör an. Und warum? – nur damit ich hängen soll für das, was andere . . .» Er überlegte, lächelte dann, sagte: «. . . was andere wahrhaftig preiswerter kriegen: eine schöne Frau!» Dumpf sagte er noch einmal: «Unfair wie das Schicksal!» Nur jetzt keine heikle Pause aufkommen lassen, dachte sein freundlicher Henker; so setzte er rasch dagegen – und aus tiefster Überzeugung: «Hör auf, dir vorzuhalten, daß du für irgend etwas ‹zahlst›. Was soll das heißen! Für was, verdammt, solltest du *zahlen*?»

Zasada sagte: «Ich habe Pauline ins Konzentrationslager gebracht!»

Fast wütend antwortete Victorowicz: «Und wohin bringt sie dich mit ihrem idiotischen Briefeschreiben? Ihr seid quitt, die Deutschen können nicht auch noch ihre Frauen umbringen, die mit Gefangenen schlafen – sie wird's überleben!» Zasada sagte: «Die Deutschen können. Die können ermorden, so viele sie wollen. In der Judenstadt Lodz, schrieb meine Mutter, gibt es keinen einzigen Juden mehr – meinst du, die seien *umgesiedelt* worden? Daß ich keinen von diesen Deutschen mitnehme, das verbittert mich noch stärker als –» Er schwieg, das hielt Victorowicz für riskant, daher er drängend fragte: «Als was – was verbittert dich?» Gequält sagte der Verlorene: «Als meine Dummheit! Daß ich *alles* falsch berechnet habe seit dem ersten Verhör! Als ich abgeführt wurde, da war ich noch nicht gefesselt: auf Melchiors Hof weg und die Scheune hoch und aus einem Fenster ins Nachbargrundstück, wo ich, aber doch nicht die Bullen, jedes Brett kenne! Natürlich hätten die geschossen! Na – und? Selbst wenn sie getroffen hätten – aber ich glaube, die hätten nicht . . .» Victorowicz widersprach: «Das haben wir doch alles mehrfach – wie soll ich sagen: nachgerechnet. Du hast ganz richtig gehandelt: erstens dachtest du, der Frau zu schaden, wenn du fliehen würdest . . .» Zasada lachte: «Ja – eben *das* war ja schon ein Irrtum, es hilft Pauline gar nichts, daß ich blieb!» Victorowicz: «Das weißt du jetzt, das *konntest* du nicht wissen. Außerdem hätten die Schweizer dich ausgeliefert.»

Victorowicz sah jetzt die marschierenden Gefangenen, an denen sie vorbeifuhren – und er sagte betroffener noch, als durch das, was er tun sollte, denn auch bei ihm hatte ein Verdrängungsmechanismus sich einzuspielen begonnen, er dachte nicht mehr an das Entsetzlichste: «Guck – da, Mensch! Jetzt machen die *Deutschen* einen Fehler! – einen *größeren* als du je gemacht hast!» Und als müsse er noch einmal sich überzeugen, daß die zwei Büttel, die auf dem Sarg saßen, tatsächlich keines seiner Worte verstanden, zögerte er, sicherte ab mit Blicken auf die behelmten dumpfblöden Untertanen, ehe er hinzufügte: «Die Kumpel sollen dem Schauspiel beiwohnen – nur haben die deutschen Idioten vergessen, sie scharf genug zu bewachen, so nah der Grenze . . . guck doch, zähl doch: weit über hundert, ach über zweihundert und – *zwei* alte Gendarmen! Stani – die schlagen dir eine Schneise, die nehmen dich den Mördern weg!»

Die Marschierenden waren überholt, der Freund sah ihn an, er atmete heftiger. Und lächelte. Und sagte, ohne das zu meinen: «Das gibt's doch nur im Kino. Das kommt nicht vor!» Doch wie er das sagte – spürte Victorowicz, daß Hoffnung in dem Verurteilten aufflammte, eine starke, immer noch wachsende Hoffnung. Nie hatte Victorowicz Berührung gehabt mit einem Menschen in so ausweglloser Situation wie ihrer: so wußten sie beide nicht, daß Hoffnung sich – wie bei den Krebserkrankten – freiwächst von allen Kontrollen durch die Realität in *dem* Maß, in dem das Ende unausweichlicher wird . . . Und hätten sie das gewußt: Sie hätten, eben weil sie so verloren waren, aus dieser Einsicht keinen Schluß auf sich selber gezogen. Victorowicz erörterte schon Einzelheiten: «Die müssen dich ja vorher losmachen von diesen zwei Bullen hier . . . und Autos stehen auch genug da rum!»

Zasada wehrte die Hoffnung ab, da sie zu stark in ihm

aufstand: «Wie viele willst du meinetwegen opfern . . .
und vielleicht umsonst! Das kann man nicht verlangen,
du!»

Victorowicz widersprach: «Denkst du, darüber wird
zuerst abgestimmt! Guck, da sind ja noch mehr von uns,
da stehen ja noch mal so viele: die ranmarschieren, sind ja
ein halbes Tausend! Du wirst doch nicht glauben, die
glotzen uns an wie die Schafe, wenn ich dir einen Strick
um den Hals –»

Jetzt konnte *er* nicht weiterreden. Und der Wagen hielt.
Sie waren an Paulines – geschlossenem – Laden vorüber-
gefahren, ohne ihn dank der Plane zu sehen, so wenig sie
die Kohlenhandlung Melchior im Vorbeifahren gesehen
hatten. Doch nun waren sie mitten im Dorf und vielleicht
– dachten sie – hielt der Wagen, weil die Menge ihm den
Weg versperrte. «Wo soll es sein?» fragte Zasada – wieder, wie beim ersten Blick auf seinen Sarg, war beim
Halten des Lasters alles Blut aus seinem Gesicht gewi-
chen. Victorowicz, der wie er jedes Haus in Brombach
kannte, sagte: «Hier nicht – es kann nicht mitten im Ort
sein; die Gefangenen, die zugucken sollen, sind auch noch
nicht alle da . . .»

Damit hatte er ihre letzte Illusion ausgesprochen. Daß
die zwei Büttel noch immer sitzen blieben auf dem Sarg,
nur heftiger miteinander redeten, während sie aus dem
Wagen herausschauten, sprach auch dafür, daß sie noch
nicht beim Galgen angekommen waren. Das Halten des
Wagens begann Zasada, da sie ja unter der Plane nicht
sehen konnten, was vor dem Auto geschah, jetzt so zu
schwächen, daß ihm Schweiß auf die Stirn trat. Er suchte
wegzudenken von sich, angestrengt bemüht, dem Platt
der zwei Polizisten zuzuhören, weil er sich hütete, die
Befürchtung in sich hochzulassen, der Todesort sei doch
schon erreicht. Er dachte, hatte oft in den letzten Wochen

daran gedacht: Die hängen mich an einem Ast der großen Bäume vor dem Gasthaus! Und die standen nur wenige Meter weit weg. Jetzt hörte er, weil er unbedingt hinhören wollte, obgleich die zwei Polizisten ihr Alemannisch noch barbarischer herauskauderwelschten als Pauline es selbst im Zorn geredet hatte: «Gardinegeld, au Kohlegeld kriegsch net zohlt, wenn du versetscht wirscht ins besetschte G'biet, sonscht hascht aber nur un nur Vorteil dervo, g'waltigi Vorteil!»

Der andere stimmte zu, er hatte gehört, was Kameraden heimschicken konnten, die nach Holland versetzt worden waren, und zählte es neidgelb auf: Pelzmäntel und goldene Uhren standen offenbar obenan in der Werteskala, denn dreimal erwähnte er sie. Der andere hatte Erfahrungsberichte aus Polen: Pelze konnte man auch dort auftreiben, doch von goldenen Uhren hatte er nichts gehört, aber ausgleichsweise von Naturalien: «Von dr Bahn muesch eine kenne, hernoch kanscht heimschicken so viel du willscht, gonze Schweinshälftene; allerdings habbe se in Pole jede Woche au nachts z'due mit sone Sach wie heit wir, un net nur Mannsbilder habbe se dort hinzerichte, allerdings dr Fritz Jacob hot mer net g'sagt, daß die in Pole uffghengt werde, ich glaub, die werde meist erschosse, er hat nur g'sproche, exekutiert wird jedi Wuche un nachts hebbe sie oft Razzia . . .»

Der andere befand, das sei «koin Vergnüge», wußte aber: «Dös zahlt sich aus für die – mer spricht, wer länger als fünf Johr Dienscht macht im Oschte, kriegt umsonscht en anständien Buurehof als Erbhof in Eijedum un dr Pol, wo bisher dr Hof g'hört hot, dr isch dann dr Knecht von deme Duetsche, wo ihn übernomme hot – hanoi warum halte die hier so ane Ewigkeit?» Er stand auf und sah hinaus, Zasada mußte ihm wegen der Handschelle folgen, aufstehen mußte auch der zweite Polizist, der sich jetzt beklagte: «Ausg'rechnet heit, mei Erna ischt beim Zahnarzt un hot mir ufftrache, Donnerschtag sinn nämlich mir dran, beim Metzger die Wurschtbrüh zu hole und uffsetze, denn wer weiß, wie long se z'warte hot beim Selzer, Eiter links im Unnerkiefer.» Die zwei setzten sich wieder, der eine sagte: «Ich häng dös an, wenn uns die Mittachspaus verkürzt wird wege dere dreckige Sach heit – guck die Leut an, was se for G'sichter mach: bubbelär isses net, Karl, was mer da dun – also wann's mi frogsch, die Frau g'hört neben dem uffg'hängt oder keins von beiden!»

Karl erwiderte, es machte ihn sympathisch: «Ich hob die ja guet kennt, en Glück, daß net ii als G'fongener im Nebehuus ohne Weibsbilder ei'gsperrt g'wese bi – un hätt mit dere ze dun g'hobt wie dr Pol hier, der ihr doch immer g'holfe hot 's obens – *iie*», betonte er, «hätt's a bei der versucht, Pfeffer hot die g'habt!»

Da er eineinhalb Jahre mit Alemannen zu Tisch gesessen und gearbeitet hatte, war ihr Platt Zasada zwar nicht nachsprechbar, aber verständlich geworden, – und es hatte ihm geholfen, sich auf das Geschwätz zu konzentrieren, vieles hatte er mitgekriegt. Er hatte Selbstkenntnis und Blick auf sich genug, um zu spüren: Es kam nur noch darauf an, Minuten oder eine Viertelstunde stehenbleiben zu können – nicht umzufallen, seinen Mördern keine Schwäche zur feixenden Genugtuung zu zeigen. Und obgleich der Verlorene das sah in aller Klarheit – umwölkte doch wahnwitzig wieder Hoffnung seinen Geist, der Gedanke an Befreiung durch seine heranmarschierenden Landsleute und die gefangenen Franzosen, die auch mitkamen. Er hatte, als er sich in der Zelle wochenlang mit dem Niederkämpfen seines Lebenswillens abmühte, keine andere Einsicht so hilfreich sich immer erneut eingeredet wie den ganz einfachen Gedanken: Wärst du bei

Kowno nicht in die Schulter, sondern in den Kopf geschossen worden – du säßest zwar heute nicht in der Todeszelle, doch du lägst irgendwo von Vögeln angefressen, oder längst untergepflügt oder vielleicht auch in einem Grab: Nun finde dich ab – zwei volle Jahre wurden dir zugelegt, anderthalb davon, bis sie dich verhafteten, waren so glücklich wie Kriegsjahre sein können: nicht an der Front, humane Behandlung, leichte Arbeit und eine Frau, die dir außer einem Kind alles gab, was Frauen überhaupt geben können. Von der Welt hast du nichts gesehen, fast nichts – einmal bei Gdansk die Ostsee, acht Tage: Doch was sonst könnte dir das Leben noch zulegen? Nichts, was du nicht hattest – und wärst du sogar alt geworden!

Diesen vereinfachenden Trost versuchte er abzuschirmen gegen alle Einwände – ängstlich dachte er weg, sobald ihn etwa die zerrende Sehnsucht nach seiner Mutter und nach Lodz anfiel. Ja – endlich fühlte er sich stark genug und Herr über seine sonst wankend gewordene Stimme, zu Victorowicz noch zu sagen, was ihm lange schon eingefallen war, damit der es an seine Mutter schreibe, was jedoch Zasada bisher auszusprechen sich nicht zugetraut hatte, aus Angst, es nicht in Ruhe sagen zu können. Jetzt brachte er schnell heraus: «Schreib meiner Mutter, ich sei ohne Angst gewesen, seit ich mir gesagt hätte: kein Schmerz, den man mir zufügen wird – kann auch nur annähernd so groß sein wie die Schmerzen waren, die meine Mutter bei meiner Geburt hatte.»

Ein Ruck – der Wagen fuhr an, er war herausgerissen aus dem Mechanismus, mit dem diese formelfest gewordenen, weil tausendmal sich eingeredeten Beruhigungsgedanken ihn stets wieder aufrichteten, sobald sein Geist über die Angst – das heißt: über seinen Körper siegte. Doch der Körper war sehr stark! Die Haft, dort das miserabel Gekochte, die zunehmende Angst, sie hatten ihn kaum erst geschwächt: seine mit und von Pauline genossene herrliche Vitalität, sein Eros, der nichts wollte und verstand als Leben – sie wurden aktiviert durch die Todesangst, sie lehnten sich auf und drangsalierten den Jungen; er fühlte die Kraft in sich, mit bloßen Fäusten, wären die Handgelenke sogar aneinander gefesselt, die zwei Büttel bewußtlos zu schlagen – doch so, wie seine zwei Arme, voneinander getrennt, an zwei verschiedene Schergen gekettet waren: gab es keine Hoffnung, nicht die geringste, auf die eigene Wucht und Wut. Hoffnung war nur noch in seinem Blick auf die versammelten, gut vierhundert ungefesselten Landsleute. Die würden doch nicht ruhig bleiben, wenn man ihn –

Doch nun fuhr der Wagen aus dem Dorf heraus. Die schmale Gasse, den Feldweg, in den sie mündete: Viele hundertmal war er mit Melchiors zwei Pferden diesen Weg ins Holz oder zu den Wiesenhängen kutschiert, singend oft oder pfeifend; jetzt kam, gleich links, der Steinbruch, dann nach wenigen hundert Metern bergan fing bereits der Wald an – *der* Wald, der schon die Freiheit war, denn der hörte nicht mehr in Deutschland auf, sondern war zu einem verwachsen mit dem Grenzwald der Schweiz! Wieso – Zasada sah Victorowicz an – fuhr der Laster diesen Pfad zur Freiheit hinan? Zasada fragte: «Wohin?» – irrsinnig hoffend. Da hielt schon der Wagen: sein Halten am Steinbruch war die Antwort!

Mayer, blaß wie das Opfer, so nervös, daß seine Befehle Schreie wurden, öffnete, sich zu beschäftigen, mit eigenen Händen die Klappe. Die Polizisten waren aufgestanden vom Sarg. Jetzt – da drei Aneinandergekettete nur auf Verabredung springen können – wollten sie in die Hocke gehen, wollten auf ihren Hintern herunterrutschen, doch Zasada sprang im Stehen ab. Und sprang weit. Der links an ihn Gekettete, mitgerissen wie der andere, der taumelnd auf seine Füße kam, stürzte beinhart auf die Knie, dann sogar aufs Gesicht; Mayer hob ihn auf, der Bulle hatte aufgeschrien vor Schreck und Schmerz. Er rieb sich ein Knie, sah Zasada an, als sei der noch zu «bestrafen» auch dafür und drohte hilflos: «Idiot, du gottverdammter Idiotenpolacke!»

Mayer entfesselte den Lädierten schon von Zasada, dann den rechts Angeketteten. Er ließ Zasadas Hände nicht aus den seinen, sondern schloß sie sofort auf dessen Rücken zusammen. Der Delinquent, dessen Augen so groß wurden wie sein Gesicht klein, eingefallen – wendete wild den Kopf nach allen Seiten: Er suchte seine Landsleute, die – nicht da waren! Denn der Befehl lautete wohlweislich, sie seien der Exekution fernzuhalten, doch dann an dem Gehängten vorbeizuführen . . . Mörder, allein seine Mörder und deren Mitmacher und Gesinnungsgesellen umstellten ihn. Und oben auf den Hängen, den abfallenden Wiesen, da nur der Zugang zum Steinbruch, doch nicht die Sicht in ihn abzusperren war, standen Hunderte von Bewohnern Brombachs, Lörrachs, der Nachbardörfer: Schmeißfliegen, die sich um eine Kloake versammeln. Kein Nazi hatte sie dazu aufgefordert, sondern die angeborene, doch zur Untätigkeit – und wenn sie nicht in den Kriegen gewesen waren, sogar zu lebenslänglicher Untätigkeit verdammte Mordlust hatte sie zu Schau-«Lustigen» gemacht . . . Auch gingen manche mit, das darf nicht bezweifelt werden, wie sie mitgehen zu Beerdigungen: aus Anteilnahme, die sich anders nicht artikulieren durfte als durch Dabeisein. Und sie waren innerlich aufgerissen von Mitgefühl – einige, sehr wenige sogar gelähmt durch die Gewißheit, hierfür, hierfür auch werde ihr Land bezahlen müssen . . .

Mayer schrie in den Lastwagen hinein: «Auf was warten Sie?» – da sprang auch Victorowicz ab. Nur schnell jetzt, wollte er denken – doch konnte es nicht, Mayer mußte ihn am Arm nehmen und mitziehen, so wie jetzt der Bulle rechts von Zasada, der nicht gestürzt war – der Hingeschlagene blieb, sich krümmend, zurück –, den Verurteilten mitziehen mußte die ersten Schritte in Richtung des Galgens, unter dem das kleine Pferdewägelchen des «Säugummi» stand – wie die Brombacher den Schweinefütterer Paul Alker nannten, der zwar ihr Mitbewohner war, doch Schweizer Bürger, geboren zu Wettikon, 1892. Herbefohlen heute von Zinngruber, weil ihm Alkers Wagen, mit dem der in Dorf und Umgebung die Küchen- und Felder-Reste als Futter für seine Säue einsammelte, die angemessene Plattform schien für einen Aufzuhängenden, unter dessen Füßen dann der Wagen mit hühott wegzufahren sei, blickte der kleine, halslose rund- und rotköpfige Alker mit einer Gutmütigkeit, die nicht einmal der Schreck hatte aus seinem Gesicht scheuchen können, auf den Polen, der auch *sein* Opfer war . . . kein Zweifel: Er wußte nicht, was er tat – nur, was er tun sollte; denn das hatte man ihm beredt eingeschärft. Zasada, weiß wie seine Augäpfel, hielt sich fest an dem einen einzigen Gedanken, den er zum Herrn über alle und über sich gemacht hatte – und der ihn bis jetzt nicht im Stich ließ: zeig deine Angst nicht!

Da er sich umblickte nach Victorowicz, eilte der sich, an Zasadas Seite zu kommen. Doch Mayer und einer der Bullen flankierten ihn. Er senkte den Blick, der schon die Schlinge gesehen hatte, die vom Galgen – der war wie eine Teppichstange von Klages und Matzke gezimmert – herabhing über Alkers Wägelchen und seinem kümmerlichen Pferd. So ging Stasiek Zasada seine letzten Schritte hinein in den Kreis seiner Mörder, deren jeder einzelne – außer Zinngruber – nach Jahrzehnten leugnete, am Tatort gewesen zu sein. Denn Feigheit war der stärkste Motor ihrer Aggressionen.

Mayer hielt Zasada, der schneller ging, je näher er dem Galgen kam, am Rade des Wagens zurück, es galt noch, die vorgeschriebene Formalität zu «erledigen». Ein Urteil existierte nicht, jedoch gab es einen vom Reichsführer Himmler persönlich für GV-«Täter» formulierten Richtspruch. Da Mayer nervös war und Zasada der erste, den er hinzurichten hatte, las Mayer die wenigen Worte von einem Zettel, den er suchen mußte: Die Aufregung hatte ihn vergessen lassen, in welche seiner Rocktaschen er ihn gesteckt hatte. Endlich las er vor: «Der Delinquent Stasiek Zasada hat wegen Geschlechtsverkehrs mit einer ehrvergessenen Deutschen sein Leben verwirkt. Zum Schutze von Volk und Reich ist er vom Leben zum Tode zu befördern. Das Urteil werde vollstreckt.» Das Entsetzen hatte einen Umstehenden bei dem Wort «befördern» lachen gemacht, er unterdrückte es mühsam; Roheit war nicht in seinem Lachen, es war ihm auch bei der Beisetzung seiner Mutter aufgestoßen. Er hatte wie alle in diesem Kreis sich nicht klargemacht – zu Hause, im Ehebett, als er gestern abend seiner Frau die Wichtigkeit seiner Anwesenheit erläuterte –, wie nah, wie komplicenhaft er sich heute hier verwickelte in einen gemeinen Mord. Mit ihm vermieden die andern, das spitz und naß gewordene Gesicht des Polens anzusehen, der jetzt dem nahezu gelähmten Victorowicz etwas sagte, offenbar einen Zuspruch – und dann vor ihm auf die umgestülpte Bütte trat, die als Treppe auf Alkers Wägelchen diente . . .

Der Arzt hielt für möglich, daß der «Henker» früher das Bewußtsein verlöre als Zasada. So drängte er an Mayer heran und bedeutete ihm, mit auf den Wagen zu steigen. Das war gut, denn Mayer hatte nun doch vergessen, Zasada die Füße zusammenzubinden – und er brauchte länger dazu, als jeder vermutete, als mancher es aushielt, ohne sich wegzuwenden. Auch sonst ging nichts nach Plan: Schon die Schlinge hing zu hoch, Victorowicz fummelte an ihr herum, endlich brachte Mayer sie auf die passende Länge. Doch obgleich er voraussah, daß die Bedenken des Arztes über die Unfähigkeit dieses «Henkers» nur zu berechtigt waren – siegte der Beamte in ihm, er nahm nicht Victorowicz ab, wozu der hier war. Und so führte es dahin, wohin es führen mußte – und vermutlich auch führen sollte, da der Sadist Himmler persönlich den Einfall gehabt hatte, die Exekution nicht durch einen Henker, sondern jeweils durch einen zufällig vorhandenen Landsmann des Opfers ausführen zu lassen: zu einer barbarischen Abwürgerei . . . Der Strick saß nicht, wo er sein mußte, um das Genick zu zerbrechen; er war zu kurz, als daß die Fallhöhe vom Wagen herab ausgereicht hätte, den tierstarken Nacken des jungen Mannes, unter dem auch noch mit unpassender Gemächlichkeit Alkers Wägelchen davonzog, so anzureißen, so hart und so ruckartig, daß ihm das Rückgrat gebrochen wurde. Und weil Zasada nicht sterben konnte, lange nicht – so schrie es aus ihm heraus, der gefaßt gewesen war bis zum letzten Moment. Er schrie: «Mutter!»

Er schrie es mehrfach.

Der Fotograf, «weisungsgemäß» erschienen, hatte Zeit genug, einen neuen Film einzulegen.

Da die Durchführer niemals zu fürchten brauchten, je verantworten zu müssen, was sie da angerichtet hatten, so schämten sie sich wenigstens dafür, es nicht einmal vorschriftsmäßig gekonnt zu haben. So furchtbar war selbst für sie, was und wie sie es taten, daß sie übereinstimmend behaupteten, vergessen zu haben, wie es dabei zugegangen sei – denn so wenig konnten sie das jemals vergessen.

Nur die Frau des Ortsgruppenleiters, da sie nicht zuge-
schaut hatte, vermochte über diese «Schweinerei» zu reden. «Unser Vadder», erinnerte sie sich noch nach sechsunddreißig Jahren, während der Ortsgruppenleiter, nun
achtzig, verschämt unter sich sah, «hat hinnerher zwölf
Tage nichts können zu Mittag essen.»